FOLIO SCIENCE-FICTION

Pierre Pevel

Les Lames du Cardinal, I

LES LAMES DU CARDINAL

Gallimard

Né en 1968, Pierre Pevel débute l'écriture, dans les années 1990, par la scénarisation et la création de jeux de rôles, avant d'adapter en romans, sous pseudonyme, un de ces univers ludiques. Dès 2001, il publie, sous son propre nom, le premier roman de *La trilogie de Wielstadt*, qui sera récompensé par le Grand Prix de l'Imaginaire. Suivront une petite dizaine de romans, dont, aux Éditions Bragelonne, *Les Lames du Cardinal*, couronné par le prix Imaginales des lycéens 2009 en France et le Morningstar Award 2010 du meilleur nouvel auteur en Grande-Bretagne. Déjà traduits en dix langues, ce roman et ses deux suites sont reconnus comme l'une des réussites majeures de la *fantasy* historique.

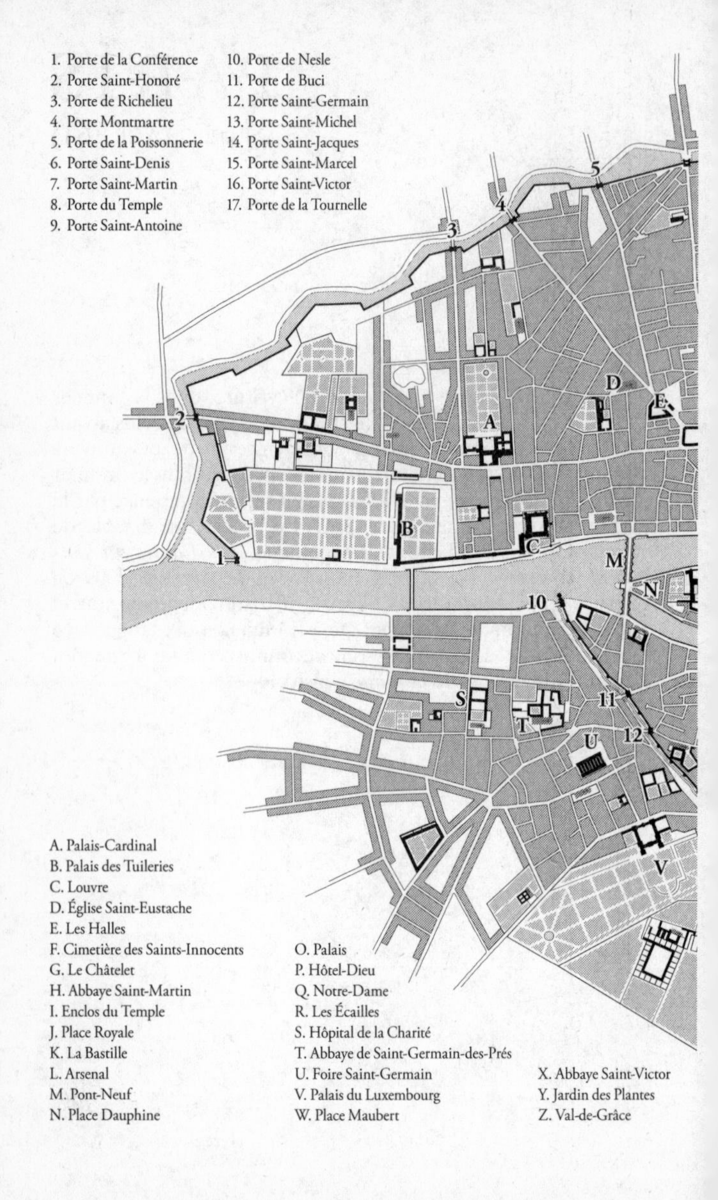
1. Porte de la Conférence
2. Porte Saint-Honoré
3. Porte de Richelieu
4. Porte Montmartre
5. Porte de la Poissonnerie
6. Porte Saint-Denis
7. Porte Saint-Martin
8. Porte du Temple
9. Porte Saint-Antoine
10. Porte de Nesle
11. Porte de Buci
12. Porte Saint-Germain
13. Porte Saint-Michel
14. Porte Saint-Jacques
15. Porte Saint-Marcel
16. Porte Saint-Victor
17. Porte de la Tournelle
A. Palais-Cardinal
B. Palais des Tuileries
C. Louvre
D. Église Saint-Eustache
E. Les Halles
F. Cimetière des Saints-Innocents
G. Le Châtelet
H. Abbaye Saint-Martin
I. Enclos du Temple
J. Place Royale
K. La Bastille
L. Arsenal
M. Pont-Neuf
N. Place Dauphine
O. Palais
P. Hôtel-Dieu
Q. Notre-Dame
R. Les Écailles
S. Hôpital de la Charité
T. Abbaye de Saint-Germain-des-Prés
U. Foire Saint-Germain
V. Palais du Luxembourg
W. Place Maubert
X. Abbaye Saint-Victor
Y. Jardin des Plantes
Z. Val-de-Grâce

PARIS
AN DE GRÂCE 1633

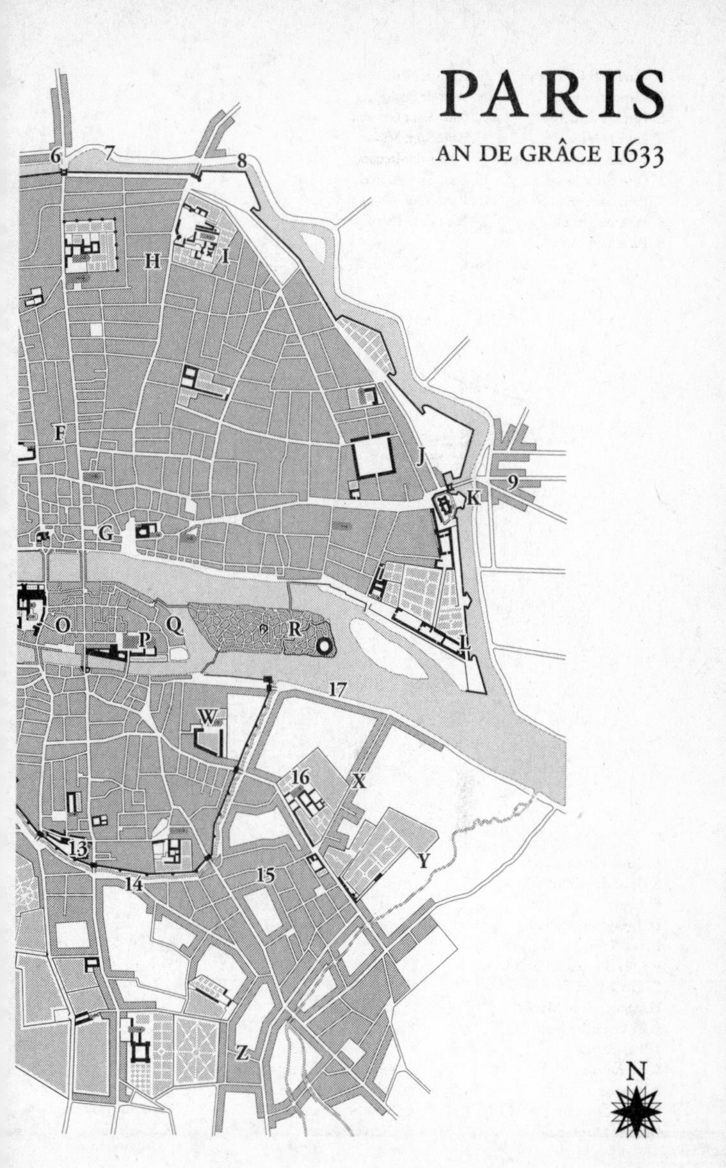

Ce livre est dédié à Jean-Philippe,
mon frère trop tôt enfui.

Prologue

Creusée dans le sol au cœur d'un immense pentacle gravé à même les dalles nues et froides, la cuve occupait le centre de la crypte, sous une voûte soutenue par des colonnes massives. Complexes mais harmonieuses, les lignes du pentacle s'entrecroisaient pour dessiner une étoile à douze branches enrichie de runes draconiques que la plupart des sorciers ne savaient ou n'osaient prononcer. Il émanait d'elles une puissance maléfique qui alourdissait l'atmosphère, cependant que de hauts cierges régulièrement disposés brûlaient. Des cierges noirs. Et dont les flammes, rougeoyantes dans l'obscurité, étaient du même incarnat que le sang fumant qui emplissait la cuve.

Une vieille femme s'approcha du pentacle. Ses longs cheveux blonds ternis de gris, elle laissa tomber à ses pieds le voile qui la couvrait et resta nue, offrant la peau blême et les chairs molles de son corps fané à la lueur érubescente des cierges. Puis elle descendit dans la cuve pour s'abandonner langoureusement à la chaleur poisseuse d'un sang qui, jamais, ne tiédirait. Paupières closes, tête rejetée en arrière et bras écartés sur le rebord de pierre, elle goûta un moment de délice et de grand repos. Enfin, après un soupir satisfait, elle se laissa lentement couler dans son bain, jusqu'à disparaître.

Quelques secondes s'écoulèrent avant que le pentacle réagisse. Soudain, les flammes écarlates des cierges doublèrent de taille tandis que les runes et les lignes gravées dans la pierre luisaient telles des braises. La surface du bain de sang se mit à frémir, à bouillonner bientôt. Des bulles naissaient et crevaient. Les cierges dévorés fondaient à vue d'œil. Dans le même temps, la lumière émise par le pentacle se faisait toujours plus vive. Mais elle ne se dispersait pas. Elle était un jaillissement continu, précis et vermillon qui découpait l'obscurité à la verticale selon le savant tracé du pentacle et le dessin torturé des symboles draconiques.

Il y eut alors une explosion aveuglante et silencieuse, et tout prit fin.

Lorsque l'on put de nouveau y voir dans la crypte, le pentacle était retourné à sa froideur minérale, la cuve montrait une surface lisse et miroitante, et les cierges réduits à l'état d'amas misérables donnaient des flammes grésillantes.

Celle qui émergea debout était désormais une très jeune femme au minois délicieux, au teint éclatant de blancheur, à la blondeur juvénile, au corps lisse, à la taille mince, aux fermes rondeurs. Le sang glissant sur elle comme sur une toile huilée pour la rendre à une beauté immaculée, elle quitta son bain et, d'un battement de paupières, elle déguisa les yeux reptiliens que le rituel avait révélés. Ce faisant, elle acheva de se muer en l'adorable vicomtesse de Malicorne, dont les charmes espiègles enchantaient la Cour et la vivacité d'esprit plaisait tant à la reine.

Loin du monde, elle ne s'obligea pas à sourire. Et alors qu'elle marchait hors du pentacle et allait vers l'escalier dérobé menant à ses appartements, on pouvait encore lire dans son regard une sagesse ancienne et cruelle qui trahissait non seulement son âge mais sa race, car le sang de dragon qui lui avait rendu la jeunesse coulait également dans ses veines.

I

L'APPEL AUX ARMES

1

Haute et longue, la pièce était tapissée de livres dont les élégantes dorures luisaient dans une pénombre roussie à la flamme des bougies. Dehors, derrière les épais rideaux de velours rouge, Paris dormait sous un ciel étoilé et la grande quiétude de ses rues enténébrées parvenait jusqu'ici, où le grattement d'une plume troublait à peine le silence. Mince, maigre, pâle, la main qui tenait cette plume traçait une écriture fine et serrée, nerveuse mais dominée, sans rature ni surcharge. Souvent, la plume allait à l'encrier. Elle était guidée par un geste précis et, sitôt revenue sur le papier, elle continuait de crisser au fil d'une pensée qui n'hésitait pas. Rien, sinon, ne bougeait. Pas même le dragonnet pourpre qui, roulé en boule, le museau sous l'aile, dormait d'un sommeil paisible près du sous-main en maroquin.

On frappa à la porte.

La main ne cessa pas d'écrire mais le dragonnet, dérangé, ouvrit un œil d'émeraude. Parut un homme portant l'épée et une casaque en soie écarlate frappée, sur ses quatre pans, d'une croix blanche. Il s'était respectueusement découvert.

— Oui ? fit le cardinal de Richelieu en écrivant toujours.

— Il est arrivé, monseigneur.

— Seul ?

— C'était la consigne.

— Bien. Faites-le entrer.

Le sieur de Saint-Georges, capitaine aux gardes de Son Éminence, s'inclina. Il allait se retirer quand il entendit :

— Et épargnez-lui les corps de garde.

Saint-Georges comprit, s'inclina encore et, en sortant, prit soin de refermer la porte sans bruit.

Avant d'être reçus dans les appartements du Cardinal, les visiteurs ordinaires devaient traverser cinq salles où des sentinelles étaient régulièrement relevées, de jour comme de nuit. Elles avaient l'épée au côté et le pistolet à la ceinture, veillaient à l'affût du moindre soupçon de danger et ne laissaient passer personne sans un ordre exprès. Rien n'échappait à leurs regards qui, d'inquisiteurs, n'attendaient que de se faire menaçants. Revêtus de la célèbre casaque, ces hommes appartenaient à la compagnie des gardes de Son Éminence. Ils l'escortaient partout où elle allait et n'étaient jamais moins d'une soixantaine partout où elle résidait. Ceux qui n'étaient pas de faction dans les couloirs et les antichambres tuaient le temps entre deux rondes, leurs mousquetons à portée de main. Et les gardes n'étaient pas les seuls à protéger Richelieu : tandis qu'ils assuraient la sécurité à l'intérieur, une compagnie de mousquetaires défendait les dehors.

Cette vigilance affichée n'était pas une simple démonstration de force pompeuse. Elle avait sa raison d'être, même ici, en plein Paris, dans le palais que le Cardinal faisait embellir à deux pas du Louvre.

Car, à quarante-huit ans, Armand Jean du Plessis, cardinal de Richelieu se trouvait être l'une des personnalités les plus puissantes et les plus menacées de son temps. Duc et pair du royaume, membre du Conseil et principal ministre de Sa Majesté, il avait l'oreille de Louis XIII avec qui il gouvernait la France depuis une décennie. Cela lui valait de compter de nombreux adversaires dont les moins acharnés n'intriguaient qu'à provoquer sa disgrâce, quand d'autres envisageaient tout bonnement de le faire assassiner — attendu qu'un exilé peut se jouer des distances et qu'un prisonnier a toujours la ressource de s'évader. Des complots avaient bien failli réussir naguère et de nouveaux se préparaient sans doute. Richelieu devait ainsi se garder de tous ceux qui le détestaient parce qu'ils jalousaient l'influence qu'il exerçait sur le roi. Mais il lui fallait également se prémunir contre les attentats ourdis par les ennemis de la France, au premier rang desquels figuraient l'Espagne et sa Cour des Dragons.

Minuit allait sonner.

Le dragonnet, somnolent, poussa un soupir las.

— Il est bien tard, n'est-ce pas ? fit le Cardinal en adressant un sourire attendri au petit reptile ailé.

Lui-même avait les traits tirés par la fatigue et la maladie en cette nuit de printemps 1633.

Normalement, il serait bientôt couché. Il dormirait un peu si ses insomnies, ses migraines, les douleurs dans ses membres l'épargnaient. Et surtout si personne ne venait le réveiller avec une nouvelle urgente exigeant au mieux des consignes vite données, au pire la tenue d'un conseil immédiat. Quoi qu'il advienne, il serait debout à deux heures du matin, et déjà entouré par ses secrétaires. Après une rapide toilette, il déjeunerait de quelques gorgées de bouillon et travaillerait jusqu'à six heures. Peut-être profiterait-il ensuite d'une à deux heures de sommeil supplémentaires, avant que le gros de sa journée ne commence avec la ronde des ministres et des secrétaires d'État, des ambassadeurs et des courtisans. Mais le cardinal de Richelieu n'en avait pas encore fini pour aujourd'hui avec les affaires de l'État.

*

Des gonds grincèrent à l'autre bout de la bibliothèque, puis un pas décidé martela le parquet dans un cliquetis d'éperons alors que le cardinal de Richelieu relisait le rapport destiné à présenter au roi la politique à mener contre la Lorraine. Incongru à cette heure et sonnant telle une charge sous les plafonds peints de la bibliothèque, le bruit grandissant acheva de réveiller le dragonnet. Lequel, au contraire de son maître, leva la tête pour voir qui arrivait.

C'était un gentilhomme blanchi sous le harnois de la guerre.

Grand, vigoureux, encore solide malgré les années, il avait des bottes hautes aux pieds, le chapeau à la main et la rapière au côté. Il portait un pourpoint ardoise à petits crevés rouges et des chausses assorties dont la coupe était aussi austère que l'étoffe. Sa barbe rase était du même gris argenté que ses cheveux. Soigneusement taillée, elle couvrait les joues d'un visage sévère creusé par les combats et les longues chevauchées sans doute, par les regrets et les tristesses peut-être. Son port était martial, assuré, fier, presque provocant. Son regard n'était pas de ceux que l'on fait baisser. Une chevalière en acier terni ornait l'annulaire de sa main gauche.

Laissant un silence s'installer, Richelieu acheva sa relecture tandis que son visiteur attendait. Il parapha la dernière page, la saupoudra pour l'aider à sécher, et souffla dessus. Les volutes qui s'élevèrent agacèrent les narines du dragonnet. Le petit reptile éternua, ce qui fit naître un sourire aux lèvres maigres du Cardinal.

— Désolé, Petit-Ami, murmura-t-il.

Et considérant enfin le gentilhomme, il dit :

— Un instant, voulez-vous ?

Il agita une clochette.

Le tintement fit venir l'infatigable et fidèle Charpentier, qui servait Son Éminence en qualité de secrétaire depuis vingt-cinq ans. Richelieu lui remit le rapport qu'il venait de signer.

— Avant que de me présenter demain devant Sa Majesté, je veux que le Père Joseph lise cela, et qu'il y ajoute les références bibliques qu'il aime tant et servent si bien la cause de la France.

Charpentier s'inclina et s'en fut.

— Le roi est fort pieux, sembla expliquer le Cardinal.

Puis, enchaînant comme si l'autre venait d'entrer :

— Soyez le bienvenu, monsieur le capitaine de La Fargue.

— « Capitaine » ?

— C'est bien votre grade, n'est-ce pas ?

— Ça l'était avant que l'on me retire mon commandement.

— On souhaite que vous repreniez du service.

— Dès à présent ?

— Oui. Auriez-vous mieux à faire ?

C'était la première passe d'armes, et Richelieu présageait qu'il y en aurait d'autres.

— Un capitaine commande une compagnie, fit La Fargue.

— Ou une troupe, à tout le moins, aussi modeste en nombre soit-elle. Vous retrouverez la vôtre.

— Elle est dispersée. Grâce aux bons soins de Votre Éminence.

Une lueur étincela dans l'œil du Cardinal.

— Rappelez vos hommes. Des lettres qui leur sont destinées n'attendent plus que d'être envoyées.

— Tous ne répondront peut-être pas.

— Ceux qui répondront suffiront. Ils étaient des meilleurs, et doivent l'être encore. Le temps qui a passé n'est pas si long…

— Cinq ans.

— … Et libre à vous d'en recruter d'autres, poursuivit Richelieu sans s'interrompre. Il m'a d'ailleurs été rapporté que, malgré mes ordres, vous n'avez pas coupé tous les ponts.

Le vieux gentilhomme cligna des paupières.

— Je constate que la compétence des espions de Votre Éminence n'a pas faibli.

— De fait, il y a peu de chose que j'ignore vous concernant, capitaine.

La main posée sur le pommeau de l'épée, le capitaine Étienne-Louis de La Fargue s'accorda un moment de réflexion. Il regardait droit devant lui, au-dessus de la tête du Cardinal qui, depuis son fauteuil, l'observait avec un intérêt patient.

— Alors, capitaine, acceptez-vous ?

— Tout dépend.

Craint parce qu'il était influent et d'autant plus influent qu'il était craint, le cardinal de Richelieu pouvait ruiner un destin d'un trait de plume ou hâter tout aussi aisément une carrière vers les sommets. On prétendait qu'il était homme à écraser tous ceux qui lui résistaient. On exagérait beaucoup et, comme elle se plaisait à le dire, Son Éminence n'avait d'autres ennemis que ceux de l'État. Mais envers ceux-là, elle savait se montrer impitoyable.

De marbre, le Cardinal durcit le ton.

— Ne vous suffit-il pas, capitaine, de savoir que votre roi vous rappelle à son service ?

Le gentilhomme, alors, trouva et soutint sans faillir le regard acéré du Cardinal.

— Non, monseigneur, cela ne suffit pas.

Et après une pause, il ajouta :

— Ou plutôt, cela ne suffit plus.

*

Durant un long moment, on n'entendit que la respiration sifflante du dragonnet sous les lambris précieux de la grande bibliothèque du Palais-Cardinal. La conversation avait pris un mauvais tour et les deux hommes, l'un assis, l'autre debout, se toisèrent jusqu'à ce que La Fargue cède. Mais pas en baissant le regard. En le redressant au contraire, de nouveau braqué sur la précieuse tapisserie à laquelle Son Éminence tournait le dos.

— Exigeriez-vous des garanties, capitaine ?

— Non.

— En ce cas, j'ai peur de mal vous comprendre.

— Je veux dire, monseigneur, que je n'exige rien. On n'exige pas ce qui est dû.

— Ah.

La Fargue jouait gros à affronter celui qui passait pour gouverner la France plus que le roi. De son côté, le Cardinal savait que toutes les batailles ne se gagnent pas par un coup de force. Comme l'autre restait figé dans une pose d'attente inébranlable, prêt sans doute à s'entendre dire qu'il passerait le reste de ses jours dans un cul-de-basse-fosse ou irait bientôt combattre les sauvages des Indes occidentales, Richelieu se pencha sur la table et, d'un index noueux, gratta la tête du dragonnet.

Le reptile baissa les paupières et soupira d'aise.

— Petit-Ami m'a été offert par Sa Majesté, dit le Cardinal sur le ton de la conversation. C'est elle qui l'a ainsi baptisé et il paraît que ces créatures s'accoutument assez tôt à leur sobriquet... Quoi qu'il en soit, il n'attend de moi que d'être nourri et caressé. Je n'y ai jamais manqué, de même que je n'ai jamais manqué à servir les intérêts de la France. Pourtant, si je le privais soudain de mes soins, Petit-Ami ne serait pas long à me mordre. Et ce, sans considération pour les bontés dont je l'aurais comblé par avant... Il y a là une leçon à retenir, ne croyez-vous pas ?

La question était toute rhétorique. Abandonnant le dragonnet pourpre à sa somnolence, Richelieu se renfonça dans les coussins de son fauteuil, coussins qu'il accumulait vainement afin de calmer les affres de ses rhumatismes.

Il grimaça, attendit que les douleurs s'estompent, poursuivit.

— Je sais, capitaine, que je vous ai fait défaut naguère. Vos hommes et vous aviez bien servi. Connaissant vos succès et vos mérites passés, les reproches que l'on vous fit étaient-ils justice ? Certes non. Ils n'étaient que nécessité politique. Je vous accorde que vous n'aviez pas entièrement failli et que l'échec de cette délicate mission au siège de La Rochelle ne vous incombait pas. Mais considérant le tour tragique qu'avaient pris les événements auxquels vous étiez mêlé, la couronne de France ne pouvait que vous désavouer. Il fallait qu'elle sauve les apparences et vous condamne pour ce que vous aviez fait, secrètement, sur ordre. Vous deviez être sacrifié, quitte à ce que cet artifice jette le déshonneur sur la mort de l'un des vôtres.

La Fargue acquiesça, mais il lui en coûtait.

— La nécessité politique, lâcha-t-il d'un ton résigné en caressant du pouce, à l'intérieur de son poing, l'anneau de sa chevalière en acier.

Semblant soudain très las, le Cardinal soupira.

— L'Europe est en guerre, capitaine. Le Saint Empire est à feu et à sang depuis quinze ans et la France devra sans doute aller y combattre bientôt. L'Anglais menace nos côtes et l'Espagnol nos frontières. Quand elle ne s'arme pas contre nous, la Lorraine accueille à bras ouverts tous les séditieux du royaume cependant que la reine mère complote contre le roi depuis Bruxelles. Des révoltes éclatent dans nos provinces et c'est souvent au plus haut niveau de l'État qu'il faut traquer ceux qui les fomentent et les conduisent. Et je vous fais grâce des partis secrets, parfois à la solde de l'étranger, qui tirent les fils de leurs intrigues jusque dans le Louvre.

Richelieu planta son regard dans celui de La Fargue.

— Je n'ai pas toujours le choix des armes, capitaine.

Il y eut un long silence, puis le Cardinal dit :

— Vous ne recherchez ni la gloire ni la fortune. De fait, je ne peux rien vous promettre. Soyez même assuré que je n'hésiterais pas plus qu'hier si, demain, les circonstances exigeaient que l'on sacrifie votre honneur ou votre vie à la raison d'État…

Cet accès de franchise surprit le capitaine, qui tiqua et regarda Richelieu dans les yeux.

— Mais ne refusez pas la main que je vous tends, capitaine. Vous n'êtes pas de ceux qui reculent devant le devoir, et le royaume, bientôt, aura trop besoin d'un homme tel que vous. J'entends par là d'un homme capable de réunir et de commander de fines lames loyales et courageuses, habiles à agir promptement et dans le secret, et enfin qui tuent sans remords et meurent sans regret pour le service du roi. Allons, capitaine, porteriez-vous toujours cette chevalière si vous n'étiez plus celui que je crois ?

La Fargue ne sut que répondre mais pour le Cardinal, l'affaire était entendue.

— Vos hommes et vous aimiez à vous appeler les « Lames du Cardinal », ce me semble. C'était un nom qui ne se murmurait pas sans inquiétude chez les ennemis de la France. Pour cela, entre autres raisons, il me plaisait. Gardez-le.

— Malgré tout le respect que je vous dois, monseigneur, je n'ai toujours pas dit oui.

Richelieu dévisagea longuement le vieux gentilhomme, son visage maigre et anguleux n'exprimant que froideur. Puis il se leva de son fauteuil, alla légèrement écarter un rideau pour regarder dehors et lâcha :

— Et si je vous disais qu'il pourrait être question de votre fille ?

Pâlissant, ébranlé, La Fargue tourna la tête vers le Cardinal qui semblait absorbé par la contemplation de ses jardins à la nuit.

— Ma... fille ?... Mais je n'ai pas de fille, monseigneur...

— Vous savez bien que si. Et je le sais aussi... Rassurez-vous, cependant. Le secret de son existence est gardé par des personnes rares et sûres. Je crois que même vos Lames ignorent la vérité, n'est-ce pas ?

Le capitaine prit sur lui, abandonna un combat perdu d'avance.

— Est-elle... en danger ? demanda-t-il.

Richelieu sut alors qu'il avait gagné. Toujours de dos, il cacha un sourire.

— Vous comprendrez bientôt, dit-il. Pour l'heure,

rassemblez vos Lames dans l'attente de connaître le détail de votre première mission. Je vous promets que cela ne tardera pas.

Et gratifiant enfin La Fargue d'un regard par-dessus son épaule, il ajouta :

— Le bonsoir, capitaine.

2

Agnès de Vaudreuil se réveilla un cri aux lèvres, les yeux immenses et le regard empli des terreurs qui n'épargnaient aucune de ses nuits. Elle s'était assise dans un sursaut de panique, et resta un instant hébétée à guetter les ombres autour de son lit. Il lui fallut attendre que son cœur cesse de battre une marche furieuse. Attendre que son souffle, presque haletant, s'apaise enfin. Attendre qu'une mauvaise sueur sèche sur sa peau.

Les derniers reliquats de terreur la quittèrent peu à peu, à regret, comme une meute frustrée de n'avoir pas triomphé d'une proie blessée mais trop acharnée à survivre.

La jeune femme soupira.

Un silence paisible régnait autant au-dedans qu'au-dehors, et d'un ciel piqueté tombait une clarté vacillante qui entrait par la fenêtre ouverte et se portait jusqu'au lit à colonnes. Élégante et spacieuse, la chambre était richement meublée, ornée de lourdes tentures, de miniatures précieuses, de boiseries délicatement peintes et de moulures dorées. Un désordre immobile, cependant, troublait ce luxe. Une chaise était renversée. Un chapeau d'homme coiffait de guingois une statuette antique. Des bougies s'étaient muées en amas de cire accrochés aux chandeliers. Sur une table marquetée subsistaient les restes d'un souper fin, et des vêtements emmêlés jonchaient les tapis.

Penchée en avant, Agnès ramena ses genoux à elle sous le drap, y appuya les coudes et glissa les doigts dans son épaisse chevelure, depuis le front jusqu'au sommet du crâne. Puis elle redressa lentement la tête en laissant la paume de ses mains tirer sur ses joues. Elle se sentait mieux mais ce n'était que partie remise. La meute reviendrait, toujours affamée et peut-être plus féroce. Il n'y avait rien d'autre à faire sinon l'accepter.

Et vivre.

Agnès acheva de se ressaisir.

Sans déranger l'homme qui dormait à côté d'elle, elle se leva en entraînant un drap froissé dans lequel elle s'enroula. Assez grande et de loin plus mince et musclée que ses contemporaines qui veillaient à rester grasses pour séduire, elle n'était pourtant pas sans charme, même selon les critères de l'époque. Elle avait de l'élégance dans le geste, de la noblesse dans l'allure, et une forme de beauté sévère et farouche, presque hautaine, volontiers provocante, qui semblait promettre l'échec à quiconque prétendait la conquérir. Alourdis d'amples boucles, ses longs cheveux noirs encadraient un visage mince et volontaire dont ils soulignaient la pâleur. Ses lèvres pleines et sombres souriaient rarement. Non plus que ses yeux vert émeraude, où brûlait une flamme froide. Il n'aurait pourtant fallu qu'un peu de joie pour que tout, en elle, resplendisse.

Le poing gauche serrant le drap contre sa poitrine, Agnès foula la robe et les jupons froissés qu'elle portait la veille. Ses bas blancs gainaient toujours ses longues jambes. De sa main libre, elle leva et agita plusieurs bouteilles avant d'en trouver une qui ne fût pas vide. Elle versa le fond de vin dans un verre qu'elle porta jusqu'à la fenêtre, et laissa le souffle tiède d'une nuit de mai la caresser. Depuis le premier étage, elle avait vue sur la cour de son manoir et sur la campagne alentour, jusqu'aux miroitements lointains de l'Oise.

Agnès sirota son vin en attendant que l'aube vienne.

*

Au point du jour, le drap avait légèrement glissé et montrait une marque qui, sur son omoplate, inquiétait certains de ses amants et faisait dire d'Agnès qu'elle était un peu sorcière. Toujours à la fenêtre, elle jouait rêveusement avec la chevalière qu'elle portait accrochée autour du cou — le bijou, en acier terni, était frappé d'une croix grecque fleurdelisée que traversait une rapière. Agnès entendit l'homme qui se levait. Elle lâcha la chevalière et songea à couvrir son épaule mais ne se retourna pas tandis qu'il s'habillait, puis quittait la chambre sans un mot. Elle le vit ensuite paraître dans la cour et réveiller le cocher endormi sous un carrosse attelé. Le fouet claqua, les chevaux s'ébrouèrent, et la voiture de ce gentilhomme déjà oublié ne fut bientôt plus qu'un nuage de poussière sur la route pierreuse.

La vie reprit bientôt dans le manoir, en même temps que les clochers des villages environnants sonnaient la première messe. Agnès de Vaudreuil quitta enfin sa fenêtre quand elle aperçut un valet prendre les ordres du palefrenier devant l'écurie. Elle fit alors une rapide toilette et tressa ses longs cheveux à la hâte. Elle changea ses bas, enfila des chausses, une chemise à large col et, par-dessus, un vieux corset de cuir rouge. Elle choisit ses meilleures bottes de monte, puis passa un baudrier et y accrocha la rapière au fourreau qui pendait près de la porte.

C'était une lame faite à son bras et forgée à Tolède dans le meilleur acier. Elle la dégaina pour en apprécier la parfaite rectitude, le bel éclat, la souplesse et le tranchant. Elle esquissa ensuite quelques fentes, parades et ripostes. Enfin, du pouce, elle fit jaillir par le pommeau une pointe longue comme la main, aussi fine et acérée qu'un stylet florentin, et qu'elle admira avec une lueur presque amoureuse dans le regard.

3

À la mort du cardinal de Richelieu, le Palais-Cardinal compterait un splendide corps de logis principal, deux longues ailes, deux cours et un immense jardin étiré entre la rue de Richelieu et celle des Bons-Enfants. Mais en 1633, il n'était encore que l'hôtel d'Angennes, acquis neuf ans plus tôt, et que son illustre propriétaire, soucieux d'avoir à Paris une demeure à sa mesure, faisait agrandir et embellir. Il s'y employait si bien que, fort opportunément nommé directeur général des fortifications nouvelles, il étendait désormais son domaine sur une vaste superficie prise aux remparts de Paris, que l'on achevait de rebâtir plus à l'ouest depuis la porte Saint-Denis jusqu'à la nouvelle porte de la Conférence. La capitale gagnait autant que le Cardinal à cet élargissement : de nouvelles rues étaient tracées, de nouveaux quartiers voyaient le jour là où n'étaient que des friches, des fossés, un marché aux chevaux renommé et le début des faubourgs Montmartre et Saint-Honoré. Mais restait que Richelieu s'était condamné à vivre dans les plâtres encore quelques années. L'imposante façade du palais, sur la rue Saint-Honoré, ne serait même achevée qu'en 1636.

C'est donc en passant sous de grands échafaudages déjà chargés d'ouvriers que, ce matin-là à huit heures, l'enseigne Arnaud de Laincourt entra dans le Palais-Cardinal. Les mousquetaires qui venaient d'ouvrir les grilles le reconnurent et lui adressèrent un salut militaire auquel il répondit. Puis il pénétra dans la salle des Gardes qui, avec ses cent quatre-vingts mètres carrés et sa cheminée monumentale, était le lieu où les visiteurs ordinaires attendaient d'être sollicités. Ils étaient déjà une vingtaine mais l'endroit grouillait surtout de casaques rouges, car les gardes qui avaient veillé toute la nuit sur la sécurité de Son Éminence y rencontraient ceux qui, comme Laincourt, venaient prendre leur service. Des mousquetons — balle en bouche et prêts à tirer — étaient rangés au râtelier. La lumière tombait de hautes fenêtres orientées au sud et les conversations mêlées résonnaient sous les lambris.

Mince et souple, Arnaud de Laincourt pouvait approcher la trentaine. Il avait le sourcil sombre, l'œil d'un bleu cristallin, le nez droit, les joues glabres et le teint pâle. Ses traits fins étaient empreints d'un charme étrange, à la fois sage et juvénile. On l'imaginait plus volontiers étudiant la philosophie à la Sorbonne que revêtu de la tenue ordinaire des gardes à cheval du Cardinal. Or il portait bien le feutre à panache et la casaque à croix et galons blancs, ainsi que l'épée pendue au baudrier de cuir réglementaire qui lui barrait la poitrine depuis l'épaule gauche. Son grade d'enseigne faisait même de lui un officier — un officier subalterne selon la hiérarchie militaire alors en vigueur, mais un officier néanmoins, et que l'on disait promis à la lieutenance tant Richelieu semblait l'apprécier.

On le salua et, comme à son habitude, il salua en retour avec une courtoisie et une retenue qui décourageaient les bavardages. Puis il sortit un petit in-seize en cuir roux de son pourpoint et, pour le lire, alla s'adosser à un pilier près duquel deux gardes étaient assis à un guéridon. Le plus jeune, Neuvelle, avait vingt-six ans à peine et n'était aux Gardes que depuis quelques semaines. Son compagnon, en revanche, grisonnait. Il se nommait Brussand, avait la bonne quarantaine et servait sous la casaque du Cardinal depuis la création de la compagnie, en 1626.

— N'empêche, disait Neuvelle à voix presque basse, j'aimerais bien savoir qui est le gentilhomme que Son Éminence a reçu cette nuit dans le plus grand secret. Et pourquoi.

Or comme Brussand, penché sur une réussite, ne réagissait pas, le jeune homme insista :

— Songez qu'il n'est pas passé par les antichambres. Les mousquetaires de faction à la petite grille avaient ordre de seulement prévenir de sa venue sans poser de question. Nous autres gardes étions tenus à l'écart. Et c'est le capitaine Saint-Georges en personne qui l'a escorté jusqu'aux appartements du Cardinal et l'a raccompagné ensuite !

— La consigne, répondit enfin Brussand sans lever les yeux de sa réussite, était d'être aveugle et sourd pour tout ce qui concernait ce gentilhomme. Vous n'auriez pas dû guetter aux portes.

Neuvelle haussa les épaules.

— Pff… Quel mal ai-je fait ?… En outre, je n'ai entraperçu qu'une silhouette au détour d'un couloir fort sombre. Ce gentilhomme pourrait me venir serrer la main sans que je le reconnaisse.

Brussand, toujours absorbé par son jeu, lissa sa moustache poivre et sel sans commenter, puis posa avec satisfaction une vyverne de pique providentielle sur un valet de cœur rétif.

— Tous ces mystères m'intriguent, lâcha Neuvelle.

— C'est un tort.

— Vraiment ? Et pourquoi ?

Sans qu'il y parût, Brussand, à la différence du jeune garde, avait remarqué l'arrivée discrète de Laincourt.

— Voulez-vous lui expliquer, monsieur de Laincourt ?

— Certainement, monsieur de Brussand.

Neuvelle regarda Laincourt, qui tourna une page et dit :

— Apprenez qu'il y a des secrets qu'il vaut mieux ne pas percer, ni même faire mine de surprendre. Cela peut s'avérer néfaste. À votre carrière, bien sûr. Mais aussi à votre santé.

— Voulez-vous dire que…

— Oui. Je veux exactement dire cela.

Neuvelle afficha un sourire fragile.

— Allons ! Vous cherchez à m'effrayer.

— Précisément. Et pour votre plus grand bien, croyez-le.

— Mais je suis aux Gardes !

Cette fois, Laincourt leva les yeux de son livre.

Et sourit.

Neuvelle portait sa casaque écarlate avec un mélange d'orgueil et de confiance, convaincu non sans raison qu'elle le protégeait autant qu'elle l'élevait. Parce qu'il leur confiait sa vie, Richelieu choisissait tous ses gardes personnellement. Il les voulait gentilshommes, âgés de vingt-cinq ans au moins, et exigeait de la plupart qu'ils aient servi trois ans aux armées.

Parfaitement entraînés et équipés, soumis à une discipline de fer, ils composaient un corps de cavaliers d'élite. Le Cardinal les préférait de loin à la compagnie de mousquetaires à pied qu'il entretenait également et qui se recrutait parmi la plèbe ordinaire des soldats de profession. Et il les récompensait de leur dévouement en étendant sur eux sa protection.

Cependant...

— Être aux Gardes, Neuvelle, est un honneur qui vous expose tout particulièrement à des dangers que le commun des mortels ne soupçonne pas — ou qu'il exagère, ce qui revient au même. Nous sommes comme les chenets devant un âtre où brûle un brasier permanent. Ce brasier, c'est le Cardinal. Nous le défendons, mais il suffit de trop l'approcher pour en pâtir. Servez Son Éminence fidèlement. Mourez pour elle si les circonstances l'exigent. Néanmoins, n'écoutez que ce que l'on veut que vous entendiez. N'observez que ce que l'on vous donne à voir. Ne devinez que ce qu'il vous faut comprendre. Et empressez-vous d'oublier le reste.

Sa tirade achevée, Laincourt retourna tranquillement à sa lecture.

Il croyait l'affaire entendue, et pourtant Neuvelle insista.

— Mais vous-même...

L'enseigne tiqua.

— Eh bien ?

— Je veux dire que...

Tout en cherchant ses mots, Neuvelle guetta le secours de Brussand, qui le gratifia en retour d'un regard noir. Le jeune garde comprit alors qu'il s'était aventuré sur un terrain sinon dangereux, du moins sensible. Il aurait donné cher pour être soudainement transporté ailleurs et ressentit un soulagement certain lorsque Laincourt changea de cible.

— Monsieur de Brussand, auriez-vous parlé de moi à M. de Neuvelle ?

L'intéressé haussa les épaules, comme pour s'excuser.

— On s'ennuie souvent, quand on est de faction.

— Et qu'avez-vous dit ?

— Ma foi, j'ai dit ce que tout le monde dit.

— À savoir ?

Brussand prit une inspiration.

— À savoir que vous vous destiniez à devenir un homme de loi quand le Cardinal vous remarqua. Que vous avez rejoint le nombre de ses secrétaires particuliers. Qu'il vous confia bientôt des missions de confiance. Que l'une de ces missions vous fit rester deux ans hors de France et qu'à votre retour vous avez pris la casaque avec le grade d'enseigne. Voilà. C'est tout.

— Ah…, fit Arnaud de Laincourt sans trahir d'émotion.

Il y eut un silence durant lequel il parut réfléchir à ce qu'il venait d'entendre.

Enfin, le regard vague, il acquiesça.

Puis reprit sa lecture tandis que Neuvelle se trouvait des choses à faire ailleurs et que Brussand entamait une nouvelle patience. Quelques minutes s'écoulèrent et le garde vétéran lâcha :

— À vous, Laincourt, je puis le dire…

— Quoi donc ?

— Je sais qui Son Éminence a reçu cette nuit. Je l'ai aperçu moi aussi tandis qu'il s'en retournait et je l'ai reconnu. Il se nomme La Fargue.

— Ce nom ne m'inspire rien, dit Laincourt.

— Autrefois, il commandait des hommes de confiance et exécutait des missions secrètes pour le compte du Cardinal. On les nommait, à mi-voix, les

« Lames du Cardinal ». Puis il y eut une méchante affaire au siège de La Rochelle. Je n'en connais pas le détail mais elle provoqua la disparition des Lames. Jusqu'à cette nuit, je croyais que cette disparition était définitive. Mais maintenant…

Arnaud de Laincourt referma son livre.

— Les conseils de prudence que j'ai donnés à Neuvelle valent pour nous, dit-il. Oublions tout cela. Nous ne nous en porterons sans doute que mieux.

Brussand, songeur, opina.

— Oui. Vous avez raison. Comme toujours.

Sur ces entrefaites, le capitaine Saint-Georges appela Laincourt. Le cardinal de Richelieu souhaitait se rendre au Louvre avec sa suite et il fallait préparer l'escorte. Saint-Georges la commanderait et Laincourt, en sa qualité d'officier, aurait la garde du palais.

4

Deux carrosses étaient arrêtés à quelque distance l'un de l'autre sur un pré bordant la route de Paris. Trois élégants gentilshommes entouraient le marquis de Brévaux près du premier carrosse tandis que, près du second, le vicomte d'Orvand faisait seul les cent pas. Il allait, venait, s'arrêtait parfois pour regarder l'horizon et la route en caressant nerveusement sa fine moustache et sa royale noires, levait ensuite des regards impatients vers son cocher que tout cela indifférait mais qui commençait à avoir faim.

Enfin, l'un des gentilshommes se détacha du groupe pour marcher vers d'Orvand en foulant d'un pas décidé une herbe grasse et humide. Le vicomte savait ce qu'il allait entendre et se composa une attitude aussi digne que possible.

— Il est en retard, dit le gentilhomme.
— J'en suis, croyez-le, désolé.
— Viendra-t-il ?
— Je le crois.
— Mais savez-vous seulement où il se trouve, à cette heure ?
— Non.
— Non ? Mais vous êtes son témoin !
— C'est-à-dire que…
— Un quart d'heure, monsieur. Le marquis de Brévaux veut bien patienter encore un quart d'heure d'horloge. Et quand votre ami arrivera, s'il arrive, nous…
— Le voilà, je crois…

*

Un carrosse richement décoré arrivait. Tiré par un splendide attelage, il s'arrêta sur la route poudreuse et un homme en descendit. Son pourpoint était entièrement déboutonné et sa chemise sortait à demi de ses chausses. Le chapeau dans la main droite et la gauche reposant sur le pommeau de son épée, il garda une semelle sur le marchepied pour embrasser une jolie jeune femme blonde penchée par la portière ouverte. Ce spectacle n'étonnait pas d'Orvand, qui leva cependant les yeux au ciel en voyant qu'un second baiser d'adieu était échangé avec une autre beauté, brune celle-là.

— Marciac, murmura le vicomte pour lui-même. Tu ne changeras donc jamais !

Le gentilhomme chargé de transmettre les récriminations du marquis de Brévaux retrouva ses amis tandis que le luxueux carrosse doré faisait demi-tour en direction de Paris et que Nicolas Marciac rejoignait d'Orvand. Il était bel homme, séduisant malgré le négligé de sa tenue et peut-être un peu grâce à cela, aurait eu besoin d'un coup de rasoir et souriait de toutes ses dents. Il trébuchait à peine et était l'image même du noceur ravi de sa nuit et insoucieux du lendemain.

— Mais tu as bu, Nicolas ! s'inquiéta d'Orvand en flairant son haleine.

— Non ! s'insurgea un Marciac très choqué... Enfin... à peine.

— Avant un duel ! C'est folie !

— Ne t'alarme pas. Ai-je déjà perdu un duel ?

— Non, mais...

— Tout ira bien.

Près de l'autre carrosse, le marquis de Brévaux était déjà en chemise et esquissait quelques fentes.

— Bon, finissons-en, décréta Marciac.

Il ôta son pourpoint, le jeta dans le carrosse du vicomte, dit bonjour au cocher, s'inquiéta de sa santé, fut ravi d'apprendre qu'elle était excellente, surprit le regard de d'Orvand, ajusta sa chemise dans ses chausses, dégaina son épée et alla vers Brévaux qui marchait déjà à sa rencontre.

Puis, après quelques pas, il se ravisa, tourna les talons sans se soucier d'exaspérer plus encore le marquis, et glissa à l'oreille de son ami :

— Dis-moi juste une chose...

— Oui ? soupira d'Orvand.

— Promets-moi d'abord de ne pas te fâcher.

— Soit.

— Alors voilà, j'ai deviné que je me bats contre celui qui est en chemise et me regarde d'un mauvais air. Mais pourrais-tu m'indiquer pourquoi ?

— Hein ? s'exclama le vicomte plus fort qu'il ne l'aurait voulu.

— Si je le tue, je lui dois bien de connaître le motif de notre querelle, ne crois-tu pas ?

Les mots manquèrent d'abord à d'Orvand, qui se ressaisit et annonça :

— Une dette de jeu.

— Quoi ? Je lui dois de l'argent ? À lui aussi ?

— Mais non ! Lui !... C'est lui qui... Bon, en voilà assez. Je vais annuler cette folie. Je dirai que tu es souffrant. Ou que tu...

— Combien ?

— Hein ?

— Combien me doit-il ?

— Quinze cents livres.

— Diable ! Et moi qui allais le tuer !...

Joyeux, Marciac s'en retourna devant le marquis qui fulminait. Il prit la pose d'une garde incertaine et lâcha :

— À votre disposition, monsieur le marquis.

*

Le duel fut rapidement expédié. Brévaux prit l'initiative et enchaîna des bottes que Marciac para nonchalamment avant de conclure l'assaut par un coup de poing qui fendit la lèvre de son adversaire. D'abord surpris, puis vexé, le marquis revint à la charge. Là encore, Marciac se contenta de défendre, comme distrait et affectant même, entre deux tintements d'acier, de retenir un bâillement. Cette désinvolture acheva de rendre Brévaux fou de colère. Il rugit, frappa de taille en tenant sa rapière à deux mains et, sans comprendre comment, se retrouva soudain à la fois désarmé et blessé à l'épaule. Marciac poussa l'avantage. À la pointe de sa lame, il obligea le marquis à reculer jusqu'à son carrosse, contre lequel il le tint en respect.

Pâle, essoufflé, en sueur, Brévaux se tenait l'omoplate.

— C'est bon, dit-il. Vous l'avez emporté. Je vous paierai.

— J'ai peur, monsieur, qu'une promesse ne suffise pas. Payez maintenant.

— Monsieur ! Je vous donne ma parole d'honneur !

— Vous avez déjà promis une fois, et voyez où nous en sommes…

Marciac tendit un peu plus le bras et la pointe de sa rapière se rapprocha d'autant de la gorge du marquis. Les gentilshommes de la suite de Brévaux firent un pas. L'un d'eux commença même à tirer l'épée tandis que d'Orvand, inquiet, s'en venait pour porter secours à son ami si nécessaire.

Il y eut un moment d'incertitude partagée, puis le marquis ôta une bague qu'il avait au doigt et la tendit à Marciac.

— Sommes-nous quittes ?

L'autre prit le bijou et en admira la pierre.

— Oui, fit-il avant de rengainer.

— Maudit Gascon !

— J'ai également beaucoup d'estime pour vous, monsieur. Au plaisir de vous revoir.

Et se retournant vers d'Orvand, Marciac ajouta à son intention :

— Splendide journée, n'est-ce pas ?

5

Dans un petit cabinet dont elle seule avait la clef, la très jeune, très blonde et très charmante vicomtesse de Malicorne ôta l'étoffe de soie noire qui protégeait le miroir ovale devant lequel elle s'était assise.

La pièce était plongée dans la pénombre, deux bougies brûlant seulement de part et d'autre du miroir.

À voix basse, paupières baissées, la vicomtesse psalmodia quelques mots d'une langue ancienne et crainte qui avait été celle des Dragons Ancestraux et restait celle de la magie. La surface du précieux miroir d'argent se troubla, s'anima telle une couche de mercure bouleversée par des mouvements profonds, puis se figea. Une tête de dragon parut — écailles rouge sang, yeux noirs et luisants, crête osseuse et pâle, crocs saillants. Elle semblait avoir émergé du miroir ensorcelé mais, légèrement translucide, n'était qu'illusion.

— Salutations, ma sœur.

— Salutations, mon frère.

Quelqu'un, à des milliers de lieues de distance, avait répondu à l'appel de la vicomtesse. Où qu'il se trouve, il avait apparence humaine. Mais le miroir ne mentait pas : les images qu'il projetait étaient le juste reflet de la nature profonde de ceux qui l'employaient, de sorte que la jolie jeune femme, elle aussi, donnait à voir un visage draconique à son interlocuteur. Car si ni l'un ni l'autre n'étaient des Dragons Ancestraux, ils étaient leurs descendants. Dans leurs veines coulait le sang d'une race qui avait évolué au fil des siècles et des millénaires, pour abandonner la « forme draconique supérieure » et se fondre parmi les hommes. Cette race n'en était pas moins redoutée, et à raison.

— On s'inquiète de vos progrès, ma sœur.

— Qui ?

— Moi, en premier lieu. Mais aussi d'autres qui, contrairement à moi, ne vous sont guère favorables. Vous ne comptez pas que des alliés au sein de la Griffe noire.

— Je pensais qu'elle se réjouirait de mon prochain succès. Un succès qui sera aussi et d'abord le sien.

— Ici, en Espagne, quelques-uns de nos frères jalousent votre succès annoncé. Vous allez réussir là où certains d'entre eux ont échoué…

— Ne devraient-ils pas s'en faire le reproche, plutôt que de me blâmer ?

Le dragon, dans le miroir, sembla sourire.

— Allons, ma sœur. Vous n'êtes point aussi naïve…

— Certes non.

— Reste qu'un échec ne vous serait pas pardonné.

— Je n'échouerai pas !

— Au prétexte de s'en assurer, certains maîtres de la Grande Loge ont conçu de vous adjoindre l'un de leurs initiés de premier ordre. Un certain Savelda. Le connaissez-vous ?

— Assez pour deviner que sa mission est moins de m'aider que de faire le compte de mes possibles erreurs. De sorte que si je venais à échouer, mes ennemis seraient mieux armés pour m'accuser…

— Au moins savez-vous à quoi vous attendre. Savelda est déjà en route et se présentera bientôt à vous. Sa duplicité à votre égard est certaine, mais l'homme est capable et il a à cœur de défendre les intérêts de la Griffe noire. Il n'a sans doute que faire de la politique. Employez-le à bon escient.

— Soit.

Un voile parcourut la surface du miroir et, le temps que la vicomtesse produise un effort de volonté, la tête de dragon fantomatique qui lui faisait face vacilla.

— Vous êtes fatiguée, ma sœur. Si vous souhaitez que nous remettions à plus tard…

— Non, non. Cela ira… Poursuivez, je vous en prie.

Dans le cabinet obscur, la jeune femme essuya prestement la goutte noire qui perlait à sa narine.

— Nous avons, dit le dragon, un espion introduit en haut lieu au Palais-Cardinal.

— Je sais. Il…

— Non. Il s'agit d'un autre que celui qui vous informe. Celui dont je parle, vous ne le connaissez pas encore. Ou du moins pas sous ce jour, puisqu'il est du nombre de vos prochains initiés.

La vicomtesse accusa le coup.

La Grande Loge d'Espagne avait ainsi un agent chez le Cardinal, un agent exclusif et dont elle apprenait seulement l'existence. Cela était dans les usages de la Griffe noire et plus particulièrement dans ceux de la Grande Loge. Celle-ci, en effet, avait été la première fondée. Elle exerçait traditionnellement sur les autres loges d'Europe un empire dont elle se montrait d'autant plus jalouse que son autorité commençait à être contestée. On lui reprochait à juste titre d'être écrasée par le poids des traditions et dirigée par des maîtres avant tout soucieux de leurs privilèges. Contre elle, au sein même de la Griffe noire, des dragons intriguaient qui ne rêvaient secrètement que de dépoussiérer — sinon d'abattre — les vieilles idoles. La vicomtesse de Malicorne était de ces rebelles ambitieux.

— Eh bien ? fit-elle.

— Notre espion nous a informés que le Cardinal a le projet de refaire appel à l'un de nos vieux ennemis. Considérant le temps que cette nouvelle a mis à nous parvenir en Espagne, la chose est peut-être déjà faite.

— L'un de nos vieux ennemis ?

— La Fargue.

— La Fargue et ses Lames.

— Sans doute, oui. J'ignore si leur retour soudain concerne vos affaires, mais gardez-vous de ces hommes et plus encore de leur capitaine.

6

La salle d'armes de Jean Delormel était située rue des Cordières, proche de la porte Saint-Jacques. On ne la découvrait qu'après avoir franchi le portail d'une courette inégalement pavée mais bien tenue, et que la ramure d'un pommier dressé en son centre couvrait presque tout entière. Au fond à gauche, un beau corps de logis faisait angle avec une écurie que jouxtait une petite forge. Les pas et les regards, cependant, se portaient plus naturellement à droite, vers la maison que l'on reconnaissait pour ce qu'elle était à l'enseigne traditionnelle qui ornait son seuil — un bras tenant une épée.

Assise sur un banc de pierre sous le pommier, une fillette de six ans jouait avec une poupée — corps de chiffon et tête de bois peinte — lorsque le capitaine La Fargue arriva à cheval. Rousse et bouclée, proprement vêtue, la petite Justine était la cadette du maître d'armes Delormel, à qui sa femme avait donné sept enfants, dont trois avaient survécu. En vieil ami de la famille, La Fargue avait vu naître Justine comme il avait vu naître ses aînés. Mais durant le temps de son absence, le nourrisson était devenu une jolie gamine pleine de gravité, qui écoutait beaucoup et pensait encore plus. Cette métamorphose avait semblé soudaine au capitaine, la veille au soir, à son retour après cinq ans. Rien n'indique plus le temps qui passe que les enfants.

Se levant, Justine épousseta le devant de sa robe pour adresser la plus formelle des révérences au cavalier qui avait mis pied à terre et, à vrai dire, ne s'intéressait guère à elle en marchant vers l'écurie.

— Bonjour, monsieur.

Rênes en main, il s'arrêta.

Son regard froid, sa mine sévère, sa barbe grise et nette de patriarche romain, l'austère élégance de son habit et l'orgueilleuse assurance avec laquelle il portait l'épée, tout cela impressionnait les adultes et inquiétait volontiers les enfants. Ce petit bout de femme, pourtant, ne paraissait pas le craindre.

Quelque peu décontenancé, le vieux capitaine hésita.

Puis, très raide, il salua d'un hochement de tête en pinçant le bord de son chapeau entre le pouce et l'index, et passa.

Affairée dans sa cuisine, la mère de Justine avait observé la scène par une fenêtre ouverte du corps de logis. C'était une jeune femme séduisante et souriante, dont les grossesses successives n'avaient pas trop gâché la taille mince. Elle se prénommait Anne, était la fille d'un maître d'armes reconnu qui enseignait dans l'île de la Cité. La Fargue la salua également en arrivant à sa hauteur, mais en se découvrant cette fois-ci.

— Bonjour, madame.

— Le bonjour, monsieur le capitaine. Belle journée, n'est-ce pas ?

— En effet. Savez-vous où est votre époux ?

— Dans la salle. Il vous attend, je crois… Dînerez-vous ?

À cette époque, on déjeunait le matin, dînait à midi et soupait le soir.

— Très volontiers, madame. Je vous remercie.

*

La Fargue attachait sa monture à un anneau dans l'écurie quand il entendit :

— Monsieur, mon papa vous grondera sans doute.

Il se retourna, vit Justine qui se tenait bien droite sur le seuil mais n'entrait pas, sans doute parce qu'il lui était interdit d'approcher des chevaux.

Intrigué, le vieux gentilhomme fronça le sourcil. On n'imaginait personne « grondant » un homme de sa trempe. Cependant, la petite était encore à cet âge où un enfant ne doute pas de l'invincibilité de son père.

— Il me grondera ? Vraiment ?

— Mon papa était très inquiet. Ainsi que ma maman. Ils ont attendu votre retour jusque très avant dans la nuit.

— Et comment le savez-vous ?

— Je les entendais qui parlaient.

— N'étiez-vous pas dans votre chambre ?

— J'y étais.

— Et ne dormiez-vous pas à pareille heure, comme il convient aux demoiselles de votre âge quand elles sont sages ?

Prise en faute, Justine marqua un temps.

— Si, fit-elle.

La Fargue retint un sourire.

— Ainsi donc, vous dormiez dans votre chambre et vous entendiez votre père et votre mère qui parlaient…

Ce à quoi la petite répondit du tac au tac :

— C'est que j'ai l'oreille très fine.

Et pleine de dignité, elle tourna les talons.

*

La Fargue quitta l'écurie quelques instants plus tard.

Sous le pommier, Justine ne s'intéressait plus qu'à sa poupée, à laquelle elle semblait faire des remontrances. La matinée finissait. Le soleil était chaud et l'épais feuillage dispensait dans la cour une fraîcheur agréable. Le vacarme populeux des rues de Paris, ici, était une rumeur lointaine.

Dans la salle d'armes, La Fargue trouva le jeune Martin — fils aîné et prévôt de salle de Delormel — qui donnait un cours particulier tandis qu'un valet lavait à grande eau le sol de terre cuite. La pièce était presque vide, murs nus, seulement meublée de trois bancs, d'un râtelier d'épées et d'un cheval de bois pour l'entraînement à l'escrime montée. Il y avait une galerie à laquelle on accédait par un escalier droit pour observer à son aise. Le maître d'armes était à la balustrade. Il afficha un air de grande satisfaction en voyant le capitaine entrer. Celui-ci grimpa les marches à sa rencontre, échangeant au passage un sourire amical avec Martin, un jeune homme roux et mince qui scandait les mouvements de son élève en frappant le sol d'un grand bâton.

— Content de te voir, capitaine. On t'a attendu.

En dépit des circonstances, Delormel n'avait jamais cessé d'appeler La Fargue par son grade. Par habitude, sans doute. Mais aussi pour montrer qu'il n'avait jamais admis qu'on lui ait retiré son commandement.

— Une partie de la nuit, oui, je sais. La nouvelle m'est parvenue. J'en suis désolé.

L'autre s'étonna.

— T'est parvenue ? Comment ?

— Ta fille. La petite dernière.

Le maître d'armes sourit tendrement.

— La diablesse. Rien ne lui échappe, à celle-là…

Grand et large d'épaules, Delormel était de ces maîtres d'armes qui ont été soldat et qui considèrent l'escrime plus comme une pratique que comme une science. Une cicatrice lui barrait le cou ; une autre traçait un sillon pâle sur son front. Mais ce que l'on remarquait aussitôt chez lui était ses cheveux roux et épais, qu'il avait hérités de son père et transmis à tous ses rejetons : un Delormel était roux ou n'était pas un Delormel. Propre et bien peigné, il portait un pourpoint de coupe modeste et parfaitement repassé.

— Cependant, fit La Fargue, tu ne crois pas si bien dire en me donnant du « capitaine ».

— Pardon ?

— Le Cardinal m'a secrètement rendu mon grade. Il veut que les Lames reprennent du service. Sous mon commandement.

— Toutes ? Je veux dire : toutes les Lames ?

Le capitaine haussa les épaules.

— Toutes celles qui restent et voudront bien, à tout le moins. Et pour celles qui ne voudront pas, je ne doute pas que le Cardinal saura user de leviers puissants. Des lettres pour les convoquer sont déjà parties.

Lisant l'inquiétude sur le visage de La Fargue, Delormel hésita, puis demanda :

— Et ce n'est pas une bonne nouvelle ?

— Je ne me suis pas encore fait une opinion sur ce sujet.

— Allons, capitaine ! Les Lames sont toute ta vie ! Et voilà bientôt cinq ans que…

Mais il n'acheva pas.

Soudain soucieux, il regarda à droite et à gauche et murmura :

— Je t'en supplie, ne va pas me dire que tu as répondu non au Cardinal ! Personne ne dit non au Cardinal, n'est-ce pas ? Personne. Pas même toi, hein ?

La Fargue ne répondit pas.

Du regard, il désigna Martin et son élève en contrebas et dit :

— Je croyais que tu n'ouvrais ta salle qu'après dîner.

— Une leçon particulière, précisa Delormel. Le mariolet que tu vois, là, paie en or.

Le terme de « mariolet » était éloquent. Le vieux gentilhomme, cependant, demanda :

— Comment s'en sort-il ?

Le maître d'armes eut une moue de dédain.

— Il ne reconnaît pas sa droite de sa gauche, tient son épée comme une truelle, croit tout savoir, ne comprend rien et rouspète en prétendant qu'on lui explique mal.

— Son nom ?

— Guérante, je crois. Si j'étais Martin, je l'aurais déjà giflé dix fois.

— Et tu aurais perdu sa clientèle.

— Sans doute, oui…

La Fargue ne quittait pas l'élève de Martin des yeux. Il s'agissait d'un jeune homme trop richement vêtu et dont tout, dans l'attitude, indiquait le fils de famille imbu de son nom et de sa fortune. Il manquait autant de patience que de talent, s'énervait pour un rien, trouvait mille mauvaises excuses à ses maladresses. Il n'était pas à sa place ici, où s'enseignait une escrime sérieuse et pragmatique qui exigeait des efforts et ne ménageait pas les ego.

— Je n'ai pas dit non, lâcha soudain le capitaine. Au Cardinal, cette nuit. Je n'ai pas dit non.

Delormel se fendit d'un large sourire.

— À la bonne heure ! Tu n'es vraiment toi-même que lorsque tu sers le roi et, quoi que tu puisses en penser, tu ne l'as jamais aussi bien servi que durant les années où tu commandais tes Lames.

— Mais pour quel résultat ? Un mort et la trahison d'un ami…

— Tu es un soldat. La mort va avec la guerre. Quant à la trahison, elle va avec la vie.

La Fargue opina sans que l'on puisse dire s'il approuvait vraiment.

Sans doute soucieux de changer de sujet, Delormel prit le capitaine par le coude et, en boitant un peu à cause d'une vieille blessure, l'entraîna en retrait de la balustrade.

— Je ne te demande pas quelle est ta mission, mais…

— Tu peux, l'interrompit La Fargue. Présentement, il ne s'agit que de battre le rappel des Lames au plus vite et sans trop attirer l'attention. Et peut-être d'en trouver d'autres… Mais le Cardinal a très certainement des plans précis que j'apprendrai bientôt. Pourquoi rappelle-t-il les Lames ? Pourquoi elles, alors qu'il ne manque pas d'agents zélés ? Pourquoi moi ? Et surtout, pourquoi maintenant après toutes ces années ? Il y a un mystère derrière tout cela.

— Les temps sont troublés, proposa Delormel. Et contrairement à ce que tu dis, peut-être Son Éminence manque-t-elle d'hommes capables de ce que tes Lames et toi avez accompli par le passé…

Il y eut alors, en bas, un esclandre soudain qui les surprit et les attira à la balustrade.

*

Guérante venait de tomber par sa seule faute et, furieux, il agonisait Delormel d'injures. Pâle, l'autre subissait l'outrage sans répliquer : il n'était que roturier, tandis que son élève jouissait d'un titre nobiliaire qui le protégeait et lui permettait tout.

— Bon, lâcha La Fargue après un moment. Ça suffit.

Il descendit l'escalier d'un pas décidé tandis que le gentilhomme achevait de se rhabiller et hurlait encore, le saisit par le col, lui fit quitter la salle malgré ses gesticulations, traverser la cour devant Justine qui ouvrait des yeux immenses, et enfin le jeta dans la rue. Guérante s'étala de tout son long dans une fange où l'on hésitait à marcher, à la grande joie des passants.

Furieux, puant l'urine et l'ordure, le « mariolet » se releva et voulut dégainer. Mais La Fargue figea son geste d'un index braqué sur sa poitrine.

— Monsieur, lui dit-il d'une voix trop calme pour ne pas être menaçante. Je suis gentilhomme et je n'ai donc à subir ni vos caprices, ni vos humeurs. Si vous voulez tirer l'épée, faites-le, vous trouverez à qui parler.

Guérante hésita, se ravisa, remit au fourreau les deux pouces d'acier qu'il avait dégagés sur l'impulsion du moment.

— Autre chose, monsieur, ajouta le capitaine. Si vous êtes fervent, priez. Priez pour que mon ami Delormel n'encontre pas quelque malaventure. Priez pour que personne n'inquiète sa clientèle ni sa famille. Priez pour que des valets ne viennent pas nuitamment mettre à sac sa salle ou son logis. Priez pour qu'il ne reçoive pas des coups de bâton au détour d'une rue... Car je l'apprendrai. Et sans plus réfléchir, j'irai vous trouver et je vous tuerai, monsieur de Guérante. M'avez-vous bien entendu ?

Couvert de boue et humilié, l'autre s'efforça de recouvrer une contenance. Des spectateurs goguenards les observaient et il ne voulait pas perdre totalement la face.

— Cette affaire, promit-il, dressé sur ses ergots... Cette affaire n'en restera pas là.

— Si, répliqua un La Fargue aussi sévère qu'impassible.

— Nous verrons bien !

— Cette affaire s'achève ici et maintenant à moins que vous ne tiriez l'épée, monsieur…

Son regard, terrible, fouilla Guérante jusqu'aux tréfonds de la peur.

— Alors ? insista-t-il.

*

Delormel et son fils attendaient La Fargue dans la cour. Quant à sa femme, blanche et soucieuse, elle guettait depuis le seuil du corps de logis, Justine dans ses jupes.

— Dînons, dit le capitaine en revenant.

Sa rapière n'avait pas quitté le fourreau.

7

Dans la cuisine du manoir de Vaudreuil, une femme en tablier et grosse jupe de serge briquait les cuivres d'une batterie de casseroles.

Elle s'appelait Marion.

Assise au bout d'une grande table de chêne patinée par l'usage, elle tournait le dos à l'âtre où des flammes rases chauffaient doucement le fond noirci d'une marmite. Des herbes sèches, un chapelet d'ail et des pots de grès ornaient le manteau de la cheminée. Une porte ouverte sur la cour laissait entrer des particules qui, poussées par un souffle, scintillaient dans l'air printanier. Des brins de paille s'étaient portés jusqu'au seuil.

On entendit un cheval arriver au grand trot. Il

effraya des poules qui battirent des ailes en caquetant, et à son hennissement répondirent les aboiements d'un chien excité au bout de sa chaîne. Des semelles ferrées heurtèrent le sol de terre battue dans un tintement d'éperons. Des pas approchèrent et Agnès de Vaudreuil se pencha pour passer la porte basse.

En voyant la jeune baronne paraître, Marion la salua d'un sourire tendre et d'un regard désapprobateur, subtile combinaison qu'elle avait éprouvée au fil des années. Vêtue en cavalière, sa rapière lui battant la cuisse, Agnès était couverte de poussière des bottes jusqu'au haut des chausses, et portait encore ce satané corset de cuir rouge qui, râpeux et lustré, sanglé comme une armure, lui était autant un vêtement qu'un talisman guerrier. Son front luisait de sueur. Quant à la lourde natte qui tombait de sa nuque, elle retenait autant de cheveux qu'elle n'en laissait libres.

— J'ai sorti Courage, dit la jeune femme encore essoufflée.

Marion acquiesça pour montrer qu'elle écoutait.

— Je l'ai un peu poussé dans le vallon et je crois bien qu'il est parfaitement remis de sa blessure.

À cela non plus, la servante ne trouva rien à répondre.

— Diable ! Je meurs de soif.

Agnès alla jusqu'à la citerne de cuivre qui, dressée dans un angle, donnait par un petit robinet. Elle se pencha, but dans le creux de ses mains et éclaboussa d'eau fraîche les dalles de pierre. Puis elle attrapa un quignon de pain qui traînait sur le buffet et dont elle entreprit, en y piochant à deux doigts, de grignoter la mie.

— Avez-vous seulement mangé ce jourd'hui ? demanda Marion.

— Non.

— Je vais vous préparer quelque chose. Dites-moi ce que vous voulez.

Elle allait se lever mais la jeune femme la retint d'un geste.

— Ne te mets pas en peine. Cela ira bien.

— Mais...

— Cela ira, te dis-je.

La servante haussa les épaules et reprit son ouvrage.

Debout, appuyée contre la porte du saloir et une botte posée sur un banc, Agnès la regarda. Elle était séduisante, encore gironde, et de petites mèches grisonnantes s'échappaient sur sa nuque de son bonnet de lin. Elle avait été très courtisée autrefois et continuait de l'être à l'occasion. Mais elle ne s'était jamais mariée, ce qui intriguait dans cette région des bords de l'Oise.

Un silence s'installa, qui dura.

Enfin, n'y tenant sans doute plus, Marion dit :

— J'ai entendu un carrosse partir au petit matin.

— C'est bien. Tu n'es donc pas sourde.

— Qui était-ce ?

Agnès jeta sur la table le quignon qui n'était plus qu'une croûte de pain vide.

— Quelle importance ? Je me souviens seulement qu'il était fort bien fait et savait s'y prendre.

— Agnès ! s'exclama Marion.

Mais elle avait plus de tristesse que de reproche dans la voix. Résignée, elle secoua doucement la tête et commença à dire :

— Si ta mère...

— Pas de ça ! l'interrompit Agnès de Vaudreuil.

Soudain glaciale, elle s'était figée. Son regard vert émeraude étincelait de colère contenue.

— Ma mère est morte en me mettant au monde et tu as beau jeu de lui faire dire ceci ou cela. Quant à mon père, il était un porc qui fourrait son vit entre toutes les cuisses dont il pouvait renifler les replis. Et, que je sache, tu fus du lot un certain hiver. Alors ne viens pas me chanter pouilles pour la manière dont je garnis mon lit à l'occasion. Il n'y a que dans ces instants-là que je me sens vivre un peu depuis que…

Elle n'acheva pas sa phrase, tremblante et des larmes aux yeux.

L'autre avait accusé le coup et, livide, briquait derechef, avec plus d'énergie que nécessaire.

À présent âgée d'une quarantaine d'années, Marion avait vu naître Agnès et avait accompagné l'agonie de sa mère, qui mit cinq jours à mourir des suites de l'accouchement. Après avoir combattu aux côtés du futur Henri IV lors des guerres de Religion, le baron de Vaudreuil était alors trop occupé à lutiner ces belles dames de la cour et à courir le cerf avec le Béarnais pour s'intéresser au sort de son épouse. Et apprenant que l'enfant était femelle, il n'avait pas même daigné assister à l'enterrement. Confiée — ou plutôt abandonnée — à la garde de Marion et d'un soldat bourru nommé Ballardieu, la fillette ne devait rencontrer son père que sept ans plus tard. C'est à l'occasion de ce bref séjour sur ses terres qu'il avait attiré Marion dans son lit. On aurait pu dire qu'elle s'était offerte à lui, si elle avait eu la liberté de se donner. Mais il n'était pas un homme à essuyer un refus d'une domestique. Marion aurait été chassée sans procès, or elle ne voulait pas être séparée d'Agnès qui l'adorait et n'avait presque qu'elle. Le baron s'était beaucoup amusé de découvrir que sa conquête, pourtant plus si jeune, était vierge. Ravi, il était allé dormir ailleurs en lui disant qu'il méritait des remerciements.

Calmée et désormais confuse, Agnès fit le tour de

la table, se plaça derrière celle qui l'avait élevée, et l'enlaça en posant le menton sur sa tête.

— Pardonne-moi, Marion. Je suis une sale bête... Des fois, je me fais l'impression de devenir folle... Tu sais bien que ce n'est pas après toi que j'en ai, n'est-ce pas ? Le sais-tu ?

— Oui... Mais après qui, alors ?

— Après moi, je crois. Et après des souvenirs que je préférerais oublier. Des choses que j'ai vues et que j'ai faites... D'autres que j'ai subies...

Elle se redressa, soupira, et ajouta :

— Un jour, je te raconterai peut-être.

8

Dans le carrosse qui les ramenait à Paris, Nicolas Marciac et le vicomte d'Orvand goûtaient un vin clairet destiné à leur ouvrir l'appétit. Entre eux, sur la banquette, reposait un coffret en osier contenant quelques victuailles et bonnes bouteilles. Ils buvaient dans des petits gobelets d'argent ciselés qu'ils avaient remplis à moitié afin que les cahots de la route, qui les bringuebalaient parfois violemment sans prévenir, ne leur trempent pas le menton et les cuisses.

— Tu n'avais pas bu, dit d'Orvand en revenant au duel.

Marciac lui adressa un regard amusé et malin.

— Juste une gorgée pour l'haleine. Me prendrais-tu pour un imbécile ?

— Alors pourquoi cette comédie ?

— Pour que Brévaux soit en confiance et baisse sa garde.

— Tu l'aurais vaincu sans cela.

— Oui.

— En outre, tu aurais pu me mettre dans la confidence…

— Mais cela aurait été beaucoup moins drôle, n'est-ce pas ? Si tu avais vu ta tête !

Le vicomte ne put retenir un sourire. Son amitié avec le Gascon l'avait accoutumé à ce genre de farce.

— Et qui étaient les deux charmantes dames dont tu empruntas le carrosse pour venir ?

— Allons, vicomte ! Je serais le dernier des gentilshommes si je te répondais.

— Quoi qu'il en soit, elles semblaient t'avoir en grande affection.

— Que veux-tu, mon ami ? Je plais… Et puisque tu es curieux, apprends que l'une d'elles est une beauté sur laquelle le marquis de Brévaux a, paraît-il, des vues. Je ne doute pas qu'il l'ait reconnue…

— Tu es inconséquent, Nicolas. Nul doute que la colère du marquis s'est accrue en même temps que ses talents d'escrimeur diminuaient quand il t'a vu embrasser cette dame. Mais ce faisant, tu lui as surtout donné un nouveau motif de duel. Non content de le vaincre, tu l'as humilié. Pour toi c'est un jeu, je le sais. Mais pour lui…

Marciac réfléchit un moment à la perspective — qu'il n'avait pas envisagée une seconde jusqu'alors — d'un second duel contre le marquis de Brévaux. Puis il haussa les épaules.

— Peut-être, oui… Nous verrons bien.

Et ajouta aussitôt en tendant son gobelet vide :

— Avant que d'attaquer les cochonnailles, je boirais volontiers encore un peu de ton vin.

Tandis que d'Orvand servait son ami au péril de ses propres chausses de belle coupe, celui-ci exposa à la lumière la bague qu'il avait gagnée au marquis. Pour mieux en apprécier le rubis, il la passa même à son doigt, sur lequel elle alla se loger contre une chevalière. C'est cette chevalière qui retint un moment le regard du vicomte — en acier terni, elle était frappée d'une rapière et d'une croix grecque fleurdelisée.

— Voilà, dit Marciac en admirant l'éclat de la pierre, qui devrait calmer les attentes de Mme Rabier.

— Tu as emprunté à la Rabier ? s'exclama d'Orvand sur un ton de reproche.

— Que veux-tu ? J'ai des dettes et il faut bien que je les honore. Je ne suis pas le marquis de Brévaux, moi.

— N'empêche, la Rabier… Emprunter à la Rabier n'est jamais une bonne idée. Je t'aurais volontiers avancé quelques écus. Tu aurais dû me demander.

— À toi ? À un ami ? Vous plaisantez, vicomte !

D'Orvand secoua lentement la tête d'un air réprobateur.

— Tout de même, il y a quelque chose qui m'intrigue, Nicolas…

— Quoi donc ?

— Depuis bientôt quatre ans que je te connais et que tu m'honores de ton amitié, je t'ai souvent vu impécunieux, et le mot est faible. Tu as vendu et racheté cent fois tout ce que tu possèdes. Il t'est arrivé de jeûner par force des jours durant, et tu te serais sans doute laissé mourir de faim si je ne t'avais invité à ma table sous quelque prétexte. Je me souviens même du jour où tu m'empruntas une épée le temps d'un duel… Mais jamais, jamais tu n'as consenti à te séparer de cette chevalière d'acier. Pourquoi ?

Le regard de Marciac se perdit dans le vague et le souvenir du jour où il avait reçu la chevalière lui revint en mémoire, puis un brusque cahot fit rebondir les deux hommes sur la banquette de cuir rembourré.

— C'est un fragment de passé, expliqua le Gascon.

On ne se débarrasse jamais de son passé. Pas plus qu'on ne le met en gage…

D'Orvand, qui trouvait que la mélancolie n'allait pas à son ami, demanda après un moment :

— Nous serons bientôt à Paris. Où veux-tu que l'on t'arrête ?

— Rue de la Grenouillère.

Le vicomte marqua un temps, puis :

— N'as-tu pas eu assez d'un duel, ce jourd'hui ?

Marciac lui répondit d'un sourire, et lâcha presque pour lui-même :

— Bah !… À ma mort, je veux être certain d'avoir vécu.

9

Paris sous le grand jour bruissait d'une rumeur populaire et laborieuse mais dans le Palais-Cardinal, les gardes de faction semblaient être les sentinelles d'une nécropole luxueuse. Accompagné de sa nombreuse suite et de son escorte, Richelieu était au Louvre et, ici, en son absence, la vie s'écoulait lentement, presque comme à la nuit. Les casaques étaient rares. Des domestiques parmi les plus humbles empruntaient des couloirs obscurs sans hâte ni bruit, guidés par la routine vers quelque tâche servile. La foule des solliciteurs s'était clairsemée dès que l'on avait su le maître des lieux parti, et seuls quelques entêtés attendaient encore en déjeunant sur le pouce.

Dans le petit cabinet où il s'était isolé, l'enseigne Arnaud de Laincourt profitait de ce répit pour s'acquitter d'une tâche qui lui incombait en raison de son grade : il remplissait le registre des gardes. La règle était en effet que l'officier responsable y consigne scrupuleusement l'ordinaire et l'insolite, depuis les heures de relève des postes jusqu'aux éventuels manquements à la discipline, en passant par tous les événements ou incidents susceptibles d'intéresser la sécurité de Son Éminence. Le capitaine Saint-Georges consultait le registre à la fin de chaque service, avant de transmettre au Cardinal les informations d'importance.

— Entrez, dit Laincourt en entendant frapper à la porte.

Brussand entra.

— Monsieur de Brussand. Vous n'êtes pas de service… Ne seriez-vous pas mieux chez vous, à vous reposer après une longue nuit de garde ?

— Certes, mais… Auriez-vous une minute à m'accorder ?

— Permettez seulement que j'en finisse avec ma corvée.

— Certainement.

Brussand s'assit devant le guéridon auquel le jeune officier écrivait à la flamme d'une bougie. Pour toute fenêtre, la pièce jouissait d'une lucarne haute qui, creusée en biseau, donnait sur un puits de lumière où le jour entrait chichement. Il y avait sans doute des cachots mieux éclairés à la Bastille ou au château de Vincennes.

Laincourt acheva son rapport, se relut, essuya sa plume avec un chiffon, puis la glissa entre les pages de l'épais registre qu'il referma.

— Voilà, dit-il. Je suis tout à vous.

Et posant sur son vis-à-vis le regard cristallin de ses yeux bleus, il attendit.

— Je suis venu m'assurer, fit l'autre, que vous ne me teniez pas rigueur.

— De quoi donc ?

— Des confidences vous concernant que j'ai faites au jeune Neuvelle. Sur votre passé. Et sur les circonstances qui vous ont amené à rejoindre la garde de Son Éminence.

Laincourt afficha un aimable sourire.

— Auriez-vous dit quelque chose d'infamant ?

— Certes non !

— D'inexact ?

— Non plus. À moins que l'on ne m'ait trompé.

— Alors vous n'avez aucun reproche à vous faire. Et, partant, moi non plus.

— Certes. Cependant…

Il y eut un silence durant lequel l'officier ne se départit pas de son sourire.

Ce masque de courtoisie, en définitive, s'avérait être une parfaite défense. Parce qu'il n'exprimait rien d'autre qu'un intérêt poli, il laissait aux autres le soin de faire la conversation et, sans les battre froid, les abandonnait peu à peu à eux-mêmes. Rarement prise en défaut, cette stratégie semblait être particulièrement efficace contre un Brussand dont l'embarras allait grandissant.

Mais le vieux garde était un soldat et, plutôt que de rester à découvert, il fonça sus à l'ennemi :

— Que voulez-vous ? Il y a certains mystères qui vous entourent et qui sont très propices à nourrir la rumeur…

— Vraiment ?

— Cette fameuse mission, par exemple. Celle qui, à ce qui se murmure, vous fit rester deux ans en Espagne. Et en récompense de laquelle, sans doute, vous avez rejoint la garde de Son Éminence avec le grade d'enseigne… Eh bien, que croyez-vous que l'on en dise ?

Laincourt attendit sans répondre, le même sourire indéchiffrable aux lèvres.

Puis, une horloge sonnant la demie, il se leva, prit son chapeau et coinça le lourd registre sous son bras.

— Pardonnez-moi, Brussand, mais le devoir m'appelle.

Les deux hommes marchèrent ensemble vers la porte.

Et au moment de laisser passer l'officier le premier, l'autre lui dit sur un ton de connivence :

— Étrange pays que cette Espagne, n'est-ce pas ?

Laincourt s'en fut en laissant Brussand derrière lui.

*

Du pas de celui qui sait où il va, Arnaud de Laincourt traversa quelques salons et antichambres, y croisa des domestiques sans leur attacher d'importance et des sentinelles qui se mirent au garde-à-vous à sa vue. Enfin, il emprunta un couloir de service désert et, là où ce couloir en croisait un autre, attendit quelques secondes avant de prendre à droite pour gagner les appartements du Cardinal.

Dès lors, il se déplaça aussi silencieusement et rapidement que possible, en veillant cependant à ce que son attitude ne le trahisse pas trop. Pas question d'avancer sur la pointe des pieds, ni de raser les murs en coulant des regards inquiets alentour. Si quelqu'un devait le surprendre, mieux valait qu'il n'adopte pas un comportement susceptible d'exciter une méfiance légitime. Son grade et sa casaque, certes, le protégeaient. Mais la suspicion était de règle au Palais-Cardinal.

Il poussa bientôt une porte qui, dans la pièce où elle donnait, se confondait avec les panneaux de bois muraux. C'était le cabinet où M. Charpentier, le secrétaire de Richelieu, travaillait d'ordinaire.

L'endroit était fonctionnel mais élégamment meublé, et il débordait de paperasse. La lumière du dehors filtrait entre les rideaux fermés, tandis qu'une bougie menaçait de s'éteindre en grésillant. Elle n'était pas là pour donner de la lumière. En revanche, on pouvait en allumer de nombreuses autres à sa flamme et ainsi, dans l'urgence, éclairer le cabinet *a giorno* au beau milieu de la nuit si nécessaire. Le service de Son Éminence réclamait une disponibilité de tous les instants et exigeait de prendre ce genre de précautions.

Laincourt posa le registre des gardes.

Il tira une clef d'une poche de son pourpoint et ouvrit une armoire. Il devait faire vite, les minutes lui étant désormais comptées. Sur un rayon, un coffret était posé entre deux rangées de manuscrits reliés. C'était ce qu'il cherchait. Une autre clef, minuscule celle-là, lui en révéla les secrets. À l'intérieur, des lettres attendaient d'être paraphées et cachetées par le Cardinal. L'enseigne les feuilleta à la hâte et en prit une qu'il survola.

— C'est cela, murmura-t-il.

Se détournant, il approcha le document de la bougie et le lut deux fois afin d'en mémoriser la moindre virgule. Mais alors qu'il repliait le papier, il crut soudain entendre un bruit.

Un grincement de parquet ?

L'enseigne aux Gardes se figea, attendit, le cœur battant, tous les sens aux aguets.

De longues secondes s'écoulèrent…

Rien, cependant, n'arriva. Personne n'entra. Et s'il avait jamais existé, le bruit ne se répéta pas.

Se ressaisissant, Laincourt rangea la lettre dans le coffret et le coffret dans le meuble, qu'il referma à clef. Avant de sortir, il s'assura qu'il n'avait rien dérangé et s'en fut sans bruit en emportant son registre.

*

Mais à peine Laincourt était-il sorti que quelqu'un poussa une porte restée entrebâillée derrière une tenture.

Charpentier.

Revenu à la hâte du Louvre pour prendre un document dont le cardinal de Richelieu ne pensait pas avoir besoin, il avait tout vu.

10

Ayant sellé son cheval, La Fargue achevait de sangler les fontes de ses pistolets lorsque Delormel le rejoignit dans l'écurie, parmi les odeurs chaudes de bête, de foin et de crottin.

— Te reverrons-nous bientôt ? demanda le maître d'armes. Ou du moins avant cinq années ?

— Je l'ignore.

— Tu sais que tu seras toujours le bienvenu chez moi.

La Fargue flatta l'encolure de sa monture et se retourna.

— Merci, dit-il.

— Tiens. Tu as oublié cela dans ta chambre.

Delormel tendait un petit pendentif dont la chaînette était brisée. Le vieux gentilhomme le prit. Usé, marqué, griffé, terni, le bijou semblait dérisoire dans sa grande main gantée.

— J'ignorais que tu le possédais encore, ajouta le maître d'armes.

La Fargue haussa les épaules.

— On n'abandonne pas son passé.

— Le tien te hante.

Plutôt que de répondre, le capitaine fit mine d'assurer sa selle.

— Elle ne te méritait peut-être pas, lança Delormel.

Dos tourné, La Fargue se figea.

— Ne la juge pas, Jean. Tu ne connais pas toute l'histoire.

Il ne leur était pas nécessaire d'en dire plus. L'un comme l'autre savait qu'ils parlaient de celle dont le pendentif abritait le portrait écaillé.

— C'est vrai. Mais je te connais assez pour savoir que quelque chose te ronge. La perspective de réunir les Lames pour de nouveau servir la couronne devrait te réjouir. Or je devine que tu n'as accepté la proposition du Cardinal qu'à contrecœur. Tu lui as cédé, Étienne. Cela ne te ressemble pas. Si tu étais de ceux qui cèdent, tu aurais déjà ton bâton de maréchal…

— Ma fille est peut-être en danger, lâcha La Fargue d'un bloc.

Puis, lentement, il fit face à un Delormel interdit.

— Tu voulais savoir, n'est-ce pas ? Voilà. Tu sais.

— Ta fille ?… Tu veux dire…

Le maître d'armes eut un geste hésitant pour désigner le pendentif que le capitaine tenait encore dans son poing. La Fargue acquiesça :

— Oui.

— Quel âge peut-elle avoir ?

— Vingt ans. Ou presque.

— Mais que sais-tu du danger qui la guette ?

— Rien. Le Cardinal m'a simplement laissé entendre qu'une menace pesait sur elle.

— Il pourrait t'avoir menti afin de s'assurer tes services !

— Non. Je doute qu'il joue sans motif de ce levier sur moi. Ce serait…

— … infâme. Et que diras-tu à tes Lames ? Ces hommes te vouent une confiance aveugle. Certains te regardent même comme un père !

— Je leur dirai la vérité.

— Tout entière ?

Avant de monter en selle, le vieux capitaine fit alors un aveu qui lui coûtait :

— Non.

11

Tout en manipulant distraitement la chevalière d'acier qu'il portait retournée à l'annulaire de la main gauche, Saint-Lucq observait la comédie ordinaire qui se jouait dans la taverne bondée.

Donnant sur une cour miséreuse du quartier du Marais, à l'écart des beaux hôtels particuliers que l'on continuait de bâtir alentour et des élégantes façades de la place Royale, *L'Écu rouge* était une cave où de mauvaises chandelles donnaient plus de suie que de lumière dans une atmosphère empuantie par les corps malpropres, les haleines avinées, les fumées de tabac et les reliquats infâmes que les semelles avaient récoltés en foulant les rues de Paris. Ici, chacun parlait fort et obligeait l'autre à pousser la voix pour se faire entendre, si bien que tous hurlaient presque. Le vin y était pour quelque chose. De gros rires éclataient, ainsi que d'occasionnelles querelles vite éteintes. Un vielleux jouait à la commande des airs à chanter. Parfois, des cris et des applaudissements ponctuaient un coup de dés heureux ou une pitrerie d'ivrogne.

Saint-Lucq, sans y paraître, avait l'œil à tout.

Il notait qui entrait et qui sortait par la petite porte en haut de l'escalier, qui passait celle réservée au patron et aux filles de salle, qui rejoignait quelqu'un et qui restait seul. Il ne dévisageait personne et glissait sur les regards qu'il croisait. On ne s'intéressait guère à lui, cependant. Et c'était exactement ce à quoi il aspirait, depuis le recoin d'ombre où il avait pris place. Il guettait à l'affût et, par habitude, épiait les anomalies susceptibles d'indiquer une menace. Ce pouvait être n'importe quoi : une œillade échangée par deux individus faisant mine de ne pas se connaître, un vieux manteau cachant des armes trop neuves, une altercation feinte destinée à détourner l'attention. Saint-Lucq se méfiait et n'avait même plus à y songer. Il savait que le monde était un théâtre trompeur où la mort, affublée des oripeaux du quotidien, pouvait frapper à tout instant. Et il le savait d'autant mieux que, parfois, c'était lui qui la donnait.

Dès son arrivée, il avait commandé un pichet de vin qu'il ne boirait pas. La jeune femme qui l'avait servi avait proposé de lui tenir compagnie, mais il avait décliné son offre d'un « non » calme, froid et définitif. Elle était alors allée rejoindre deux autres filles de salle qui observaient ses menées et avec lesquelles elle s'entretint un moment. Saint-Lucq, à l'évidence, les intriguait autant qu'il leur plaisait. Il était encore jeune, bien vêtu, et bel homme dans un registre ténébreux qui laissait présager des secrets sinistres et excitants. Était-il gentilhomme ? Peut-être. En tout cas, il portait l'épée avec naturel, le pourpoint avec élégance, le chapeau avec une assurance crâne et tranquille. Ses mains étaient fines et ses joues rasées de frais. Bien sûr, ses bottes étaient crottées. Mais elles étaient d'un excellent cuir, et qui pouvait prétendre être épargné par l'infecte boue parisienne à moins de rouler en carrosse ? Non, décidément, ce cavalier tout habillé de noir avait bien des atouts pour plaire. Et puis il y avait ces curieuses bésicles aux verres rouges qui pinçaient son nez et, cachant ses yeux, le rendaient plus mystérieux encore.

Comme Saint-Lucq venait d'éconduire une petite brune, une grande blonde tenta sa chance. Avec le même succès. La fille de salle s'en retourna déçue et vexée. Elle haussa les épaules en retrouvant ses amies et leur glissa :

— Cet homme-là sort d'un bordel. Ou il n'aime que sa maîtresse.

— Je dis, moi, qu'il préfère les hommes, ajouta la brune avec une moue trahissant un orgueil froissé.

— Peut-être..., laissa traîner la troisième. Mais puisqu'il ne touche pas à son verre et qu'il ne cherche pas compagnie, que vient-il faire ici ?

Les deux autres s'accordèrent en tout cas à penser qu'il n'y avait pas à insister, et Saint-Lucq — qui surveillait leur manège du coin de l'œil — voulut croire qu'elles le laisseraient désormais en paix.

Il reprit donc sa surveillance.

*

Peu après midi, celui que Saint-Lucq attendait entra dans la taverne.

Il était assez grand, mal rasé, avait le cheveu long et gras, l'épée au côté et le regard sournois. Il se faisait appeler Tranchelard et, comme à son habitude, était accompagné de deux crapules qui le lui rendaient sans doute en intelligence mauvaise, mais certes pas en brutalité. Ils prirent une table qui se vida à leur approche et n'eurent pas à commander les pichets que le patron apporta en multipliant les égards craintifs.

La troisième fille de salle, qui n'avait guère quitté Saint-Lucq de l'œil, choisit alors d'intervenir.

Elle était rousse et pâle, très jolie, n'avait pas dix-sept ans et savait — d'expérience — l'effet que ses yeux verts, ses lèvres roses et ses jeunes rondeurs faisaient aux hommes. Elle portait une jupe de gros drap et, sous un bustier, son corsage à large encolure laissait ses épaules nues.

— Vous ne buvez pas, fit-elle, soudain campée devant Saint-Lucq.

Il attendit avant de lâcher :

— Non.

— C'est sans doute que vous n'aimez pas le vin que l'on vous a servi.

Cette fois, il ne répondit pas.

— Je peux vous en apporter du meilleur.

Nouveau silence.

— Et au même prix.

— Non merci.

Mais la jeune fille n'écoutait pas. Un orgueil adolescent lui interdisait d'échouer après les deux vaines tentatives de ses camarades.

— En retour, je ne vous demanderai que de me dire votre nom, insista-t-elle avec un sourire plein de promesses. Et je vous dirai le mien.

Saint-Lucq retint un soupir.

Puis, impassible, il fit glisser de l'index ses bésicles rouges sur son nez, et coula un regard par en dessous à la jeune fille…

… qui se figea en découvrant des yeux reptiliens.

Certes, personne n'ignorait que les dragons existaient, qu'il en avait toujours été ainsi, que la forme humaine leur était devenue naturelle et qu'ils vivaient parmi les hommes depuis des siècles. Pour le malheur de l'Europe, la cour royale d'Espagne en comptait de longue date en son sein. Et de lointains cousins de leur race, les vyvernes, servaient de montures ailées tandis que les dragonnets étaient des animaux de compagnie appréciés. Cependant, un sang-mêlé faisait toujours forte impression. Tous nés des amours rares d'un dragon et d'une femme, ils provoquaient un malaise qui se muait en haine chez certains, en horreur chez d'autres, en fascination érotique chez quelques-uns et quelques-unes. On les disait froids, cruels, indifférents et volontiers méprisants à l'égard du commun des mortels.

— Je... Je suis désolée, monsieur..., balbutia la fille de salle. Pardonnez-moi...

Et elle tourna les talons, la lèvre inférieure tremblante.

Saint-Lucq fit remonter les bésicles sur l'arête de son nez et s'intéressa de nouveau à Tranchelard et à ses gardes du corps. Comme ils n'étaient venus que boire un verre et extorquer le prix de leur protection, ils partirent bientôt. À son tour, le sang-mêlé sécha son verre, se leva, laissa une pièce sur la table et s'en fut à leur suite.

*

Tranchelard et ses hommes avançaient tranquillement dans des rues bondées où leur mauvaise mine suffisait à leur ouvrir le chemin. Ils bavardaient et riaient, inconscients du danger. Mais la foule les protégeait autant qu'elle permettait à Saint-Lucq de les filer en toute discrétion. Par chance, ils empruntèrent bientôt une venelle tortueuse et puante comme un égout, qui était un raccourci vers la vieille rue Pavée.

L'occasion était trop belle.

Pressant soudain le pas, Saint-Lucq fut sur eux en quelques enjambées et les prit totalement au dépourvu. Ils n'eurent que le temps d'entendre le froissement de l'acier au sortir du fourreau. Le premier tomba aussitôt assommé par le coup de coude qui lui brisa le nez, Tranchelard se vit immobilisé par la lame d'une dague lui caressant la glotte, et le troisième portait à peine la main à l'épée quand la pointe d'une rapière, à un pouce de son œil droit, figea son geste.

— Réfléchis, lui intima le sang-mêlé d'une voix calme.

L'homme ne fut pas long à prendre ses jambes à son cou et Saint-Lucq se retrouva en tête à tête avec Tranchelard. Sans cesser de le menacer de sa dague, il se colla à lui, l'obligea à reculer jusqu'à avoir le dos contre un mur crasseux. Leurs haleines se mêlèrent et l'odeur qui émanait du truand était celle de la peur.

— Regarde-moi bien, l'ami. Me reconnais-tu ?

Tranchelard déglutit et acquiesça légèrement devant les bésicles rouges tandis que de la sueur lui venait aux tempes.

— Parfait, reprit Saint-Lucq. Alors ouvre grand tes oreilles…

12

Ayant mis pied à terre dans la cour d'un bel hôtel particulier récemment bâti dans le quartier du Marais, à deux pas de l'élégante et très aristocratique place Royale, le gentilhomme confia son cheval à un valet aussitôt accouru.

— Je ne reste pas, dit-il. Attendez ici.

L'autre acquiesça et, les rênes en main, observa du coin de l'œil le marquis de Gagnière qui gravissait le perron d'un pas souple et pressé.

Coiffé d'un feutre à large bord et panache, il était

vêtu à la dernière mode avec un souci du paraître qui confinait à la préciosité : manteau posé sur l'épaule gauche et tenu sous l'aisselle droite par un cordon de soie, pourpoint gris-de-lin à taille haute et attaches d'argent, chausses assorties ornées de boutons, col et poignets de dentelle crème, gants de daim beige et bottes à revers en cuir de chevreau. Le raffinement extrême de sa tenue ajoutait au caractère androgyne d'une silhouette svelte, élancée, presque juvénile. Il n'avait d'ailleurs pas vingt ans et semblait plus jeune encore, les traits de son visage étant empreints d'un charme adolescent et troublant qui serait long à vieillir, tandis que le poil blond de sa moustache et de sa royale finement taillées gardait l'aspect soyeux d'un duvet d'éphèbe.

Un maître d'hôtel chenu l'accueillit en haut du perron et, les yeux baissés, l'accompagna jusque dans une belle antichambre où il le pria d'attendre, le temps d'être annoncé à « Mme la vicomtesse ». Enfin, le domestique revint et, s'inclinant, il l'invita à franchir la porte qu'il tenait ouverte. Là encore, il évita de croiser le regard du jeune homme car quelque chose de grave et d'inquiétant émanait de sa personne, comme si son élégance et sa beauté angélique n'étaient que les faux atours d'une âme venimeuse. En cela, il était semblable à l'épée qui pendait à son baudrier — une arme dont la garde et le pommeau étaient travaillés de la plus exquise manière, mais dont la lame était de bon acier tranchant.

Gagnière entra et se retrouva seul quand le maître d'hôtel referma derrière lui.

Luxueusement meublée, la pièce était plongée dans la pénombre. Ses rideaux tirés retenaient la lumière du matin et les quelques bougies parfumées qui brûlaient çà et là créaient un crépuscule permanent.

C'était un cabinet d'étude et de lecture. Des rayonnages de livres tapissaient un mur. Un fauteuil confortable était installé près d'une fenêtre et d'un guéridon supportant un candélabre, une aiguière de vin et un petit verre en cristal. Au-dessus du manteau de la cheminée, un grand miroir dans un cadre doré dominait une table et une vieille chaise dont le dossier de cuir avait été patiné par l'usage.

Sur la table, soutenue par une fine armature d'or et de vermeil, un globe étrange était posé.

Le gentilhomme s'en approcha.

Noir, luisant, envoûtant, le globe était comme empli d'une encre mouvante. Il semblait absorber la lumière plutôt que la refléter. Le regard se perdait dans ses volutes profondes.

Et l'âme avec.

— N'y touchez pas.

Gagnière cligna des paupières et s'aperçut qu'il était penché sur la table, main droite tendue vers le globe. Il se redressa, se retourna, encore troublé.

Une très jeune femme vêtue de noir et de pourpre venait d'apparaître par une porte dérobée. Élégante et sévère dans une robe à corsage empesé, elle avait orné son décolleté de dentelle d'une licorne en nacre grise. Elle était belle et blonde, gracile, avec un mignon petit visage qui semblait avoir été dessiné pour être adoré. Ses yeux bleus et pétillants ne laissaient cependant transparaître aucune émotion aimable, non plus que sa jolie bouche impassible.

La vicomtesse de Malicorne avança d'un pas lent mais assuré vers le gentilhomme.

— Je… Je suis désolé, dit-il… J'ignore totalement ce qui…

— Ne vous faites aucun reproche, monsieur de Gagnière. Personne n'y résiste. Pas même moi.

— Est-ce… Est-ce ce que je crois ?

— Une Sphère d'Âme, oui.

Elle coucha un carré de tissu brodé d'or sur le globe ensorcelé, et ce fut comme si une présence malsaine désertait subitement les lieux.

— Voilà. N'est-ce pas mieux ainsi ?

Se redressant, elle allait poursuivre quand une expression inquiète sur la figure du marquis l'arrêta.

— Qu'avez-vous ?

Embarrassé, Gagnière pointa un index hésitant vers elle, puis désigna son propre nez :

— Vous avez… Là…

La jeune femme comprit, toucha sa lèvre supérieure du bout de l'annulaire et découvrit son doigt sali de l'humeur noirâtre qui perlait à sa narine. Sans s'émouvoir, elle tira un mouchoir déjà taché de sa manche et se détourna pour s'essuyer.

— La magie est un art que les Dragons Ancestraux ont créé pour eux seuls, dit-elle comme si cela expliquait tout.

Elle fit face au grand miroir de la cheminée et, toujours en nettoyant sa lèvre, lâcha sur le ton de la conversation :

— Dernièrement, je vous ai chargé d'intercepter un courrier secret entre Bruxelles et Paris. Avez-vous fait le nécessaire ?

— Certainement. Malencontre et ses hommes s'en chargent.

— Et pour quel résultat ?

— Je l'ignore encore.

Son joli visage désormais vierge de toute souillure, la vicomtesse de Malicorne se détourna du miroir et, avec un demi-sourire, dit :

— Permettez-moi d'éclairer votre lanterne, monsieur. Malgré toutes les occasions d'embuscade dont il a pu profiter, Malencontre a déjà échoué par deux fois. À la frontière d'abord et près d'Amiens ensuite. Si le cavalier qu'il poursuit va toujours aussi bon train, Malencontre ne peut plus espérer le rejoindre qu'à l'étape de Clermont. Or après Clermont, c'est Paris. Est-il bien nécessaire de vous rappeler que cette lettre ne doit en aucun cas arriver au Louvre ?

Le gentilhomme ne demanda pas comment elle pouvait en savoir autant : le globe et les secrets qu'il daignait révéler à ceux qui lui sacrifiaient une partie d'eux-mêmes suffisaient à l'expliquer. En revanche, il affirma :

— Je reste confiant, madame. Malencontre et ses hommes ont l'habitude de ces missions. Quoi qu'il en coûte, ils réussiront.

— Espérons-le, monsieur le marquis. Espérons-le…

D'un geste gracieux et mondain, la vicomtesse invita Gagnière à s'asseoir et prit place en face de lui.

— Je voudrais à présent vous entretenir d'un tout autre sujet.

— Lequel, madame ?

— Le Cardinal s'apprête à jouer une carte d'importance, et je crains qu'il ne veuille la jouer contre nous. Cette carte est un homme : La Fargue.

— « La Fargue » ?

— Un vieux capitaine et l'une des plus fidèles épées du roi. Croyez-m'en, son retour n'augure rien de bon. Seul, ce La Fargue est déjà un adversaire redoutable. Mais il commandait naguère les Lames du Cardinal, un parti secret d'hommes sûrs et dévoués, capables avec lui de réussir l'impossible. S'il venait à les réunir de nouveau…

Songeuse et inquiète, la jeune femme se tut.

— Connaissez-vous les intentions du Cardinal ? demanda prudemment Gagnière.

— Non. Je ne fais que les deviner… Voilà pourquoi je veux que vous enquêtiez sur ce sujet. Prenez langue avec notre agent au Palais-Cardinal et apprenez tout ce que vous pourrez de lui. Devez-vous le rencontrer bientôt ?

— Oui.

— Parfait.

Ayant ses ordres et croyant l'entrevue terminée, le gentilhomme se leva.

Mais la vicomtesse, regardant ailleurs, lui dit :

— Tout cela arrive au pire moment. Nous aurons bientôt fait ce que la Griffe noire désespère d'accomplir depuis trop longtemps : s'établir fermement en France. Nos frères et sœurs d'Espagne en étaient arrivés à croire la chose impossible et même si nous ne sommes plus qu'à quelques heures de les détromper, je sais que la plupart doutent encore. Et quant à ceux qui ne doutent plus, ils envient déjà notre prochain succès, ce qui revient à dire qu'ils pourraient bien espérer secrètement notre échec.

— Pensez-vous que…

— Non, non…, fit la vicomtesse en balayant de la main l'hypothèse que le marquis allait avancer. Les envieux ne tenteront pas de nous nuire… Mais ils ne pardonneront pas la moindre ombre au tableau et trouveront tous les prétextes pour parler en mal de nous, de nos plans, de nos compétences. Ils seront trop heureux d'affirmer qu'ils auraient réussi là où nous pourrions échouer… Ces envieux, d'ailleurs, ont déjà commencé de pousser leurs pions. On m'a annoncé la proche venue d'un homme que la loge d'Espagne nous envoie.

— Qui ?

— Savelda.

Du coin de l'œil, la vicomtesse de Malicorne surprit la moue dubitative de Gagnière.

— Oui, marquis, je partage votre sentiment. On me dit que Savelda vient pour nous aider à mettre la dernière main à notre projet, mais je sais que sa mission véritable est de nous observer et de relever nos erreurs, au cas où l'on souhaiterait nous faire reproche…

— Tenons-le à l'écart.

— Surtout pas. Mais montrons-nous irréprochables… Vous comprenez à présent la nécessité où nous sommes de prévoir et parer tous les coups que le Cardinal voudrait nous porter, n'est-ce pas ?

— Certes.

— Alors commencez par arrêter le courrier de Bruxelles. Nous nous chargerons des Lames du Cardinal ensuite.

13

Située à l'entrée d'un hameau qu'elle avait sans doute fait naître, l'auberge était typique de ces relais de poste qui, à l'époque, jalonnaient les routes de France. Outre un corps de logis coiffé de tuiles rouges, elle comptait une écurie, une grange, une forge, un poulailler, une remise pour les voitures et un petit enclos pour les cochons, le tout ceint d'un haut mur dont les pierres blanches et grises chauffaient sous le soleil de l'après-midi. Non loin coulait une rivière qui entraînait la roue d'un petit moulin. Et au-delà, des prés et des champs s'étendaient jusqu'à rencontrer, à l'est, l'orée d'une forêt verdoyante. Des vaches paissaient. Il faisait un temps splendide, et la lumière d'un grand ciel pur miroitant dans l'air obligeait à plisser les paupières.

Un chien aboya à l'arrivée du cavalier.

Dans la cour où picoraient quelques poules, on changeait la roue d'un coche qui, sitôt réparé, serait attelé de chevaux frais et rejoindrait Clermont avant le soir. Le cocher prêtait la main au forgeron et à ses aides, tandis que des voyageurs observaient ou profitaient de l'occasion pour se dégourdir les jambes. Sauf accident ou mauvaise rencontre, les coches des lignes régulières assuraient un service fiable et, somme toute, assez rapide compte tenu de l'état des routes — qui n'étaient pour la plupart que des pistes poussiéreuses l'été, et bourbeuses dès les premières pluies. Mais il fallait supporter les désagréments d'un voyage dans une voiture bringuebalante et bruyante, ouverte à tous les vents, où l'on se serrait à quatre sur chacune des banquettes de bois en vis-à-vis, épaule contre épaule et les genoux se touchant.

Sitôt descendu de cheval, Antoine Leprat d'Orgueil tendit les rênes à un garçon d'écurie qui n'avait pas douze ans et, vêtu de grosse serge, allait pieds nus.

— Brosse-le et nourris-le de bonne avoine. Mais ne le fais pas trop boire. Je repars dans l'heure.

Le cavalier parlait comme un homme habitué à être obéi. Le gamin acquiesça et s'en fut vers les écuries en entraînant la monture à sa suite.

Indifférent aux regards en coin qu'on lui adressait, Leprat avisa un abreuvoir dans lequel il alla plonger la tête, son chapeau à la main. Puis il se frictionna le visage et la nuque à l'eau fraîche, se rinça la bouche, recracha, lissa ses cheveux châtains en arrière, et enfin recoiffa son feutre noir dont le bord relevé à droite tenait un panache gris. Poussiéreux, son pourpoint ouvert sur la chemise avait connu des jours meilleurs mais il était d'assez bonne étoffe. Ses bottes de monte, sales et assouplies par l'usage, semblaient être de qualité elles aussi. Quant à la rapière glissée dans le fourreau qui pendait à son baudrier de cuir, elle était telle que nul, ici ou ailleurs, ne pouvait se vanter d'en avoir déjà vu de semblables. Il la portait à droite, en gaucher.

Lentement, Leprat monta les marches extérieures du bâtiment principal, jusqu'à une galerie aux poutres de laquelle grimpait un lierre vivace. Ayant poussé la porte, il resta un moment sur le seuil, et un silence se fit tandis qu'il passait en revue les voyageurs ordinaires attablés dans la salle, et que ceux-ci l'observaient en retour. Grand, bien bâti, les joues râpeuses et l'œil sévère, il jouissait d'un charme viril que renforçait son accoutrement guerrier de cavalier harassé. On devinait qu'il souriait peu, parlait moins, ne se souciait pas de plaire. Il devait avoir quelque chose comme trente-cinq à quarante ans. Son visage aux traits marqués trahissait la volonté des hommes d'honneur et de devoir, et que rien ou presque n'émeut parce qu'ils savent tous les maux du monde. Il eut cependant un bref mais gentil regard pour une fillette qui, assise sur les genoux de sa mère, trempait ses doigts potelés dans un bol et se barbouillait de confiture.

Leprat laissa la porte se refermer derrière lui. Les conversations reprirent tandis qu'il entrait, ses bottes ferrées sonnant contre le plancher brut avec un cliquetis d'éperons. À son passage, certains remarquèrent l'épée qui pendait à son côté. On ne pouvait en voir que la poignée et la garde dépassant du fourreau, mais elles semblaient être taillées d'un bloc dans une matière qui avait l'éclat de l'ivoire poli.

Une rapière blanche.

Cela suffisait à intriguer, même si personne ne savait de quoi il retournait exactement. On se poussa discrètement du coude, et des mimiques indécises répondirent aux regards interrogateurs.

Ayant choisi une petite table désertée, Leprat s'assit dos à une fenêtre depuis laquelle, en guettant par-dessus son épaule, il pouvait surveiller la cour. Un aubergiste aux cheveux gras, un tablier taché épousant la courbe de son ventre énorme, s'empressa vers lui.

— Soyez le bienvenu, monsieur. Que puis-je pour votre service ?

— Du vin, fit Leprat en posant son chapeau et sa rapière au fourreau sur la table.

Puis, après avoir jeté un œil aux volailles qui cuisaient à la broche dans l'âtre, il ajouta :

— Et ce poulet, là. Et du pain.

— Tout de suite, monsieur. Rude chaleur pour voyager, n'est-ce pas ? Ne se croirait-on pas déjà en été ?

— Oui.

Comprenant que la conversation n'irait pas plus loin, l'aubergiste s'en fut donner ses ordres à une fille de salle.

Vite servi, Leprat déjeuna sans lever les yeux de son assiette. Il n'avait pas dessellé depuis la veille au soir et se trouvait être encore plus affamé que fatigué. De fait, il ne songea aux douleurs qui lui labouraient le dos qu'une fois repu. Cela faisait près de trois jours qu'il brûlait les étapes entre Bruxelles, qu'il avait quitté en pleine nuit, et Paris, où il arriverait peut-être au soir.

Le chien qui l'avait accueilli aboya de nouveau.

Tournant la tête vers la fenêtre, Leprat vit les cavaliers qui arrivaient dans la cour. Il croyait les avoir semés à Amiens, après une première embuscade qu'il avait déjouée à la frontière entre la France et les Pays-Bas espagnols.

À l'évidence, il s'était trompé.

*

Calmement, d'un signe, il fit venir la fille de salle. Brune et plus que ronde, âgée d'une vingtaine d'années, elle ressemblait beaucoup au patron et devait être sa fille.

— Monsieur ?

— Veuillez fermer le rideau de la fenêtre, je vous prie.

La jeune fille hésita car la fenêtre en question était la seule à éclairer les lieux.

— S'il vous plaît, insista Leprat.

— Certainement, monsieur.

Elle s'exécuta donc et tira le rideau sur les cavaliers qui, dehors, mettaient pied à terre. Dans l'auberge, on s'étonna d'être soudain plongé dans la pénombre. Mais en comprenant à qui la fille de salle avait obéi, personne n'osa rien dire.

— Voilà, monsieur.

— Maintenant, voyez-vous cette femme au bonnet blanc ? Celle qui a une fillette sur les genoux.

— Oui.

— Sans tarder, conduisez-les l'une et l'autre hors d'ici. Glissez à l'oreille de la mère qu'il y a un danger, et qu'elle doit se retirer pour sa sûreté et celle de l'enfant.

— Pardon ? Mais, monsieur…

— Faites-le.

Troublée, la jeune femme obtempéra. Leprat la surveilla tandis qu'elle s'entretenait discrètement avec la femme au bonnet blanc. Cette dernière fronça le sourcil et, bien que taraudée par un début d'inquiétude, elle ne parut pas décidée à bouger…

… du moins jusqu'à ce que la porte s'ouvre.

En voyant qui l'avait poussée, elle s'empressa de précéder la fille de salle en cuisine, sa fillette dans les bras.

Satisfait, Leprat recula sa chaise sans se lever.

Les reîtres entrèrent crânement, comme les brutes entrent partout quand elles sont sûres d'incarner le danger. Armés de rapières et vêtus d'épais pourpoints de buffle, ils étaient crasseux, suant, puant l'écurie. À leur tête allait un grand maigre aux longs cheveux filasse — il était coiffé d'un chapeau de cuir et une cicatrice à la commissure des lèvres lui dessinait un étrange sourire. Les trois autres qui, la mine sinistre, l'escortaient de près, avaient les trognes presque ordinaires des mercenaires sans conscience qui égorgent pour une bouchée de pain. Et enfin venait celui qui, dès qu'il parut, acheva de figer l'assistance dans un silence craintif parce qu'il était d'une race que les dragons avaient engendrée pour les servir, et dont on connaissait la cruauté et la violence. C'était un drac. Un drac gris, en l'occurrence. Des fines écailles couleur ardoise recouvraient sa face mafflue et ses mains griffues à quatre doigts. Lui aussi était habillé en spadassin.

Immobiles et muets, les gens dans l'auberge faisaient mine de ne pas voir les reîtres, comme pour conjurer leur présence menaçante. Le patron hésita à aller vers eux en espérant contre toute évidence qu'ils ne souhaitaient que se restaurer. Mais le courage lui fit défaut et il resta tout près de la porte des cuisines.

Lentement, les mercenaires balayèrent la salle d'un regard inquisiteur en même temps que leurs yeux s'habituaient au clair-obscur. Ils virent Leprat assis dos à la fenêtre au rideau tiré, et surent qu'ils avaient trouvé leur homme.

Ils s'approchèrent de lui sans se presser. Se postèrent devant sa table. Le drac, lui, resta à la porte. Et lorsque des clients voulurent se lever discrètement pour partir, il se contenta de tourner la tête vers eux. Des paupières verticales et membraneuses se refermèrent brièvement sur ses yeux reptiliens qui n'exprimaient rien. Tous se rassirent.

L'homme aux cheveux filasse s'installa à la table de Leprat, en vis-à-vis, sans provoquer de réaction.

— Me permets-tu ? fit-il en pointant le doigt sur le poulet dont l'autre avait fait son déjeuner.

D'autorité, il arracha de la carcasse une aile encore charnue, mordit dedans et poussa un soupir de satisfaction.

— C'est vraiment un honneur, lâcha-t-il sur le ton de la conversation. Voilà que je partage un repas avec le célèbre Antoine Leprat, chevalier d'Orgueil… Car tu es bien celui que je dis, n'est-ce pas ? Non, ne réponds pas. Il suffit de la voir pour savoir.

Il désigna du menton la rapière blanche qui, dans son fourreau, était posée sur la table.

— Est-il vrai qu'elle a été taillée tout entière dans la dent d'un dragon ancien ?

— De l'estoc au pommeau.

— Combien crois-tu qu'il en existe de semblables de par le monde ?

— Je l'ignore. Peut-être aucune.

Le chef des reîtres afficha une moue admirative qui pouvait bien être sincère. Et se tournant à demi, il appela :

— Aubergiste ! Du vin pour le chevalier et moi. Et du meilleur !

— Oui, monsieur. Tout… Tout de suite.

Les deux hommes ne se quittèrent pas des yeux jusqu'à ce que le patron vienne les servir d'une main tremblante, puis s'en retourne en laissant le pichet. Leprat resta impassible tandis que l'autre levait son verre, voyait qu'il n'était pas imité, haussait les épaules avec détachement et buvait seul.

— Et moi, sais-tu qui je suis ?

Le chevalier le toisa sans répondre.

— Je me nomme Malencontre.

Leprat esquissa un sourire.

Malencontre.

Autant dire mésaventure. Ou mauvaise rencontre.

Oui, cela correspondait bien au personnage.

14

— En sais-je assez ?

— Vous en saurez toujours assez si votre adversaire en sait moins que vous.

— Mais diriez-vous que j'ai progressé ?

Achevant de compter son maigre salaire, Almadès serra les cordons de sa bourse et leva les yeux vers le très jeune homme qui, encore tout humide et essoufflé de sa dernière leçon d'escrime, le fixait avec anxiété. Il connaissait ce regard. Il l'avait souvent croisé au cours de l'année passée, et s'étonnait de s'en émouvoir encore.

— Oui, monsieur. Vous avez bien progressé.

Ce n'était pas un mensonge, considérant que l'autre, une semaine plus tôt, n'avait jamais tenu une épée de sa vie. Étudiant en droit, il était venu le trouver un matin, dans cette auberge du faubourg Saint-Antoine où Almadès recevait sa clientèle. Il avait un duel et voulait apprendre à croiser le fer. Le temps pressait. Et ne disait-on pas que l'arrière-cour où l'Espagnol enseignait valait les meilleures salles de Paris ? Payées de la main à la main, quelques leçons bien comprises suffiraient sans doute. Il ne s'agissait, après tout, que de connaître deux ou trois mouvements dont l'imparable enchaînement permettait de tuer son homme, n'est-ce pas ?

Comme souvent, Almadès s'était demandé si le jeune homme croyait sincèrement en l'existence de bottes mortelles, dont le succès est assuré pourvu qu'on en sache les arcanes, et sans que le talent de celui qui les porte compte le moins du monde. Et quand bien même cela serait, pouvait-on imaginer que de tels secrets se négociaient une poignée de pistoles ? Le plus probable était sans doute que cet étudiant, terrifié par la perspective de risquer sa vie l'épée à la main, voulait y croire. Il était comme tous les autres que l'honneur, l'orgueil ou la bêtise attirait du jour au lendemain sur le pré. Il avait peur et, acculé, espérait merveille d'un faiseur de miracles.

Almadès avait expliqué que, dans le délai imparti, il ne promettait que d'enseigner les rudiments de l'escrime, que le meilleur bretteur n'est jamais assuré de l'emporter, et qu'il valait mieux renoncer à un mauvais duel qu'à la vie. Puis, devant l'insistance de l'étudiant, il avait accepté de le prendre comme élève, le temps d'une semaine, à la condition qu'il paie le plus gros de la somme convenue par avance. L'expérience avait enseigné à Almadès que les novices, rebutés par les difficultés de l'apprentissage de l'escrime, abandonnaient volontiers en cours de route et qu'avec eux partait le profit de leçons jamais données.

Celui-là, cependant, n'avait pas renoncé.

— Je vous en prie, monsieur, dites-moi si je suis prêt, insista le jeune homme. Je me bats demain !

Le maître d'armes le dévisagea longtemps.

— Il importe surtout, dit-il, de savoir si vous êtes prêt à mourir.

Anibal Antonio Almadès di Carlio de son nom

complet, il était grand, sec, d'une maigreur naturelle sans doute, mais que de trop longues privations avaient accrue. Il avait le poil et l'œil noirs, le teint hâve, la moustache grisonnante et bien taillée. Son pourpoint, sa chemise et ses chausses étaient propres, bien que discrètement rapiécés. La dentelle de ses manches et de son col avait vécu ; il manquait la plume à son chapeau et le cuir de ses bottes à entonnoir manquait de cirage. Mais quand bien même n'aurait-il été vêtu que de guenilles, Almadès portait beau. Un vieux sang andalou coulait dans ses veines, nourrissant tout son être d'une fierté austère qui irradiait.

Confronté sans ménagement à la perspective de sa propre mort, l'étudiant pâlit.

— Votre duel, demanda le maître d'armes pour amoindrir le coup, est-il au premier sang ?

— Oui.

— Alors, c'est pour le mieux. Plutôt que d'employer votre science à tuer votre adversaire, employez-la à n'être que légèrement blessé. Gardez la défensive. Rompez. Ménagez vos forces et votre souffle. Attendez une erreur, une maladresse toujours possible. Mais ne vous hâtez pas trop de conclure, au risque de vous exposer. Et tenez votre main gauche assez haute pour protéger votre visage au besoin : mieux vaut perdre un doigt qu'un œil.

Le jeune homme acquiesça.

— Oui, fit-il… Oui, je ferai tout comme vous avez dit.

— Au revoir, monsieur.

— Au revoir, maître.

Ils se séparèrent sur une poignée de main.

*

Quittant la pénombre de l'auberge, Almadès passa dans la cour ouverte à l'arrière, simple carré de terre battue où il dirigeait les exercices de ses élèves occasionnels. Des poules caquetaient dans le voisinage ; un cheval hennit ; on entendit même le meuglement distant d'une vache. Le faubourg Saint-Antoine naissait à peine. Encore très campagnard, il ne consistait qu'en des demeures et hôtelleries neuves dont l'alignement des façades, de part et d'autre des routes poussiéreuses se rejoignant pour mener à Paris, cachait aux regards des voyageurs les fermes, cultures et pâtures environnantes. Le faubourg commençait à l'ombre de la Bastille, sitôt la porte Saint-Antoine et son fossé franchis. Puis il se clairsemait à mesure que l'on s'éloignait de la capitale et de sa puanteur.

Sur une table abandonnée aux intempéries, Almadès prit la rapière qu'il confiait à ses clients et qui, avec celle qui pendait à son côté, composait non seulement tout son matériel d'enseignement, mais tout son excédent de fortune. C'était une mauvaise rapière en fer, trop lourde sans doute, et que la rouille menaçait. Assis sur un billot, il entreprit patiemment d'en nettoyer la lame ébréchée avec un chiffon huilé.

Des pas se firent entendre. Un groupe d'hommes approcha, s'arrêta à quelques mètres, garda le silence, attendit d'être remarqué.

Almadès coula un regard de sous le bord de son chapeau.

Ils étaient quatre. Un prévôt de salle et trois apprentis. Le premier armé d'une épée et les seconds de bâtons ferrés. Et tous envoyés par un maître d'armes qui, ayant pignon sur rue près de la Bastille, ne tolérait pas que quiconque profite des leçons illégalement dispensées par l'Espagnol.

La rapière de fer sur ses genoux, celui-ci leva la

tête et plissa les paupières dans le soleil. Impassible, il observa les quatre hommes et, durant le temps de cette observation, sacrifia à l'un de ces rituels qu'il effectuait sans y penser : il retourna trois fois la chevalière d'acier qu'il portait à l'annulaire gauche.

— Monsieur Lorbois, n'est-ce pas ? fit-il à l'intention du prévôt avec un léger accent.

L'autre acquiesça et annonça :

— Monsieur, mon maître vous a sommé plusieurs fois de cesser de vous prévaloir du titre de « maître d'armes », sans lequel la pratique d'enseigner l'escrime est illégale. Vous avez persisté en dépit de ces avertissements. Mon maître nous envoie aujourd'hui pour nous assurer que vous quitterez Paris et ses alentours dans l'heure, et pour ne plus jamais y revenir.

Comme tous les métiers ou presque, celui de maître d'armes était réglementé. Créée en 1567 sous le patronage de saint Michel, la compagnie des maîtres d'armes parisiens en organisait et surveillait la pratique dans la capitale, selon des statuts confirmés par lettres patentes. N'enseignait pas l'escrime qui voulait.

Almadès se leva, la rapière en fer dans la main gauche.

— Je suis maître d'armes, dit-il.

— En Espagne, peut-être. Mais pas en France. Pas à Paris.

— L'escrime espagnole vaut bien l'escrime française.

— Ne nous obligez pas à vous charger, monsieur. Il ne saurait être ici question d'un duel. Nous sommes quatre, et vous êtes seul.

— Alors équilibrons les chances.

Sous le regard du prévôt qui ne comprenait pas le sens de cette phrase, Almadès se plaça au milieu de la cour…

… et dégaina sa rapière d'acier de la main droite.

— Je vous attends, messieurs, lâcha-t-il en faisant tourner trois fois ses lames à la verticale.

Puis il se mit en garde.

Le prévôt et les trois apprentis se déployèrent en arc de cercle et passèrent aussitôt à l'assaut. D'un même élan, Almadès transperça l'épaule du premier apprenti, la cuisse du second, se baissa pour éviter le bâton du troisième, se redressa et lui entailla l'aisselle en tournoyant, acheva son mouvement en croisant ses rapières pour prendre la gorge du prévôt dans le ciseau de deux tranchants acérés.

Il ne s'était passé que le temps de quelques battements de cœur. Les apprentis étaient hors de combat et leur prévôt de salle se trouvait à la merci de l'Espagnol, paralysé par la stupeur et la peur, hésitant même à déglutir au contact des lames contre sa glotte.

Almadès laissa couler une poignée de secondes pour, si nécessaire, permettre au prévôt de prendre toute la mesure de la situation.

— Vous direz à celui qui vous envoie qu'il est un bien piètre maître d'armes et que ce que j'ai vu de sa science, au travers de votre performance, donne à rire… Maintenant, videz les lieux.

Le prévôt humilié s'en fut en entraînant à sa suite ses apprentis dont l'un, la cuisse ensanglantée, était soutenu par les deux autres. L'Espagnol les regarda s'éloigner, soupira et entendit dans son dos :

— Mes félicitations. Les années ne vous ont point trop gâté.

Il se retourna pour découvrir le capitaine La Fargue.

Un agacement de paupière fut le seul signe qui trahit sa surprise.

*

Ils prirent une table dans l'auberge presque déserte. Almadès commanda et paya un pichet de vin qui le priverait de dîner, puis il remplit les verres en trois fois.

— Comment saviez-vous où me trouver ? demanda-t-il.

— Je ne savais pas.

— Le Cardinal ?

— Ses espions.

L'Espagnol but une gorgée tandis que La Fargue faisait glisser vers lui une lettre. Les armes de Richelieu étaient imprimées dans le cachet de cire rouge.

— Je suis venu, dit le capitaine, vous apporter ceci.

— Qu'est-ce que cela dit ?

— Que les Lames revoient le jour et qu'elles souhaitent votre retour.

Almadès accueillit la nouvelle d'un léger mouvement de tête.

— Après cinq ans ?

— Oui.

— Sous votre commandement ?

Le capitaine acquiesça.

L'autre réfléchit, garda le silence en retournant à plusieurs reprises sa chevalière, par séries de trois. Des souvenirs, dont tous n'étaient pas heureux, lui revinrent à la mémoire. Puis il balaya le décor d'un long regard.

— Il faudra m'acheter un cheval, dit-il enfin.

15

À Paris, comme il l'avait réclamé, le carrosse du vicomte d'Orvand laissa Marciac rue Grenouillère, et plus exactement devant une maison coquette que rien ne distinguait vraiment mais que les habitués désignaient sous le nom des « Petites Grenouilles ». En habitué des lieux, le Gascon savait qu'il trouverait porte close à cette heure de l'après-midi. Aussi fit-il le tour et enjamba-t-il un mur pour traverser un aimable jardin et pousser une porte basse.

Il entra sans bruit dans une cuisine où une femme plus que ronde, en jupe, tablier et bonnet blanc, lui tournait le dos. Il s'approcha d'elle sur la pointe des pieds et la surprit d'un baiser sonore sur la joue.

— Monsieur Nicolas ! Mais d'où venez-vous donc ? J'ai cru mourir de peur !

— Un autre baiser pour me faire pardonner ?

— Allons, monsieur. Vous savez bien que j'ai passé l'âge des galanteries…

— Vraiment ? Et ce beau et gaillard menuisier qui frise ses moustaches sur le pas de sa porte chaque fois que tu vas au marché ?

— J'ignore de qui vous parlez, répliqua la cuisinière rougissante.

— À ton aise. Où sont ces demoiselles ?

— À côté.

Peu après, Marciac fit une entrée remarquée dans une salle lumineuse et élégamment meublée, où quatre jolies jeunes femmes en négligé tuaient le temps. La première était blonde et potelée ; la seconde était brune et élancée ; la troisième était rousse et mutine ; la dernière était une beauté juive aux yeux verts et au teint mat. La blonde lisait tandis que la brune brodait et bavardait avec les deux autres.

Armé de son sourire le plus canaille, Marciac s'inclina en fouettant l'air de son chapeau et s'exclama :

— Le bonjour, mesdemoiselles ! Comment vont mes charmantes petites grenouilles ?

Des exclamations de joie aiguës l'accueillirent.

— Monsieur Nicolas !... Comment allez-vous ?... Cela fait si longtemps !... Savez-vous que vous nous avez manqué ?... On s'inquiétait !...

Les jeunes femmes s'empressèrent, débarrassèrent Marciac de son chapeau et de son épée, le firent asseoir sur un divan.

— Avez-vous soif ? demanda l'une d'elles.

— Faim ? demanda une autre.

— Envie d'autre chose ? demanda la plus délurée.

Marciac, ravi, accepta de très bonne grâce un verre de vin et les manifestations d'affection qu'on lui prodigua. Des doigts taquins s'égarèrent sur sa poitrine, par le col de sa chemise.

— Alors, monsieur Nicolas, qu'avez-vous à raconter après tout ce temps ?

— Oh, pas grand-chose, j'en ai peur...

Les jeunes femmes affichèrent les marques de la plus profonde déception.

— ... si ce n'est qu'aujourd'hui, je me suis battu en duel !

Cette nouvelle fut un ravissement.

— Un duel ? Racontez ! Racontez ! applaudit la rouquine.

— Avant toute chose, je dois d'abord vous parler de mon adversaire, car il était assez formidable...

— Qui était-il ? L'avez-vous tué ?

— Patience, patience... Si je me souviens bien, je crois qu'il mesurait près de quatre toises.

Une toise valait deux mètres. On s'esclaffa.

— Vous vous moquez !

— Du tout, protesta un Marciac aux anges. Apprenez même qu'il avait six bras.

Des rires, encore.

— Et j'ajoute, pour achever son portrait, que ce

démon tout droit sorti des enfers avait des cornes et qu'il crachait le feu par la bouche et par le c...

— Mais que se passe-t-il, ici ? fit soudain une voix pleine d'autorité.

*

Un grand silence se fit et chacun s'immobilisa tandis que la température ambiante semblait chuter de plusieurs degrés. Marciac, tel un pacha sur son divan, avait une petite grenouille à sa droite, une à sa gauche, une agenouillée à ses pieds et une sur les genoux. Il afficha un sourire que fragilisait la situation délicate dans laquelle on le surprenait.

La belle Gabrielle venait d'entrer.

Elle avait les cheveux d'un blond vénitien chatoyant et était de ces femmes qui frappent moins par leur beauté — pourtant grande — que par leur prestance. Une robe de soie et satin sombre mettait en valeur la perfection de son teint et l'éclat de ses yeux bleu roi. Les années passant, de minuscules rides avaient commencé d'apparaître à la commissure de ses paupières — ces rides qui trahissent l'expérience et que l'on associe volontiers au rire.

Mais Gabrielle ne riait pas, ni ne souriait.

Glaciale, elle détailla le Gascon des pieds à la tête, comme s'il était un chien boueux menaçant de ruiner les tapis.

— Que fais-tu là, toi ?

— Je suis venu présenter mes hommages à tes grenouilles.

— Est-ce fait ?

— Euh... Oui.

— Alors tu peux partir. Adieu.

Elle tourna les talons.

Non sans mal, Marciac se délogea du divan et des grenouilles. Il rattrapa Gabrielle dans le couloir, la retint par le coude, lâcha prise sous le coup d'un regard assassin.

— Gabrielle, ma belle, s'il te plaît… Un mot…

— Ne m'adresse plus la parole. Après le mauvais tour que tu m'as joué, je devrais te faire bastonner !… Tiens, d'ailleurs, c'est une idée.

Elle appela :

— Thibault !

Une porte — celle du vestibule par lequel on entrait dans la maison normalement — s'ouvrit. Parut un colosse vêtu en valet, qui sembla étonné puis ravi de découvrir Marciac.

— Bonjour, monsieur.

— Bonjour, Thibault. Comment va ton fils, celui qui s'était rompu le bras en tombant ?

— Il est remis, monsieur. Merci de vous en inquiéter, monsieur.

— Et la petite dernière ? Toujours bien vive ?

— Elle pleure beaucoup. Les dents lui poussent.

— Mais combien d'enfants as-tu, au juste ?

— Huit, monsieur.

— Huit ! Eh bien, tu connais ton affaire, mon gaillard !

Thibault rosit et baissa le regard.

— En avez-vous fini ? demanda Gabrielle d'une voix blanche. Thibault, je ne te félicite pas.

Comme il la regardait sans comprendre, elle dut s'expliquer :

— On entre comme dans une grange, ici !

Thibault se tourna vers le vestibule et la porte d'entrée.

— Mais non. L'huis est bien clos et je vous jure que je n'ai pas bougé de mon escabeau. Même qu'un coussin serait pas de refus, rapport à des douleurs qui…

Marciac fit l'effort de ne pas rire.

— Ça suffit, Thibault, décréta Gabrielle. Retourne à ton escabeau et à ton huis bien clos.

Et avisant les grenouilles qui épiaient par la porte du salon, elle ordonna :

— Et vous, du vent ! Ouste ! Déguerpissez ! Et fermez la porte.

Obéie mais non satisfaite, elle ajouta :

— Bon, on est tranquille nulle part, dans cette maison. Viens.

Marciac la suivit jusque dans une antichambre, celle de sa chambre à coucher et de délices passées. Mais la porte vers l'alcôve resta close et Gabrielle, raide et bras croisés, lâcha :

— Tu voulais que je t'accorde un mot ? C'est entendu. Vas-y, je l'écoute.

— Gabrielle, commença le Gascon sur un ton conciliant…

— Voilà. Un mot. Tu l'as dit. Maintenant, adieu. Tu connais le chemin… Et ne m'oblige pas à demander à Thibault de te raccompagner.

— Dans ces conditions, tenta un Marciac contrit, je gage que même un chaste baiser serait trop demander…

— Un baiser de Thibault ? Cela peut s'imaginer.

Les épaules basses, Marciac fit mine de partir. Puis il se retourna et tendit en offrande de paix la bague gagnée en duel au marquis de Brévaux.

— Cadeau ?

Gabrielle s'efforça de rester impassible. Dans son œil, cependant, brilla une lueur du même éclat que le rubis enchâssé.

— Volée ?

— Tu me peines. Remise de plein gré par son précédent propriétaire.

— Devant témoin ?

— Oui. D'Orvand. Tu lui demanderas.

— Il ne vient plus.

— Je le ferai revenir.

— C'est une bague d'homme.

— Mais la pierre est belle.

Elle s'adoucit quelque peu.

— C'est vrai.

— Et elle ne regarde pas au sexe.

Avec un haussement d'épaules, Gabrielle prit la bague d'un geste vif et, doigt pointé menaçant, précisa :

— Ne te crois pas pardonné pour autant !

Alors Marciac, charmeur et heureux, lança un regard complice par en dessous et proposa :

— Mais c'est un début, non ?

16

Dans l'auberge sur la route de Clermont, nul n'osait parler ni bouger depuis que les cinq mercenaires étaient entrés.

— Malencontre, reprit leur chef en ramenant ses cheveux filasse derrière l'oreille. C'est un nom de guerre qui se retient, n'est-ce pas ?

Il s'était assis à la table de Leprat et, après avoir commandé du vin, faisait la conversation sur un ton qui trahissait trop d'assurance pour être innocent. Trois de ses hommes se tenaient debout derrière lui tandis que le dernier de la bande, un drac aux écailles grises comme l'ardoise, gardait la porte et avait l'œil à tout.

— Et pourtant, reprit Malencontre, mon nom ne t'évoque rien. Sais-tu pourquoi ?

— Non, fit Leprat.

— Pour la raison que ceux qui l'entendent de ma bouche sans être de mes amis meurent souvent.

— Ah.

— Cela ne t'inquiète pas ?

— Guère.

De l'ongle, Malencontre gratta la cicatrice qu'il avait à la commissure des lèvres, et se força à sourire.

— Tu as raison. Car, vois-tu, ce jourd'hui, je me trouve être d'humeur miséricordieuse. Je suis prêt à oublier les difficultés que tu nous as faites. Je suis même disposé à te pardonner les deux cadavres que tu as laissés sur ce pont à la frontière. Et sans parler du mauvais tour que tu nous as joué à Amiens. Mais...

— Mais ?

— Mais il faut que tu nous donnes ce que tu sais.

Les mercenaires ne doutaient pas de leur victoire. Ils étaient cinq contre un adversaire qui ne pouvait espérer aucun secours. Ils souriaient, n'attendaient que de tirer l'épée et faire couler le sang.

Leprat parut prendre la mesure de la situation, puis il dit :

— Entendu.

Il plongea doucement la main gauche dans son pourpoint poussiéreux et en tira une lettre scellée d'un cachet de cire rouge. Il posa le pli sur la table, le poussa devant lui, attendit.

Malencontre l'observa, sourcils froncés.

Il n'esquissa pas un geste pour prendre cette missive qui avait déjà coûté deux vies.

— Et voilà tout ? s'étonna-t-il.

— Voilà tout.

— Tu obéis ainsi ? Sans même faire mine de résister ?

— J'en ai bien assez fait, ce me semble. Il faudra sans doute que j'en réponde, mais il ne me servirait de rien que vous preniez ce bout de papier sur mon cadavre, n'est-ce pas ? D'ailleurs, il faut que l'on m'ait trahi pour que vous m'ayez retrouvé aussi vite. Quelqu'un vous a informé de la route que je suivrais. J'estime que cela m'autorise à prendre quelques libertés avec mes maîtres. On ne doit rien à ceux qui nous font défaut.

Comme l'autre hésitait encore, Leprat insista :

— Tu veux cette lettre ? Prends-la. Elle est à toi.

Dans la pénombre de la salle où rougeoyaient les flammes de l'âtre, le silence s'épaissit comme avant le coup de hache du bourreau, quand la lame brandie accroche un rayon de soleil et retient les souffles.

— Soit, fit Malencontre.

Lentement, il tendit une main aux ongles sales vers la lettre.

Et s'il tiqua en voyant au dernier moment une lueur étinceler dans l'œil de Leprat, il fut trop lent à réagir.

*

Le hurlement de leur chef prit les mercenaires au dépourvu : Leprat venait de lui clouer la main à la table avec le couteau graisseux qui lui avait servi à découper sa volaille. Malencontre libéra sa dextre suppliciée et cracha :

— TUEZ-LE !

Debout, Leprat avait déjà saisi sa rapière au fourreau.

D'un violent coup de talon, il propulsa la table dans

les jambes des reîtres et ajouta à leur confusion en les obligeant à s'écarter tandis qu'ils tiraient l'épée et que Malencontre, sa main ensanglantée tenue serrée contre lui, les bousculaient afin de rejoindre le drac qui arrivait. Dos à la fenêtre occultée, Leprat était acculé. Mais il s'était ménagé assez d'espace pour combattre. Calmement, il fouetta l'air de son épée et délogea son fourreau qui glissa sur le plancher.

Puis il se mit en garde.

Et attendit.

Les tables alentour achevèrent de se vider dans un vacarme de meubles remués. Silencieux et empressés, les clients de l'auberge se massèrent près des murs ou sur les marches de l'escalier menant à l'étage. On ne voulait pas prendre un mauvais coup. Cependant, on voulait voir. Le patron, lui, s'était réfugié en cuisine. Sans doute n'avait-il pas de goût pour ce genre de spectacle.

À l'écart, le drac emmaillotait la main de Malencontre avec des lambeaux arrachés au premier torchon venu. Les trois autres, enfin prêts à en découdre, se déployèrent prudemment en arc de cercle. Sans les quitter du regard, le chevalier d'Orgueil les laissa approcher.

Près.

Très près.

À portée de lame.

Cela aurait dû les inquiéter, mais ils comprirent trop tard.

Leprat tendit soudain la main droite derrière lui et arracha le rideau de la fenêtre. La grande clarté de dehors déferla dans la pièce obscure, découpa sa silhouette et frappa les mercenaires au visage. Sans attendre, il se fendit. L'ivoire acéré trouva la gorge d'un reître aveuglé et fit naître un jaillissement écarlate que le malheureux, en s'affaissant, tenta vainement de retenir entre ses doigts en même temps que le sang bouillonnait hors de sa bouche et de ses narines. Leprat rompit aussitôt et esquiva l'assaut malhabile d'un mercenaire qui se protégeait encore les yeux du coude. Il le plia en deux d'un coup de genou et l'envoya percuter, tête la première, le manteau de la cheminée. L'homme s'y fendit le crâne. Il tomba le visage dans l'âtre et commença d'y brûler : une odeur de cheveux calcinés et de viande grillée imprégna bientôt l'air. Le troisième reître, qui y voyait mieux désormais, chargeait déjà par-derrière en brandissant son épée. Leprat ne se retourna pas. D'un même mouvement, il renversa sa rapière qu'il coinça dans le pli de son aisselle, recula d'un pas en mettant un genou à terre, et laissa l'autre s'empaler sur l'ivoire. L'homme se figea, bras levé, visage incrédule et lèvres salies de bave rose. Lentement, Leprat se releva en pivotant et acheva d'enfoncer sa lame jusqu'à la garde. Il plongea son regard impassible dans celui du mourant, puis repoussa le cadavre qui s'effondra de tout son long.

Il ne s'était pas passé une minute depuis qu'il avait arraché le rideau, et trois spadassins aguerris étaient déjà morts sous les coups du chevalier d'Orgueil. Bien connu à Paris, au Louvre comme dans toutes les salles d'armes, celui-ci passait pour être l'un des meilleurs escrimeurs de France. À l'évidence, sa réputation n'était pas usurpée.

Malencontre n'était pas en état de se battre, mais le drac attendait encore d'entrer dans l'arène.

Leprat le toisa. Il imprima un mouvement sec à sa rapière qui moucheta le plancher de gouttelettes vermillon, tira une dague de main gauche du fourreau pendu sur ses reins, et se mit une nouvelle fois en garde. Le drac parut sourire. À son tour, il croisa les bras devant lui et dégaina simultanément un sabre droit et un poignard.

Lui aussi combattrait à deux armes.

Le duel fut acharné dès les premiers échanges. Tendus et concentrés, le drac et Leprat échangèrent attaques, parades, contres et ripostes sans rien s'épargner. Le reptilien savait à qui il avait affaire et le chevalier comprit vite ce que valait son adversaire. Aucun ne semblait en mesure d'avoir le dessus. Quand l'un rompait de quelques pas, il reprenait bientôt l'avantage. Et quand l'autre parait à répétition, il parvenait toujours à s'approprier l'initiative de l'assaut suivant. Leprat était un bretteur expérimenté et talentueux. Mais le drac avait pour lui la force et l'endurance : son bras semblait infatigable. Acier contre ivoire, ivoire contre acier, les lames virevoltaient et s'entrechoquaient aussi vite que l'œil pouvait voir. Leprat transpirait, et se sentait faiblir.

Il fallait qu'il en finisse vite.

Enfin, les dagues et les rapières se croisèrent jusqu'à la garde. Poussant l'un vers l'autre, le drac et Leprat se retrouvèrent alors nez à nez, les bras tendus au-dessus d'eux en clocher. Dans un feulement rauque, le reptilien cracha une bave acide au visage du chevalier, qui répliqua d'un grand coup de tête en pleine face. Il parvint ainsi à se dégager d'un adversaire étourdi et, prenant du champ, essuya avec sa manche ses yeux qui le brûlaient. Cependant, le drac se ruait déjà sur lui, la bouche écumante et les narines en sang. C'était la faiblesse de ces créatures : elles étaient impulsives et s'abandonnaient vite à une colère aveugle.

Leprat vit là une occasion qui ne se représenterait pas.

Du pied, il fit glisser un tabouret dans les pieds du drac. L'autre trébucha et continua sur sa lancée, moitié courant, moitié tombant. Son attaque fut violente mais imprécise. Leprat s'effaça et pivota vers la gauche tandis que le reptilien passait à sa droite. Il acheva de se retourner en frappant de taille, bras tendu à l'horizontale.

La rapière d'ivoire trancha net.

Une tête écailleuse tourbillonna et, au terme d'une courbe sanglante, rebondit sur le plancher et roula plus loin. Le corps du drac décapité tomba en libérant un jet dru par le cou.

Leprat chercha aussitôt Malencontre. Il ne le trouva pas, mais entendit des cris dans la cour et un début de cavalcade. Il se précipita à la porte à temps pour voir l'homme qui s'éloignait au grand galop, observé par tous ceux qui étaient restés dehors et hésitaient encore à se montrer.

*

Taché du sang de ses victimes, des reliquats de bave reptilienne encore collés aux joues, Leprat revint à l'intérieur de l'auberge. Il était l'objet indifférent de toutes les attentions d'une assistance partagée entre l'effroi et le soulagement. Personne ne s'avisait encore de bouger, et certainement pas de parler. Des semelles nerveuses frottaient le plancher de bois brut.

Ses armes en main, Leprat contempla le désordre et le carnage d'un air tranquille. Parmi les meubles renversés, la vaisselle brisée et les victuailles piétinées, trois cadavres baignaient dans des mares épaisses et un quatrième continuait de se calciner dans l'âtre, les chairs graisseuses de son visage crépitant au contact des flammes. L'odeur, mêlée à celle du sang, de la bile et de la peur, était infâme.

Une porte grinça et l'aubergiste sortit des cuisines en brandissant devant lui une antique arquebuse. Le gros homme portait un casque improbable et un plastron de cuirasse dont il n'avait pas pu fermer toutes les sangles. Et parce qu'il tremblait de tous ses membres, le canon de son arme — ouvert telle une bouche incrédule — semblait suivre le vol erratique d'une mouche invisible.

Leprat faillit rire, et réussit à seulement esquisser un sourire las.

C'est alors qu'il vit le sang qui coulait de sa manche droite et comprit qu'il était blessé.

— Tout va bien, fit-il. Service du roi.

17

— Quoi ? s'exclama un marchand. Cette amazone en cheveux qui nous a dépassés au grand galop ce matin ? Une baronne ?

— Pardi ! confirma le vieux soldat. Puisque je vous le dis !

— C'est à ne pas croire ! lâcha un autre marchand.

— Et pourtant, renchérit un colporteur connaissant bien la région. Rien que de très vrai dans tout cela.

— Et depuis quand les baronnes portent-elles l'épée, par ici ?

— Ma foi, depuis que cela leur plaît…

— Voilà qui n'est pas ordinaire.

— La baronne Agnès de Vaudreuil…, soupira rêveusement le premier marchand.

— On la dit d'excellente naissance, fit le second.

— Vieille noblesse d'épée, indiqua le vétéran des

guerres de Religion. La meilleure. La seule… Ses aïeux ont fait les croisades et son père combattit aux côtés du roi Henri.

Cet échange se déroulait au *Tonnelet d'argent*, une hôtellerie villageoise sur la route de Paris. Les deux marchands s'y étaient arrêtés après avoir conclu un excellent marché à Chantilly, ce qui avait mis leur humeur au diapason. Deux hommes s'étaient invités à leur table. L'un était un habitué pittoresque et loquace, vieux soldat à jambe de bois qui vivait d'une maigre pension, passait le plus gros de ses journées à boire et consacrait le reste de son temps à se faire offrir ce qu'il buvait. L'autre était un colporteur que la perspective de reprendre sa tournée, sa lourde hotte d'osier sur le dos, n'enchantait guère. C'était une heure après dîner et, le coup de feu passé, les tables s'étaient rapidement vidées. Le vin aidant, la conversation roulait librement et fort haut.

— Elle m'a semblé fort belle, dit un marchand.

— Belle ? reprit le vétéran. Elle est bien plus que cela… Le tétin ferme. La cuisse longue. Et un cul, mes amis… Un cul !

— À vous entendre parler de ce cul, on jurerait que vous l'avez vu…

— Peste, je n'ai pas eu ce bonheur… Mais d'autres l'ont vu. Et tâté. Et goûté. Car c'est d'un cul très accueillant que je parle…

Les buveurs étaient bavards, le sujet propice à développements et les pichets vite vidés, pour être tout aussitôt remplacés. Cependant, la perspective d'aimables bénéfices ne suffisait pas à réjouir maître Léonard, le patron du *Tonnelet d'argent*. Inquiet mais n'osant pas intervenir, il guettait du coin de l'œil celui qui rongeait son frein seul à une table.

L'homme portait des bottes à entonnoir avachies,

des chausses de cuir brun et un pourpoint de velours rouge largement ouvert sur son torse nu. Son corps était solidement charpenté mais alourdi de graisse — cuisses larges, épaules puissantes, cou épais. Il pouvait avoir cinquante-cinq ans, peut-être plus. Sous une barbe rase, son visage buriné de vieux soldat s'était empâté au cours de ces dernières années, et les entrelacs pourpres d'une couperose naissante ornaient désormais ses pommettes. L'œil, néanmoins, restait vif. Et l'impression de force qui se dégageait du personnage n'était pas trompeuse.

— Et où sont-ils, ces heureux goûteurs de cul ? lança gaiement à la cantonade le plus gai et le plus ivre des marchands. J'aimerais bien les entendre !

— Ils sont un peu partout. La belle n'est pas farouche.

— On dit qu'elle tue ses amants, souligna le colporteur.

— Balivernes !

— Dis plutôt qu'elle les épuise ! corrigea le vétéran avec un clin d'œil égrillard. Si vous voyez ce que je veux dire…

— Je vois, oui, acquiesça le marchand. Et je dis, moi, qu'il doit y avoir des morts pires que celle-là… C'est qu'on lui compterait volontiers fleurette, à la bougresse !

À ce mot, celui qui les écoutait à leur insu se leva avec l'air de l'homme résolu à s'acquitter d'une tâche nécessaire. Il avança d'un pas posé et était à mi-chemin de la tablée quand maître Léonard lui barra prestement la route, ce qui ne manquait pas de courage car il était plus petit de deux têtes et moitié moins lourd. Mais la sauvegarde de son commerce était en jeu.

— Monsieur Ballardieu, s'il vous plaît…

— Ne vous inquiétez pas, maître Léonard. Vous me connaissez.

— Précisément, sauf votre respect… Ils ont bu. Sans doute trop. Ils ne savent pas ce qu'ils…

— N'ayez aucune inquiétude, vous dis-je, fit l'autre avec un sourire aimable et rassurant.

— Promettez-moi seulement de ne pas faire de tapage, supplia l'aubergiste.

— Je promets de faire mon possible pour cela.

Maître Léonard s'écarta à regret et, essuyant ses mains moites à son tablier, regarda Ballardieu poursuivre son chemin.

En le découvrant, le vétéran à la jambe de bois pâlit. Les trois autres, en revanche, se laissèrent berner par sa mine bonhomme.

— Veuillez m'excuser, messieurs, de vous interrompre…

— Je vous en prie, monsieur, répondit un marchand. Que pouvons-nous pour vous ? Voulez-vous vous joindre à notre table ?

— Juste un renseignement, messieurs.

— Nous vous écoutons.

— Je désirerais savoir auquel de vous quatre je vais avoir l'honneur de casser le crâne le premier.

18

Un bruit dérangea Saint-Lucq qui somnolait.

C'était un grattement répété, irrégulier, qui semblait parfois vouloir cesser et reprenait bientôt. Un grattement de griffe. Contre le bois.

Le sang-mêlé soupira et se redressa dans le lit. Ce devait être la fin de l'après-midi.

— Qu'y a-t-il ? demanda d'une voix pâteuse la jeune femme couchée à côté de lui.

— Tu n'entends pas ?

— Si.

— Qu'est-ce ?

— Rien. Rendors-toi.

Et elle se retourna en tirant la couverture à elle.

Ayant deux ou trois heures à tuer dans la journée, Saint-Lucq l'avait abordée rue de Glatigny, une venelle de la Cité où les filles de joie officiaient depuis le Moyen Âge. Il avait offert de la payer grassement à condition qu'il puisse se reposer chez elle. Marché conclu, elle l'avait précédé dans la petite mansarde qu'elle habitait près du palais de Justice. « Tu n'es pas mon premier », avait-elle dit en découvrant les yeux reptiliens du sang-mêlé.

Puis elle s'était déshabillée.

Une heure plus tard, elle dormait. Saint-Lucq, lui, était resté un moment à regarder le plafond décrépi. Il n'avait pas de goût particulier pour la compagnie des prostituées mais leur hospitalité tarifée avait ses avantages — l'un étant qu'à la différence des hôteliers, elles ne tenaient pas de registre.

Le grattement continuait.

Saint-Lucq se leva, enfila ses chausses et sa chemise, tendit l'oreille, et alla écarter le méchant chiffon brun qui servait de rideau à l'unique fenêtre. C'était de là que venait le bruit. Le jour entra et la silhouette d'un dragonnet noir se découpa derrière les carreaux.

Le sang-mêlé en resta un instant interdit.

— Est-il à toi ?

La jeune femme — elle prétendait s'appeler Madeleine, « comme l'autre » — s'assit et, les paupières plissées dans la lumière, grogna :

— Non. Mais il semble le croire… J'ai commis

l'erreur de le nourrir deux ou trois fois. Et maintenant, il n'a de cesse de revenir mendier.

Les dragonnets authentiquement sauvages avaient presque disparu de France. Mais certains, perdus, enfuis ou abandonnés par leurs maîtres, menaient dans les villes des vies de chats errants.

— Trouve-moi de quoi le nourrir, ordonna Saint-Lucq en ouvrant la fenêtre.

— Ah, non ! Je veux lui apprendre à fréquenter ailleurs. Et ce n'est pas en…

— Je paierai pour ça aussi. Tu as bien quelque chose qui lui conviendrait, non ?

Madeleine se leva totalement nue tandis que le sang-mêlé regardait le dragonnet et que le dragonnet regardait le sang-mêlé avec une égale circonspection. Les écailles du reptile luisaient dans la lumière d'un soleil qui allait vers son zénith.

— Voilà, lâcha Madeleine en apportant un torchon noué par les coins.

Saint-Lucq défit le linge et y trouva une saucisse sèche très entamée.

— C'est tout ?

— C'est tout, confirma la jeune femme déjà recouchée. Mais il y a un rôtisseur au coin de la rue, si l'idée t'en dit…

Main tenue à plat, le sang-mêlé présenta un morceau de saucisse au dragonnet. L'animal hésita, renifla, attrapa la nourriture du bout de sa gueule pointue, et parut mâcher à regret.

— Tu préfères que tes victimes soient bien vives et se défendent, n'est-ce pas ? murmura Saint-Lucq. Ma foi, moi aussi…

— Que dis-tu ? lança Madeleine depuis le lit.

Il ne répondit pas et continua de nourrir le dragonnet.

Enfin, une vyverne — qui, montée par un messager royal, s'en retournait au Louvre — passa haut dans le ciel en poussant un cri caverneux. Comme répondant à l'appel du grand reptile, le dragonnet noir déploya soudain ses ailes de cuir et s'en fut.

Saint-Lucq referma la fenêtre, avala ce qui restait de la saucisse et acheva de s'habiller.

— Tu pars ? s'enquit Madeleine.

— Tu vois bien.

— Tu as rendez-vous ?

— Oui.

— Avec qui ?

Le sang-mêlé hésita, puis se dit qu'une vérité incroyable valait bien un mensonge.

— Avec le Grand Coësre.

La prostituée s'esclaffa.

— Ben voyons ! Transmets-lui bien le bonjour de ma part. Et à toute la Cour des Miracles, puisque tu y es !…

Saint-Lucq se contenta de sourire.

Une minute plus tard, il boutonnait son pourpoint, accrochait le fourreau de sa rapière à son ceinturon et chaussait ses étranges bésicles aux verres incarnats. Puis, depuis le seuil de la mansarde, la porte déjà entrouverte, il se retourna et jeta deux pièces d'argent sur le lit.

Ce geste étonna Madeleine car elle avait déjà été payée pour ses services.

— C'est beaucoup pour un morceau de saucisse, se moqua-t-elle.

— La première est pour que tu nourrisses le dragonnet s'il revient.

— Soit. Et la seconde ?

— Pour que tu n'oublies pas à quoi sert la première.

19

Arnaud de Laincourt habitait rue de la Ferronnerie qui, entre le quartier Sainte-Opportune et celui des Halles, prolongeait la rue Saint-Honoré, côtoyait le cimetière des Saints-Innocents et faisait le lien avec la rue des Lombards, constituant ainsi l'un des grands axes de circulation de la capitale. Large d'à peine quatre mètres et cependant très fréquentée, elle était d'assez triste mémoire car c'était là que, profitant de l'arrêt du carrosse royal dans un embouteillage, Ravaillac avait poignardé Henri IV. Mais à ceci près, l'adresse de Laincourt était des plus quelconques. Il louait dans une maison semblable à tant d'autres à Paris : étroite et haute, comme écrasée entre ses voisines, avec une boutique au rez-de-chaussée — une rubanerie, en l'occurrence. À côté de la boutique, une porte piétonne ouvrait sur un couloir qui traversait la bâtisse et desservait un escalier sans lumière. De là, on accédait aux étages en se laissant guider dans l'air fétide par une rampe de bois branlante.

Laincourt posait le pied sur la première marche lorsqu'il entendit des gonds grincer derrière lui, dans la pénombre du couloir.

— Le bonjour, monsieur l'officier.

C'était M. Laborde, le rubanier. Sans doute avait-il guetté son arrivée, de même qu'il surveillait tous ceux qui entraient et sortaient. Outre la boutique, il louait les trois pièces du premier étage pour sa famille et lui, ainsi qu'un médiocre réduit au deuxième pour une domestique. Il était le locataire principal de la maison. À ce titre, il collectait les loyers et prétendait avoir l'œil à tout, orgueilleux et jaloux de la confiance que lui accordait le propriétaire, et très soucieux de la respectabilité des lieux.

Laincourt se retourna en retenant un soupir.

— Monsieur Laborde.

Comme la plupart des petits-bourgeois, le rubanier vouait une haine craintive au peuple, méprisait les moins riches que lui, enviait ses égaux en jugeant leur réussite usurpée, se soumettait volontiers aux puissants et éprouvait le besoin de s'attirer les bonnes grâces des représentants de l'autorité. Il ne rêvait que de compter Laincourt, enseigne aux gardes à cheval de Son Éminence, parmi ses clients.

— Je vous invite à me faire l'honneur de passer à la boutique tantôt, monsieur. J'ai reçu quelques longueurs de satin qui, si j'en crois mon épouse, iraient à merveille sur un pourpoint qu'elle vous a vu porter.

— Ah.

— Oui. Et vous savez comme moi à quel point les femmes ont l'œil et le goût pour ces choses-là.

Laincourt ne put s'empêcher de songer à l'épouse Laborde et aux mètres de rubans colorés qui garnissaient la moindre de ses robes, lesquelles robes ne pouvaient décemment être qualifiées de « moindres » au vu des imposantes dimensions de la dame.

— La véritable élégance est dans le détail, n'est-ce pas ? insista le boutiquier.

Détail. Encore un mot qui convenait mal à l'énorme Mme Laborde, qui levait l'auriculaire pour siroter son chocolat et engloutissait les pâtisseries comme quatre.

— Sans doute, fit Laincourt avec un sourire qui n'exprimait rien. Au revoir, monsieur Laborde.

L'enseigne grimpa jusqu'au deuxième étage et, passant devant la porte du galetas où dormait la domestique des rubaniers, il entra chez lui. Son appartement consistait en deux salles très ordinaires, c'est-à-dire froides et sombres, où l'air circulait mal. Et encore n'avait-il pas trop à se plaindre car chacune avait sa fenêtre — même si l'une regardait une cour sordide et l'autre une ruelle dont on pouvait toucher le mur opposé en tendant le bras. Son mobilier était maigre : un lit et un coffre à vêtements dans la chambre ; une table, un buffet branlant et deux chaises dans la seconde pièce. Ces meubles, d'ailleurs, ne lui appartenaient pas. Le coffre excepté, ils étaient là avant son arrivée et resteraient quand il partirait.

Afin de ne pas compromettre l'irréprochable propreté des lieux, le premier soin de Laincourt fut de se déchausser, en se promettant de brosser bientôt ses bottes maculées de cette boue noire et puante qui couvrait le pavé parisien. Puis il accrocha son baudrier au même clou que son feutre à panache blanc et ôta sa casaque.

Il y avait de quoi écrire sur la table et Laincourt se mit aussitôt au travail. Il lui fallait retranscrire la lettre qu'il avait lue à midi dans le cabinet de Charpentier, le secrétaire de Richelieu. Il la recopia de mémoire, mais en utilisant le latin pour le vocabulaire et le grec pour la grammaire. En résultait un idiome qui, sans être absolument impénétrable, ne pouvait cependant être lu que par quelqu'un possédant parfaitement deux langues que seuls les érudits maîtrisaient. L'enseigne n'hésita pas une fois tandis qu'il couvrait un feuillet d'une écriture serrée, et il ne lâcha la plume qu'après avoir posé le point final.

Il attendait immobile et impassible que l'encre sèche, quand quelqu'un toqua à la porte. Laincourt tourna la tête vers elle, sourcils froncés.

Comme on insistait, il se résolut à aller ouvrir. Parut la servante des Laborde, une brave fille aux joues rouges qui nourrissait un secret amour pour le jeune enseigne aux gardes du Cardinal.

— Oui ?

— Bonjour, monsieur.

— Bonjour.

— Je ne sais si vous le savez, mais un gentilhomme est venu.

— Un gentilhomme.

— Oui. Il a posé des questions à votre sujet.

— Des questions auxquelles M. Laborde répondit sans doute avec zèle…

La domestique acquiesça, embarrassée, comme si un peu de la compromission de son maître rejaillissait sur elle.

— A-t-il dit son nom, ce gentilhomme ? demanda Laincourt.

— Non.

— À quoi ressemblait-il ?

— Il était grand, peu amène, le poil noir. Et avec une cicatrice à la tempe… Il ne semblait rien faire pour cela, mais il était… inquiétant.

L'enseigne acquiesça, impénétrable.

Sur ces entrefaites, Mme Laborde appela sa servante, qui s'empressa de la rejoindre après une esquisse de révérence.

— Merci, fit Laincourt.

Ayant refermé la porte, il retourna à sa table d'écriture et glissa la retranscription de la lettre dans une enveloppe de cuir fin. Il écarta ensuite la chaise, souleva le tapis, délogea une latte du plancher et cacha le document secret avant de tout remettre en état.

Ou presque.

Comme il s'en aperçut aussitôt, un coin du tapis était resté enroulé : une anomalie évidente qui rompait avec la parfaite ordonnance de la pièce.

L'enseigne hésita un moment, puis il haussa les épaules et se prépara à ressortir. Il chaussa ses bottes crottées, passa son baudrier, prit son feutre et jeta sa casaque pliée sur son épaule. Le clocher de Sainte-Opportune sonna la demie, presque aussitôt imité par celui de l'église des Saints-Innocents.

20

Aux *Petites Grenouilles*, Marciac se réveilla heureux et repu dans un lit très défait, puis s'appuya sur un coude pour regarder Gabrielle qui se recoiffait, assise à demi nue devant son meuble de toilette. Ce spectacle acheva de le combler. Elle était belle, les plis de l'étoffe qui la vêtait à peine avaient l'élégance des drapés des statues antiques, et la lumière d'un soleil déclinant qui passait la fenêtre irisait les cheveux follets d'une nuque gracile, flattait des épaules rondes et pâles, et soulignait d'ambre la courbe d'un dos satiné. C'était l'un de ces instants parfaits où toute l'harmonie du monde se conjugue. La chambre était silencieuse. On n'entendait guère que la caresse de la brosse sur la chevelure lissée.

Après un moment, Gabrielle surprit le regard de son amant dans le miroir et, sans se retourner, rompit l'enchantement :

— Tu devrais garder la bague.

Le Gascon vit la chevalière qu'il avait gagnée en duel. Gabrielle l'avait ôtée de son doigt et posée près de son coffret à bijoux.

— Je te l'ai offerte, dit Marciac. Je ne vais pas te la reprendre.

— Tu en as besoin.

— Mais non.

— Si. Pour payer la Rabier.

Marciac s'assit dans le lit. Gabrielle, qui lui tournait presque le dos, continuait de se coiffer, impassible.

— Tu sais ? fit-il.

Elle haussa les épaules.

— Bien sûr. Tout se sait à Paris. Il suffit d'écouter… Lui dois-tu beaucoup ?

Marciac ne répondit pas.

Il se laissa retomber sur le dos, bras largement écartés, et contempla le ciel du lit.

— Tant que ça ? glissa Gabrielle.

— Oui.

— Comment en es-tu arrivé là, Nicolas ?

Il y avait à la fois du reproche et de la commisération dans le ton de sa voix — un ton, en définitive, très maternel.

— J'ai joué, j'ai gagné et j'ai perdu le triple, expliqua le Gascon.

— La mère Rabier est une bien méchante femme. Elle peut te nuire.

— Je sais.

— Et les hommes qu'elle emploie ont du sang sur les mains.

— Cela aussi, je le sais.

Reposant sa brosse, Gabrielle se retourna sur sa chaise et adressa à Marciac un regard calme et pénétrant.

— Il faut la payer. Est-ce que la bague y suffira ?

— Elle suffira pour commencer.

— Alors c'est décidé.

Ils échangèrent un sourire. Un sourire plein d'affection chez elle et plein de reconnaissance chez lui.

— Merci, fit-il.

— N'y pensons plus.

— Je devrais te consulter à chacune des décisions que je prends.

— Contente-toi de faire le contraire de ce que te dicte ton caprice, et ce sera aussi bien.

Souriant de bonne grâce, Marciac se leva et entreprit de s'habiller tandis que sa maîtresse mettait ses bas blancs, un autre spectacle dont il ne perdit rien.

Puis, sans préambule, Gabrielle lâcha :

— Une lettre est arrivée ici pour toi.

— Quand ?

— Ce jourd'hui.

— Et comme tu étais encore furieuse contre moi, supposa le Gascon en enfilant ses chausses, tu l'as brûlée.

— Non.

— Pas même déchirée ?

— Non.

— Ni froissée ?

— Tu m'ennuies, Nicolas ! s'exclama Gabrielle.

Elle avait presque crié et, figée, regardait droit devant elle.

Parce qu'ils avaient l'habitude des taquineries de ce genre, il ne s'expliqua pas sa réaction. Torse nu, il observa la femme qu'il aimait et devina son angoisse.

— Qu'as-tu, Gabrielle ?

De l'index, elle écrasa discrètement une larme à la commissure de ses paupières. Il approcha et, penché sur elle par-derrière, l'enserra tendrement.

— Dis-moi, murmura-t-il.

— Pardonne-moi. Tiens.

Marciac prit la lettre qu'elle lui tendait et comprit son trouble en reconnaissant le sceau imprimé dans le cachet de cire rouge.

C'était celui du cardinal de Richelieu.

— Je croyais, dit Gabrielle d'une voix étranglée… Je croyais que ce moment de ta vie était révolu.

Il le croyait lui aussi.

21

Le soleil était encore assez haut quand Agnès de Vaudreuil arriva en vue du village. Le pourpoint ouvert et le fourreau de sa rapière lui battant la cuisse, elle était grise de la poussière que les sabots de son cheval martelaient au grand galop depuis qu'elle avait quitté le manoir en toute hâte. Elle avait les joues rouges et le front luisant de sueur. Passablement malmenée par la chevauchée, sa longue natte n'était qu'une masse de tresses lâches qui ne tenaient plus ensemble que par la mèche, et desquelles d'amples boucles noires s'échappaient. Son visage, cependant, exprimait toujours le même mélange de détermination implacable et de colère contenue. Et son regard restait droit fixé sur l'objectif vers lequel sa monture écumante fonçait sans faiblir.

Simple hameau jadis, le village avait grossi autour de sa chapelle à la croisée de deux routes sinuant entre des collines boisées. Il n'était encore qu'une étape sur la route de Chantilly mais devait sa prospérité naissante au *Tonnelet d'argent*, une hôtellerie renommée pour la qualité de sa table et de sa cave, ainsi que pour l'aimable compagnie de ses filles de salle. Les gens du pays venaient y prendre un verre à l'occasion et les voyageurs bien informés y couchaient volontiers — à l'aller quand leurs affaires n'exigeaient pas qu'ils soient à Chantilly dès potron-minet, au retour sinon.

Agnès ralentit l'allure en passant les premières

maisons. Dans les rues, son cheval foula la même terre battue que sur la route, et c'est au trot qu'elle le guida jusqu'à la place du village. Là, devant le porche du *Tonnelet d'argent*, des villageois se dispersaient. Ils souriaient, bavardaient, faisaient parfois de grands gestes. L'un d'eux grimpa sur un banc de pierre moussue et déclencha des rires en mimant des horions et de vigoureux coups de pied au cul. Tous semblaient ravis, comme au sortir d'un théâtre où l'on aurait donné une farce des plus comiques. Agnès devina qui était à l'origine de cette liesse, laquelle pouvait d'ailleurs ne rien augurer de bon. Car des spectateurs joyeux ne signifiaient pas obligatoirement que le spectacle avait été bon enfant. À l'époque, on se pressait en foule au supplice des condamnés et l'on s'amusait beaucoup des hurlements et des soubresauts des malheureux soumis à la torture.

En voyant passer la cavalière, certains se découvrirent et le pitre descendit de son banc.

— Qui est-ce donc ? demanda quelqu'un.

— La baronne de Vaudreuil.

— Dame !

— Comme tu dis, l'ami. Comme tu dis…

*

Le Tonnelet d'argent offrait un décor pittoresque avec ses bâtiments de guingois, ses vieilles et belles pierres grises, ses façades recouvertes de lierre et ses toits de tuiles rouges.

Sitôt le porche passé, Agnès descendit de selle, ses éperons tintant en même temps que les talons de ses hautes bottes frappaient le pavé de la cour. Elle essuya son front luisant d'un revers de manche, dénoua tout à fait ses cheveux et secoua la tête afin que ses amples et lourdes boucles noires s'arrangent d'elles-mêmes. Puis, débraillée, poussiéreuse et ne craignant cependant le regard de personne, elle observa les lieux.

Devant le corps de logis principal, elle reconnut l'aubergiste qui s'efforçait de calmer l'impatience, sinon la colère, de quelques clients. Nerveux et agités, ceux-ci se disputaient presque pour tancer vertement le patron, à grand renfort d'index pointés vers sa poitrine. L'aubergiste avait des gestes d'apaisement et manifestait un respect obséquieux, tout en interdisant le passage à qui voulait entrer. Rien, cependant, ne semblait y faire. Les clients ne décoléraient pas et Agnès remarqua que la mise de certains — si elle n'était pas aussi négligée que la sienne — laissait à désirer. L'un avait la manche droite de son pourpoint qui, déchirée à l'épaule, lui tire-bouchonnait sur le coude ; un autre, la chemise hors des chausses, pressait un linge humide contre son front ; un troisième était coiffé d'un feutre cabossé et la dentelle de son col pendait misérablement.

Apercevant enfin qui venait d'arriver, l'aubergiste s'excusa auprès des gentilshommes. Ceux-ci maugréèrent tandis qu'il s'empressait de rejoindre Agnès. Au passage, il héla un valet d'écurie qui abandonna son seau et sa fourche pour aller s'occuper du cheval de la baronne.

— Ah, madame ! Madame !

Elle marchait vers lui d'un pas décidé. Et comme elle ne ralentit pas l'allure ni ne changea de cap quand ils se rencontrèrent, il dut faire un brusque demi-tour pour trotter à ses côtés.

— Qu'a-t-il encore fait ? demanda Agnès.

L'aubergiste était un petit homme sec et maigre qui arborait un ventre rond comme un ballon. Il portait un gilet court sur sa chemise, et sa taille était serrée par la ceinture d'un tablier qui lui couvrait les cuisses.

— Dieu soit loué, madame. Vous êtes là.

— Plutôt que le ciel, remerciez le garçon que vous avez envoyé me prévenir, maître Léonard... Où est Ballardieu ? Et qu'a-t-il fait ?

— Il est à l'intérieur, madame.

— Pourquoi ces gens attendent-ils dehors ?

— Parce qu'ils ont leur manteau ou leur bagage dans la salle, madame.

— Alors pourquoi ne vont-ils pas les chercher ?

— Parce que M. Ballardieu ne permet plus à personne d'entrer.

Agnès s'arrêta.

Surpris, l'aubergiste la dépassa de deux pas avant de l'imiter.

— Je vous demande pardon, maître Léonard ?

— C'est ainsi que je vous le dis, madame. Il menace de fendre le crâne d'un coup de pistolet à qui poussera la porte et ne sera pas vous.

— Est-il armé ?

— Pas d'un pistolet.

— Est-il saoul ?

Maître Léonard la regarda avec l'air de celui qui n'est pas certain d'avoir compris une question et craint de commettre un impair.

— Voulez-vous dire : plus saoul qu'à l'ordinaire ?

La baronne laissa échapper un soupir agacé.

— Oui, c'est exactement cela que je veux dire.

— Alors oui, madame. Il est saoul.

— La peste soit de l'ivrogne ! Ne sait-il donc pas boire avec mesure ? fit-elle pour elle-même.

— Je crois qu'il n'a jamais appris, madame. Ou qu'il n'en a guère le goût...

— Et comment est-ce que tout cela a commencé ?

— Eh bien, hésita l'aubergiste… Il y avait ces messieurs… Notez bien, madame, qu'ils avaient fait un excellent repas et que c'était plus le vin qu'eux qui parlait…

— Soit. Ensuite ?

— Certains de leurs propos déplaisaient à M. Balardieu…

— … qui le leur a fait savoir à sa manière. C'est bon, j'ai compris. Où sont-ils, ces messieurs ?

L'aubergiste s'étonna.

— Mais toujours à l'intérieur, madame !

— Mais alors qui sont les trois que je vois, là, dehors, et couverts de plaies et de bosses ?

— Ceux-là ne sont que ceux qui voulurent s'interposer.

Agnès leva les yeux au ciel et reprit sa marche vers l'auberge et, accessoirement, vers ceux qui étaient devant. Maître Léonard se dépêcha de la précéder pour lui ouvrir le chemin.

Voyant qu'elle allait entrer, un élégant officier que rien ne retenait là sinon le comique de la situation lui dit :

— Madame, je vous déconseille de pousser cette porte.

— Et vous, monsieur, je vous déconseille de m'en empêcher, rétorqua la baronne du tac au tac.

L'officier recula les épaules, plus surpris que fâché. Agnès comprit alors qu'il n'avait voulu que se montrer galant. Elle s'adoucit.

— N'ayez crainte, monsieur. Je connais l'homme qui tient le siège à l'intérieur.

— Quoi ? intervint le client au feutre cabossé. Vous connaissez ce fou furieux ?

— Mesurez vos propos, monsieur, fit une Agnès

de Vaudreuil glaciale. Celui dont vous parlez a commencé sur vous un travail que je pourrais bien achever. Et il vous en coûtera un peu plus qu'un chapeau.

— Souhaitez-vous que je vous accompagne ? insista aimablement l'officier.

— Non merci, monsieur.

— Sachez néanmoins que je me tiens prêt.

Elle acquiesça et entra.

*

Basse et silencieuse, la salle était plongée dans un désordre de chaises démontées, de tables renversées, de vaisselle fracassée. Des taches de vin maculaient les murs là où des pichets s'étaient brisés. Plusieurs carreaux manquaient à une fenêtre. Un plateau de service gisait fendu. Dans l'âtre, la broche n'était plus tenue que par une fourche et le savant mécanisme à contrepoids censé la faire tourner cliquetait inutilement.

— Enfin ! s'exclama Ballardieu du ton de celui qui accueille un visiteur trop longtemps espéré.

Il trônait triomphant au milieu du chaos, assis sur une chaise, un pied appuyé contre une poutre de soutènement pour se balancer. Son pourpoint de velours rouge ouvert sur un torse massif, velu et luisant, il souriait largement, semblait plein d'une joie paillarde en dépit — ou peut-être à cause — d'une lèvre fendue et d'un œil poché. Ballardieu était de ceux qu'une bonne bagarre enchante.

Il tenait d'une main un flacon de vin et, de l'autre, ce qui ressemblait à une quille en bois.

— Enfin ? s'étonna Agnès.

— Pardi ! C'est que nous t'attendions !

— « Nous » ? Qui ça, « nous » ?

— Ces messieurs et moi.

Détachant à grand-peine son regard incrédule du vieux soldat, Agnès observa ces messieurs. Tous faisaient peine à voir, la correction qu'ils avaient reçue étant d'importance.

Deux hommes assez richement vêtus — des marchands sans doute — étaient entassés l'un sur l'autre, inconscients ou feignant de l'être. Un autre — un colporteur probablement — n'allait guère mieux : assis, la tête dodelinante, il avait les bras et le buste pris dans sa grande hotte d'osier dont sa tête avait percé le fond. Un quatrième, enfin, était recroquevillé aux pieds de Ballardieu, et tout dans son attitude craintive indiquait qu'il redoutait une baffe. Celui-là, la baronne le connaissait au moins de vue : il s'agissait d'un vétéran à qui les guerres de Religion avaient pris une jambe et qui, clopin-clopant, consacrait ses jours à faire le tour des estaminets locaux.

— Tu les as faits bien jolis garçons, commenta Agnès.

Elle remarqua que le vétéran n'avait plus son pilon, et comprit quel était l'objet en forme de quille avec lequel jouait Ballardieu.

— Ils le méritaient.

— Espérons-le. Pourquoi m'attendiez-vous ?

— Je tenais à ce que monsieur, ici présent, te fasse des excuses.

Agnès regarda le malheureux unijambiste qui, tout tremblant, se protégeait la tête de ses avant-bras.

— Des excuses ? Pour quel motif ?

Ballardieu se trouva soudain fort embarrassé. Comment tout expliquer sans répéter à la baronne les propos vulgaires et injurieux qui avaient été émis à son endroit ?

— Euh…

— J'attends.

— L'important, se reprit le vieux soldat en agitant la jambe de bois tel un sceptre… L'important est que ce jean-foutre présente des excuses. Jean-foutre, madame attend.

— Madame, gémit l'autre avant de tâter encore de sa prothèse, je vous prie d'accepter mes plus sincères et plus respectueuses excuses. J'ai manqué à tous mes devoirs, ce que ma piètre nature, mon éducation négligée et mes habitudes déplorables ne sauraient justifier. Je promets de surveiller désormais ma conduite et mes actes et, conscient de mes fautes, je m'en remets à votre bienveillance. J'ajoute que je suis laid, que ma bouche sent comme le cul et que l'on ne peut croire, à ma vue, que le Très-Haut fit Adam à son image.

L'homme avait prononcé son acte de contrition d'une traite, comme une récitation apprise, et d'ailleurs Ballardieu avait accompagné la tirade de hochements de tête réguliers et de mouvements de lèvres synchrones.

Le résultat parut le satisfaire.

— C'est très bien, jean-foutre. Tiens, je te rends ta jambe.

— Merci, monsieur.

— Mais tu as oublié d'évoquer ta vilaine trogne qui est…

— … de celles qui font tourner le lait dans le pis. J'en suis désolé, monsieur. Dois-je recommencer ?

— Je ne sais pas. Ton repentir me semble sincère mais…

Ballardieu interrogea Agnès du regard.

Elle le contemplait ahurie et les mots lui manquaient.

— Non, reprit-il. Mme la baronne a raison : cela

suffit. Les punitions doivent être justes et non cruelles si l'on veut qu'elles soient profitables.

— Merci, monsieur.

Ballardieu se leva, s'étira, vida son flacon de vin en deux goulées et le jeta par-dessus son épaule. À l'issue d'une courbe très pure, ledit flacon rebondit sur le crâne du colporteur toujours assis et prisonnier de sa hotte d'osier.

— Bien ! lâcha joyeusement Ballardieu en se frottant les mains. Y allons-nous ?

Dans son dos, le colporteur assommé bascula sur le côté comme un panier renversé.

22

Avertie par son fils, la femme apparut sur le seuil de la chaumière pour observer le cavalier qui arrivait. D'un mot, elle ordonna au garçon d'aller lui chercher quelque chose à l'intérieur. Il s'empressa d'obéir, revint avec un pistolet à rouet qu'il remit à sa mère.

— Va te cacher, Tonin.

— Mais maman…

— Va te cacher sous le lit et ne sors que si je t'appelle.

L'après-midi finissait tandis qu'un rien de vent tiède soufflait. On ne pouvait voir d'autres habitations aussi loin que le regard se porte à la ronde. Le plus proche village se trouvait à une bonne lieue de là et le chemin qui y menait passait à l'écart. Même les colporteurs et autres vendeurs d'almanachs ne faisaient qu'exceptionnellement le détour. Il ne fallait compter que sur soi dans ce coin perdu de campagne française.

Restée seule, la femme vérifia que le pistolet était

chargé et que la poudre d'amorce était bien sèche dans le bassinet. Puis elle laissa pendre l'arme au bout de son bras, légèrement en retrait de son corps, hors de vue du cavalier qui entrait désormais dans la cour où quelques poules picoraient le sol de terre brune.

Elle acquiesça à peine quand Antoine Leprat la salua du haut de sa monture.

— J'aimerais faire boire mon cheval. Et je vous paierais avec reconnaissance un verre de vin.

Elle l'étudia longuement sans mot dire.

Mal rasé, crasseux et débraillé, il semblait épuisé et n'inspirait guère confiance. Il était armé : des pistolets étaient rangés dans ses fontes de selle et une curieuse épée blanche pendait à son côté — à son côté droit, comme un gaucher. Son pourpoint bleu nuit était ouvert sur une chemise auréolée de sueur et sa manche avait, près de l'épaule, un méchant accroc qui laissait deviner un bandage récent. Un sang frais maculait d'ailleurs sa main, signe que la blessure s'était sans doute rouverte.

— Où allez-vous ? demanda la femme.

— À Paris.

— Par ces routes, vous n'y serez pas avant la nuit.

— Je le sais.

Elle le dévisagea encore.

— Vous êtes blessé.

— Oui.

Après son combat contre Malencontre et ses tueurs, Leprat ne s'était pas aperçu tout de suite qu'il saignait. Dans le feu de l'action, il n'avait pas vu lequel de ses adversaires l'avait blessé au bras. Pas plus qu'il n'avait senti la douleur sur le moment. Celle-ci, en fait, ne s'était éveillée que tardivement, lorsqu'il avait découvert le filet de sang qui coulait de sa manche et empoissait sa main droite. Sans être particulièrement dangereuse, l'entaille aurait mérité des soins dignes de ce nom mais il s'était contenté de lui appliquer un bandage de fortune avant de vite reprendre la route.

— Une mauvaise rencontre, expliqua-t-il.

— Des brigands ?

— Non. Des assassins.

La femme ne cilla pas.

— On vous poursuit ?

— On me poursuivait. J'ignore si c'est encore vrai.

Depuis le relais de poste, Leprat avait emprunté des petites routes qui, si elles n'allaient pas toujours au plus court, diminuaient les risques d'embuscade. Il voyageait seul et sa blessure faisait de lui une proie facile pour les brigands ordinaires. Mais il craignait également d'être attendu plus loin sur la route de Paris par ceux qui, déjà, avaient lancé des hommes à ses trousses.

— Je vous soignerai, dit la femme sans plus chercher à cacher le pistolet qu'elle tenait. Mais je ne veux pas que vous restiez.

— Je ne demande qu'un seau d'eau pour mon cheval et un verre de vin pour moi.

— Je vous soignerai, répéta-t-elle. Je vous soignerai, et puis vous partirez. Entrez.

Il la suivit dans la maison, dont l'intérieur consistait en une grande pièce sombre et basse, pauvre mais propre, au sol de terre battue, aux meubles rares.

— Tu peux te montrer, Tonin, lança la femme.

Tandis que son fils sortait de sous le lit et adressait un sourire timide à l'étranger, elle prépara une bassine d'eau et des linges propres tout en gardant le pistolet à portée de main.

Leprat attendit qu'elle lui désigne un banc avant de s'asseoir.

— Je m'appelle Leprat, dit-il.

— Geneviève Rolain.

— Et moi Tonin !

— Bonjour, Tonin, fit Leprat avec un sourire.

— Êtes-vous gentilhomme ? demanda le gamin.

— Je le suis.

— Et soldat ?

— Oui.

— Mon père aussi était soldat. Au régiment de Picardie.

— Un très vieux et très prestigieux régiment.

— Et vous, monsieur ? Dans quel régiment servez-vous ?

Prévoyant la réaction qu'il provoquerait, Leprat annonça :

— Je sers dans la compagnie des mousquetaires à cheval de Sa Majesté.

— Aux mousquetaires du roi ? s'émerveilla Tonin. Vraiment ? Entends-tu, maman ? Aux mousquetaires !

— Oui, Tonin. Tu cries bien assez fort pour que j'entende…

— Connaissez-vous le roi, monsieur ? Lui avez-vous déjà parlé ?

— Quelques fois.

— Va donc faire boire le cheval de monsieur le mousquetaire, intervint Geneviève en posant une bassine pleine d'eau sur la table.

— Mais maman…

— Maintenant, Antoine.

Le gamin savait qu'il n'était jamais bon signe que sa mère passe du Tonin à l'Antoine.

— Oui, maman… Me parlerez-vous encore du roi, monsieur ?

— Nous verrons.

Réjoui par cette perspective, Tonin sortit de la maison.

— C'est un bien gentil fils que vous avez, dit Leprat.

— Oui. Il est à l'âge où l'on ne rêve que de gloire et d'aventures.

— C'est un âge qui ne passe pas toujours aux hommes.

— Et ainsi mourut son père.

— Je suis désolé de l'apprendre, madame. Est-il tombé au combat ?

— Les soldats meurent plus volontiers de faim, de froid ou de maladie que d'un coup d'épée... Non, monsieur, c'est la ranse qui a emporté mon époux durant un siège.

— La ranse, murmura Leprat comme à l'évocation d'une vieille ennemie redoutée...

Il s'agissait d'un mal virulent dont les dragons et leur magie étaient l'origine. Les dragons — ou plus exactement leurs lointains descendants ayant apparence humaine — en souffraient peu, mais les hommes et les femmes qui les fréquentaient trop longtemps étaient rarement épargnés. Le symptôme initial était une petite tache sur la peau, d'abord guère plus inquiétante qu'un grain de beauté, et qui passait souvent inaperçue à une époque où l'on ne se lavait pas et n'ôtait jamais sa chemise. La tache grossissait, violacée et rugueuse. Avec le temps, parfois, elle se veinait de noir et se craquelait, suppurante, tandis que des tumeurs profondes se développaient. C'était la « grande ranse ». Le malade devenait contagieux et connaissait les premières douleurs, les premières grosseurs, les premières malformations, les premières monstruosités...

L'Église y voyait la démonstration flagrante que les

dragons étaient le mal incarné, celui que l'on ne peut même approcher sans se perdre. Quant à la médecine du XVIIe siècle, elle était impuissante à combattre et empêcher la ranse, grande ou petite. Des remèdes étaient vendus, certes, et de nouveaux apparaissaient dans les officines des apothicaires et sur les étals des bonimenteurs presque chaque année. Mais la plupart n'étaient qu'œuvre de charlatans ou de praticiens plus ou moins bien intentionnés. Quant aux médications prétendument sérieuses, il s'avérait impossible d'en mesurer objectivement l'efficacité car les personnes affectées n'étaient pas égales devant la ranse. Certaines trépassaient en deux semaines cependant que d'autres vivaient longtemps après l'apparition des premiers symptômes, et sans trop en souffrir. Restait que l'on croisait dans les rues des malheureux au dernier stade de la maladie qui, devenus des monstres pitoyables, mendiaient pour survivre. On les obligeait à porter une bure rouge et à s'annoncer d'un grincement de crécelle, quand on ne les enfermait pas de force à l'hospice des Incurables nouvellement fondé à Paris.

Chassant de mauvais souvenirs, Geneviève haussa les épaules avant d'aider Leprat à ôter son pourpoint. Puis elle défit le bandage qu'il avait enroulé à la va-vite autour de son biceps, sur la manche de chemise.

— Votre chemise, à présent, monsieur.

— Déchirez la manche, cela suffira.

— La chemise est encore bonne. Il n'y manquera que d'y recoudre l'accroc.

Leprat songea que le prix d'une chemise neuve n'était pas le même pour un gentilhomme et une paysanne contrainte à l'économie.

— Soit, admit-il. Cependant, fermez l'huis, je vous prie.

La femme hésita, eut un regard pour son pistolet, mais alla finalement pousser la porte restée ouverte sur la cour. Puis elle prêta la main au mousquetaire qui achevait de se mettre torse nu, et comprit en découvrant son dos musclé.

Rêche et violacée, une grande tache de ranse s'y étalait.

— N'ayez crainte, madame. Mon mal n'en est pas arrivé au point où il pourrait vous affecter. Mais c'est un spectacle dont j'ai préféré que votre fils soit épargné.

— Souffrez-vous ?

— Point encore.

23

Marciac, maussade, avait bu.

Attablé dans une taverne déserte dont le patron, dos voûté, balayait le sol au terme d'une trop longue journée, le Gascon lorgnait le fond de son verre d'un œil noir quand il réalisa que quelqu'un se tenait debout près de lui.

— Capitaine.

— Bonsoir, Marciac.

— Asseyez-vous, je vous en prie.

— Merci.

La Fargue tira une chaise à lui et s'assit.

Aussi propre que l'on pouvait l'espérer dans ce genre d'endroit, un second verre était posé sur la table. Marciac le prit pour le remplir à l'intention du vieux gentilhomme.

C'était la fin du pichet. À peine une gorgée.

— Désolé, capitaine. C'est tout ce qu'il reste.

— Cela ira.

La Fargue ne toucha pas à son verre et tandis

qu'un silence s'étirait, remarqua la lettre froissée que le Gascon avait reçue rue de la Grenouillère.

— Les Lames reprennent du service, Marciac.

L'autre acquiesça, triste et songeur.

— J'ai besoin de toi, Marciac.

— Mmh.

— Les Lames ont besoin de toi.

— Qui en est ?

— Les mêmes. Des lettres sont parties. Ils arriveront bientôt.

— Les mêmes, c'est-à-dire les vivants.

— Oui.

Le silence reprit, plus épais sans doute.

Enfin, Marciac lâcha :

— J'ai une vie, désormais, capitaine.

— Une vie qui te plaît ?

Ils échangèrent un long regard.

— Qui me plaît assez.

— Et qui te mène où ?

— Toutes les vies mènent au cimetière, capitaine. Il n'importe que de rendre le chemin agréable.

— Ou utile.

— Utile ? Utile à qui ?

— Nous servons la France.

— Dans les égouts.

— Nous servons le roi.

— Et le Cardinal.

— C'est la même chose.

— Pas toujours.

L'échange, sec et tendu comme une passe d'armes mortelle, cessa sur ces mots. Détournant les yeux, Marciac sécha son verre et demanda :

— Serons-nous désormais payés de retour ?

— Ni honneur ni gloire, si c'est là ton idée. Sur ce plan, rien n'a changé.

— Parlons plutôt pécunes. Si j'accepte, je veux être payé grassement. Très grassement. Au jour dit et à l'heure dite. Au premier retard, je raccroche l'épée.

La Fargue, intrigué, plissa les paupières.

— C'est entendu.

Le Gascon alors s'accorda encore quelques instants de réflexion en examinant sa chevalière d'acier.

— Quand commençons-nous ? s'enquit-il.

24

Il existait alors à Paris une douzaine de cours des miracles. Toutes organisées sur le même modèle hérité du Moyen Âge, elles réunissaient dans des lieux clos des communautés de gueux, truands et marginaux. Émaillant la capitale, elles devaient leur nom aux mendiants professionnels — faux malades et faux estropiés — qui y recouvraient « miraculeusement » la santé loin des regards indiscrets, après une journée de labeur. L'une était située dans le quartier Saint-Denis, cour Sainte-Catherine ; une autre rue du Bac ; une troisième près du marché Saint-Honoré. Mais la plus célèbre, celle qui méritait une majuscule et dispensait de préciser son emplacement, était celle de la rue Neuve-Saint-Sauveur, proche la porte Montmartre.

Perdue selon un chroniqueur dans l'un des quartiers « les plus mal bâtis, les plus sales et les plus reculés de la ville », elle consistait en une vaste cour datant du XIIIe siècle. Elle était puante, boueuse, entourée de bâtisses sordides et branlantes, cernée de venelles tortueuses et enchevêtrées derrière l'enclos du couvent des Filles-Dieu. Ici logeaient plusieurs centaines de gueux et malfrats avec femmes et enfants, pour au moins un millier d'habitants qui régnaient en maîtres absolus sur leur territoire, n'admettaient les intrusions ni des étrangers ni du guet, et les accueillaient volontiers à coups de pierre, de bâton et d'injures. En 1630, une rue devait être percée qui passerait par là : les ouvriers furent molestés et le projet, par force, dut être abandonné.

Jaloux de son indépendance, le petit monde insoumis de la Cour des Miracles vivait selon ses propres lois et coutumes. Il avait à sa tête un chef, le « Grand Coësre », que Saint-Lucq attendait de rencontrer en cet après-midi. Par les carreaux gras d'une fenêtre du premier étage, il observait derrière ses bésicles rouges le grand cul-de-sac désolé et presque désert en cette heure — il ne s'animerait que la nuit venue, quand truands et mendiants reviendraient de leur journée de rapines ou de mains tendues à Paris. Le décor avait quelque chose de sinistre et oppressant. On s'y sentait comme épié en terre ennemie, juste avant l'inéluctable embuscade.

Le sang-mêlé n'était pas seul.

Pour lui tenir compagnie, il y avait d'abord une vieille femme toute vêtue de noir qui, assise dans son coin, grignotait des oublies comme un lapin ronge des feuilles d'endive, en les tenant entre les doigts de ses mains décharnées, les yeux perdus dans le vague. L'autre était Tranchelard, la brute que Saint-Lucq avait menacée. L'homme s'efforçait de rendre l'atmosphère aussi détestable que possible par son lourd mutisme et le regard noir et fixe qu'il braquait sur le visiteur, la main sur le pommeau de l'épée. Dos tourné, Saint-Lucq n'en avait cure. Les minutes passaient, et les grignotements de la vieille agaçaient le silence.

Enfin, précédé d'un individu sévère à la calvitie prononcée, le Grand Coësre entra dans la pièce dont l'aspect lépreux du plancher, des murs et des huisseries contrastait avec le luxe hétéroclite des meubles et des tapis volés en quelque hôtel ou riche maison bourgeoise.

*

Mince et blond, le Grand Coësre n'avait pas dix-sept ans, âge auquel on était déjà un adulte à cette époque, mais qui semblait bien jeune pour diriger certains des plus rudes et redoutables représentants de la truanderie parisienne. Il affichait cependant toute l'assurance des monarques craints et respectés, et dont l'autorité ne se discute pas sans que les larmes et le sang ne coulent. Sa joue droite portait la cicatrice d'une déchirure mal soignée. Ses yeux clairs brillaient de cynisme et d'intelligence. Il n'était pas armé, sûr de ne rien redouter en son fief où ses regards pouvaient condamner à mort.

Tandis que le Grand Coësre s'installait confortablement dans le fauteuil à dossier haut qui lui était réservé, l'homme qui lui avait ouvert la porte se plaça à ses côtés, debout et impassible. Saint-Lucq le connaissait. Il se nommait Grangier et était un « archisuppôt ». Dans la stricte organisation hiérarchique de la Cour des Miracles, les archisuppôts venaient juste après le Grand Coësre, sur le même rang que les « cagoux ». Ces derniers avaient la charge d'encadrer les troupes et de former les novices aux arts de faire les poches et susciter la compassion. Les archisuppôts, eux, étaient des juges et conseillers souvent cultivés. Prêtre défroqué, Grangier devait à sa perspicacité redoutable d'avoir l'oreille de son maître.

Saint-Lucq s'inclina, mais n'ôta pas son chapeau.

— Je dois reconnaître que tu ne manques pas de courage, lâcha le Grand Coësre sans préambule. S'il s'agissait d'un autre que toi, je penserais avoir affaire à un idiot.

Le sang-mêlé ne répondit pas.

— Te montrer ici après avoir malmené deux de mes hommes et menacé ce pauvre Tranchelard d'égorgement…

— Je tenais à m'assurer qu'il ne manquerait pas de te transmettre mon message.

— Sais-tu qu'il ne parle plus que de t'étriper ?

— Aucune importance.

Tranchelard tressaillit, brûlant de tirer l'épée. Son chef incontesté, lui, s'esclaffa.

— Bien ! Tu pourras toujours te vanter d'avoir piqué ma curiosité. Parle, je t'écoute.

— Il s'agit de la bande des Corbins.

À ces mots, le visage du Grand Coësre s'assombrit.

— Eh bien ?

— Dernièrement, les Corbins se sont emparés d'une certaine marchandise. Une marchandise précieuse et fragile. Une marchandise d'un genre qui, jusque-là, ne les avait jamais intéressés. Vois-tu de quoi je parle ?

— Peut-être.

— Je veux savoir où ils cachent leur marchandise. Je sais déjà que ce n'est pas à Paris, mais rien de plus. Toi, en revanche…

Le maître de la Cour des Miracles marqua un temps. Puis il se pencha vers Grangier et lui glissa quelques mots en « narquois », cet argot incompréhensible aux profanes. L'archisuppôt répondit dans le même idiome. Sans réaction, Saint-Lucq attendit la fin du conciliabule. Il fut bref.

— Et à supposer que je sache ce que tu veux savoir, reprit le Grand Coësre, pourquoi te le dirais-je ?

— C'est un renseignement que je suis disposé à payer au prix fort.

— Je suis riche.

— Tu es aussi une crapule sans foi ni loi. Mais tu es surtout un homme avisé.

— Qu'est-ce à dire ?

— Les Corbins te taillent des croupières. Par leur faute, ton influence et les revenus de tes commerces diminuent. Mais surtout, ils agissent sans prendre leurs ordres de toi.

— Ce problème sera bientôt réglé.

— Vraiment ? Je peux, moi, le régler pour toi. Dis-moi ce que je veux savoir, et je porterai aux Corbins un coup dont ils ne se remettront pas de sitôt. Tu pourras même t'en attribuer le mérite si tu le souhaites… Nous ne nous apprécions guère, Grand Coësre. Un jour ou l'autre, sans doute, le sang coulera entre nous. Mais ici, nos intérêts se rejoignent.

Songeur, l'autre lissa sa moustache et sa barbiche bien taillées, qui étaient moins poil que duvet.

— Elle est donc si précieuse, cette marchandise ?

— Pour toi, elle ne vaut rien.

— Et pour les Corbins ?

— Elle vaut le prix qu'on leur en a offert. Je pense qu'ils ne sont que des exécutants dans cette affaire et qu'ils livreront bientôt leur marchandise à celui qui les emploie. Pour moi, il ne sera plus temps d'agir lorsque cela sera arrivé, et tu auras perdu une belle occasion de leur rendre la monnaie de leur pièce. Le temps presse, Grand Coësre.

— Accorde-moi une heure pour réfléchir.

L'homme et le sang-mêlé échangèrent un long regard, où chacun fouissait dans l'âme de l'autre.

— Une heure. Pas plus, exigea Saint-Lucq.

*

Après le départ de Saint-Lucq, le Grand Coësre demanda à son archisuppôt :

— Que penses-tu de tout cela ?

Grangier prit le temps de la réflexion.

— Deux choses, fit-il.

— Lesquelles ?

— D'abord, il est de ton intérêt d'aider le sang-mêlé contre les Corbins.

— Ensuite ?

Plutôt que de répondre, l'archisuppôt se tourna vers la vieille qui, il le savait, avait suivi le fil de sa pensée. Alors celle-ci, entre deux grignotements, le regard toujours dirigé droit devant elle, comme aveugle ou indifférente au monde, dit :

— Un jour prochain, il faudra le tuer.

25

Chez les gardes du Cardinal, le paiement de la solde avait lieu tous les trente-six jours. Il donnait lieu à une « montre » qui était également l'occasion d'un décompte précis des effectifs. Les gardes s'alignaient. Puis le capitaine ou son lieutenant passait avec une liste en main. Chacun leur tour, les hommes criaient leur nom, lequel était aussitôt coché sur la liste. Les noms cochés étaient ensuite reproduits sur un document certifié et signé par l'officier. Le document était remis à l'argentier, et l'on allait — en bon ordre — se faire payer à son bureau.

Ce jour-là, il était convenu que la montre se tiendrait à cinq heures de l'après-midi, dans la cour du Palais-Cardinal puisque Son Éminence y logeait actuellement. À moins d'être excusés, tous les gardes qui n'étaient pas accaparés par le service se trouvaient donc réunis là. Leur tenue était impeccable — bottes cirées, casaques repassées et armes briquées. Ils attendaient encore de se mettre en rang et bavardaient, ravis à l'idée d'être bientôt un peu plus riches. Ils avaient beau être gentilshommes, la plupart étaient sans véritable fortune et vivaient de leur solde. Heureusement, le Cardinal payait bien — cinquante livres pour un garde et jusqu'à quatre cents pour le capitaine. Mais surtout, il payait avec exactitude. Même les prestigieux mousquetaires du roi n'étaient pas aussi régulièrement rétribués.

Assis sur un rebord de fenêtre, Arnaud de Laincourt lisait à l'écart quand Neuvelle le rejoignit. Le jeune homme, enchanté de participer à sa première montre, rayonnait.

— Alors, monsieur de Laincourt, qu'allez-vous faire de vos 154 livres ?

C'était la solde d'un enseigne des gardes de Son Éminence.

— Payer mon logeur, Neuvelle. Ainsi que mes dettes.

— Vous ? Vous avez des dettes ? Cela ne vous ressemble pas. N'y voyez pas un reproche, mais je vous imagine mal faire des dépenses…

Laincourt sourit aimablement sans répondre.

— Voyons, reprit Neuvelle. J'ai pu constater que vous ne buviez pas et méprisiez les plaisirs de la table. Vous ne jouez pas. Vous n'êtes pas coquet. Auriez-vous une maîtresse cachée ? Le bruit court que vous donneriez tout votre bien à de bonnes œuvres. Mais on ne fait pas de dettes en faisant la charité, n'est-ce pas ?

— Mes dettes sont chez un libraire.

Neuvelle fit la moue en retroussant, entre le pouce et l'index, sa fine moustache.

— Moi, je ne lis que *La Gazette* de M. Renaudot. On en trouve toujours un exemplaire abandonné quelque part. Les nouvelles datent parfois un peu, mais je me trouve bien assez informé de la sorte.

Laincourt acquiesça, ses yeux bleus n'exprimant rien d'autre qu'une réserve aimable et patiente.

Cela faisait deux ans que Théophraste Renaudot faisait paraître — avec privilège royal — un journal de nouvelles que l'on s'arrachait et dont des colporteurs assuraient la diffusion. Hebdomadaire, sa *Gazette* comptait désormais trente-deux pages et deux cahiers — l'un consacré aux « nouvelles de l'Orient et du Midi », l'autre à celles « de l'Ouest et du Nord ». On y trouvait également des informations relatives à la cour de France. À cela s'ajoutait un supplément mensuel qui résumait et complétait les nouvelles du mois écoulé. Il était de notoriété publique que le cardinal de Richelieu exerçait un contrôle étroit sur ce qui s'écrivait dans *La Gazette*. Il lui arrivait même de prendre la plume pour y collaborer sous son nom. Et pour surprenant que cela paraisse, le roi ne dédaignait pas d'y relater des événements qui le touchaient de près.

— Que lisez-vous à cette heure ? demanda Neuvelle pour faire la conversation.

Laincourt lui tendit son livre.

— Bigre ! fit le jeune garde. Est-ce du latin ?

— De l'italien, expliqua l'officier en s'abstenant de tout commentaire.

Car comme la plupart des gentilshommes d'épée, Neuvelle était presque illettré.

Celui-ci, d'ailleurs, ne cacha pas son admiration :

— On m'avait dit qu'outre le latin et le grec, vous compreniez l'espagnol et l'allemand. Mais l'italien ?

— Ma foi…

— Et de quoi traite cet ouvrage ?

— De magie draconique.

Un clocher proche et quelques-uns alentour sonnèrent trois quarts d'heure, indiquant aux gardes qu'il était temps de se préparer pour la montre. Neuvelle rendit le livre comme on se débarrasse d'un papier compromettant et Laincourt le glissa dans son pourpoint sous sa casaque.

Sur ces entrefaites, un laquais revêtu de la livrée du Cardinal marcha vers eux.

— Monsieur de Laincourt, le service de Son Éminence vous appelle auprès de M. de Saint-Georges.

— Maintenant ? s'étonna Neuvelle en voyant la troupe qui se mettait en rang.

— Oui, monsieur.

Laincourt rassura le jeune garde d'un regard et suivit le laquais à l'intérieur.

*

Après un escalier et une assez longue attente dans une antichambre, Arnaud de Laincourt découvrit sans vraie surprise qui l'attendait sous les hauts plafonds sculptés du cabinet particulier. La pièce était vaste, intimidante, tout en longueur, ses ors et ses boiseries vernissées étincelant dans le jour qui entrait par les deux grandes fenêtres percées dans le mur du fond. Ces fenêtres donnaient sur la cour d'honneur et l'on pouvait entendre la montre qui achevait de s'y dérouler.

Roides et impassibles, six gardes renommés pour leur loyauté se tenaient au garde-à-vous, trois à droite et trois à gauche, en vis-à-vis, comme pour montrer le chemin vers la grande table de travail à laquelle le capitaine Saint-Georges était assis dos à la lumière. Debout près de lui, légèrement en retrait, se trouvait Charpentier.

La présence en ces lieux et cette circonstance du secrétaire particulier de Richelieu ne pouvait signifier qu'une chose, et Laincourt la comprit. Il attendit que le laquais referme la porte derrière lui, puis avança d'un pas lent entre les gardes. Le vieux Brussand était du nombre et il semblait contenir son émotion à grand-peine, plus raide que les autres et presque frémissant.

Chacun retenant son souffle, Laincourt se découvrit et salua.

— À vos ordres, monsieur.

Alors Saint-Georges, le regard sévère, se leva et fit le tour de sa table.

Et tendant la main devant lui, il ordonna d'un ton sans appel :

— Votre épée, monsieur.

Au même moment, un roulement de tambour annonça la fin de la montre.

26

— Tu sais que ce n'est pas ta faute, n'est-ce pas ?

Agnès de Vaudreuil tressaillit comme si un tisonnier ardent lui avait piqué les reins. Elle s'était assoupie et, dans son sursaut, fit tomber le livre resté ouvert sur ses cuisses. Une surprise teintée d'effroi l'avait saisie, mais il lui suffit d'une seconde pour comprendre qu'elle était seule. D'ailleurs, la voix qu'elle avait entendue ou rêvée ne pouvait venir que d'outre-tombe.

Sitôt revenue de l'auberge avec Ballardieu, elle s'était isolée dans la pièce du manoir qu'elle préférait, une pièce très longue et presque vide de meubles, où le silence semblait plus grand quand il régnait. D'un côté, des armures anciennes alternaient sur des socles avec des panoplies et des râteliers d'armes médiévales. De l'autre, par quatre hautes fenêtres à meneaux de pierre, le jour entrait en rais obliques face auxquels les armures semblaient monter une garde résolue. Deux larges cheminées ouvraient des gueules de briques noircies à chaque extrémité de cette salle originellement destinée à accueillir des banquets. Mais les chaises et l'immense table avaient été déménagées et, désormais, les gros lustres en fer forgé ne dominaient qu'une étendue de dalles nues.

Agnès s'entraînait ici quand le temps était mauvais, seule ou avec Ballardieu. Elle aimait également s'y réfugier pour lire, réfléchir ou simplement attendre qu'une autre journée, parfois une autre nuit, s'achève. Elle avait aménagé à cette fin les abords de la seule cheminée qui servait encore dès les premiers froids. S'y trouvaient un fauteuil à dossier de cuir, une table lustrée par l'âge, un coffre vermoulu, des étagères où s'alignaient des traités d'escrime, et une vieille quintaine.

C'était là tout son monde.

Cet après-midi, Agnès s'était mise à son aise pour lire. Elle avait accroché son baudrier à la quintaine, ôté ses bottes et son corset de buffle rouge, puis s'était confortablement renfoncée dans le fauteuil, jambes tendues et chevilles croisées sur le coffre devant elle. Mais sans doute était-elle plus fatiguée qu'elle ne le pensait. La somnolence l'avait gagnée alors qu'elle parcourait un chapitre consacré aux mérites comparés des parades de quarte et de sixte contre une attaque d'estoc portée par un adversaire bénéficiant d'une meilleure allonge.

Puis il y eut la voix :

— Tu sais que ce n'est pas ta faute, n'est-ce pas ?

Le regard d'Agnès tomba sur la quintaine.

Avant de connaître l'ultime disgrâce de devenir un portemanteau, elle avait longtemps servi de mannequin d'entraînement à l'escrime. Ses bras horizontaux étaient amputés des deux tiers et son buste — fiché sur un pied solide qui ne lui permettait plus de pivoter — était couvert d'entailles dont le nombre allait grandissant à mesure que l'on approchait du cœur symbolique gravé dans le bois. C'était Ballardieu, le soldat à la garde duquel Agnès avait été abandonnée par son père, qui avait rapporté cette quintaine vermoulue d'un champ où elle faisait alors office d'épouvantail. À l'époque, encore gamine, la future baronne peinait à soulever à deux mains une rapière presque aussi haute qu'elle. Mais elle n'en voulait pas d'autre.

Le cri d'une vyverne toute proche déchira le silence.

Agnès mit ses bottes, se leva, enfila son corset de cuir qui se nouait par le devant et, le baudrier rejeté sur l'épaule, sa rapière au fourreau lui barrant le dos, elle sortit dans la cour qu'envahissaient les premières ombres du soir.

Le vyvernier s'était déjà posé et descendait de sa monture blanche aux larges ailes de cuir repliées. La couleur de la bête et la livrée de l'homme ne laissaient aucun doute : il s'agissait d'un courrier royal. Sans doute arrivait-il tout droit du Louvre.

Après s'être assuré de l'identité de la baronne de Vaudreuil et l'avoir respectueusement saluée, le vyvernier tendit une lettre tirée des fontes de selle du grand reptile.

— Merci. Une réponse immédiate est-elle attendue ?

— Non, madame.

Voyant Marion paraître sur le seuil de sa cuisine, Agnès dirigea le messager royal vers elle, afin qu'il se fasse servir un verre de vin et tout ce qu'il voudrait avant de repartir. L'homme remercia et laissa Agnès en compagnie de sa vyverne qui, docile et paisible, tordait son long cou pour observer les alentours d'un œil placide.

Agnès rompit le cachet de cire aux armes du cardinal de Richelieu et, impassible, lut.

— Qu'est-ce que c'est ? demanda Ballardieu venu aux nouvelles.

Elle ne répondit pas aussitôt, puis tourna la tête vers lui pour le dévisager longtemps.

Enfin, et pour la première fois depuis longtemps, elle sourit.

27

Au soir, les trois cavaliers passèrent la porte de Buci — ou de Bussy, comme on écrivait alors — pour s'enfoncer dans le vaste et paisible faubourg de l'abbaye Saint-Germain. Ils empruntèrent au pas la rue du Colombier, gagnèrent bientôt celle des Saints-Pères, dépassèrent le cimetière des Réformés et, devant l'hôpital de la Charité, s'engagèrent dans la rue Saint-Guillaume.

— Nous y sommes, dit La Fargue en mettant pied à terre.

Marciac et Almadès eurent un même regard pour la porte cochère devant laquelle ils étaient arrêtés — une porte massive, sombre, à deux ventaux rectangulaires ornés de panneaux de bois fixés par de gros clous à tête ronde. Puis ils descendirent de selle et, tandis que leur capitaine soulevait trois fois un heurtoir de fer forgé, ils observèrent le décor d'une rue tranquille qui bifurquait à mi-longueur vers la rue Saint-Dominique. Il n'y avait déjà plus grand monde pour fouler son pavé crotté dans les ors et les pourpres du couchant, et ses commerçants rangeaient leurs étals. De vagues odeurs de cuisine se mêlaient à celle, excrémentielle, de la boue de Paris. Non loin, une poignée de foin nouée servait d'enseigne à une taverne.

— Cela n'a guère changé, dit le Gascon.

— Non, répondit laconiquement le maître d'armes espagnol.

Un battant pour les piétons était ménagé dans l'un des grands vantaux de la porte cochère. Il fut à peine entrebâillé et, de l'intérieur, une voix demanda :

— Qui vient ?

— Des visiteurs, répondit La Fargue.

— Sont-ils attendus ?

— Ils sont réclamés.

Ce curieux échange fit sourire Marciac avec nostalgie.

— Il faudra peut-être se décider à changer ce sésame, murmura Marciac à Almadès. Après cinq ans, tout de même…

L'autre fit la moue : l'important en cette heure était qu'on leur ouvre, ce qui se produisit.

La Fargue le premier, ils passèrent l'un après l'autre en tirant leurs montures par le mors pour les obliger à baisser la tête. Sitôt la porte franchie, les sabots des chevaux claquèrent contre un pavé sonore et la cour dans laquelle ils entrèrent s'emplit d'échos.

*

C'était une vieille demeure d'architecture austère, massive, tout en pierre grise, qu'un huguenot rigoriste avait fait bâtir selon ses vœux au lendemain de la Saint-Barthélemy. Il évoquait ces anciennes bâtisses seigneuriales qui survivent dans certaines campagnes, et dont les murs sont des remparts et les fenêtres des meurtrières. Une haute muraille séparait sa cour de la rue. À droite quand on entrait, se dressait le flanc lépreux et aveugle de l'immeuble voisin. En face étaient les deux portes cochères d'une grande écurie rehaussée d'un grenier à foin. À gauche, enfin, le corps de logis principal faisait angle. Flanqué d'une tourelle et d'un pigeonnier, il comptait un étage de lucarnes au ras de ses toits d'ardoises, deux rangs de fenêtres à meneaux de pierre regardant la cour, un cabinet en saillie et un rez-de-chaussée auquel on accédait par un perron de quelques marches.

Délaissant son cheval, Marciac gagna le perron et, se retournant vers ses compagnons restés en arrière, déclara avec un rien d'emphase :

— Et nous voici revenus à l'hôtel de l'Épervier dont, comme vous pouvez le voir, les charmes n'ont pas pâli… Bigre ! ajouta-t-il un ton plus bas. L'endroit est encore plus sinistre que dans mon souvenir, ce que je ne croyais pas possible…

— Cet hôtel a bien servi par le passé, décréta le capitaine. Et il servira encore. D'ailleurs, nous y avons nos habitudes.

Ayant refermé la porte piétonne, celui qui leur avait ouvert les rejoignit alors.

Le vieil homme boitait sur une jambe de bois. Petit, maigre, malpropre, il avait des sourcils broussailleux et son crâne nu s'ornait d'une couronne de cheveux longs et fins, d'un blanc jaunâtre.

— Bonsoir, monsieur, dit-il à La Fargue en lui tendant un gros trousseau de clefs.

— Bonsoir, Guibot. Merci.

— Monsieur Guibot ? intervint Marciac en approchant. Monsieur Guibot, est-ce bien vous ?

— Ma foi, monsieur, c'est moi.

— Il me semblait avoir reconnu votre voix mais… Auriez-vous par hasard monté la garde de ces tristes pierres depuis cinq ans ?

L'autre réagit comme si on avait insulté quelqu'un de sa famille :

— Tristes pierres, monsieur ?… Cet hôtel n'est peut-être guère riant et sans doute trouverez-vous ici ou là quelques grains de poussière et toiles d'araignée, mais je puis vous assurer que sa toiture, sa charpente, ses murs et ses planchers sont solides. Ses cheminées tirent bien. Ses caves et ses écuries sont vastes. Enfin, il y a toujours au fond du jardin une petite porte donnant sur une venelle sans passage qui…

— Et elle ? l'interrompit Almadès. Qui est-ce ?

Une jeune fille en tablier et bonnet blancs se tenait sur le seuil du corps de logis. Blonde et gironde, les yeux bleus, elle souriait timidement en s'étreignant les mains.

— C'est Naïs, expliqua Guibot. Votre cuisinière.

— Et Mme Lourdin ? s'enquit Marciac.

— Trépassée l'année dernière, monsieur. Naïs est sa nièce.

— Sait-elle aussi bien cuisiner ?

— Oui, monsieur.

— Sait-elle tenir sa langue ? demanda La Fargue qui, lui, avait le sens des priorités.

— Elle est pour ainsi dire muette, monsieur le capitaine.

— Comment ça, « pour ainsi dire » ?

— Si timide et pudique que les mots ne lui viennent presque jamais.

— Ce n'est pas exactement la même chose…

Naïs hésitant à avancer, La Fargue allait lui faire signe de venir quand le heurtoir de la porte cochère retentit deux fois. Cela prit tout le monde au dépourvu et fit même sursauter la jeune fille.

— C'est lui, annonça Guibot avec un soupçon d'inquiétude dans la voix.

Le capitaine acquiesça, ses cheveux argentés caressant le col de son pourpoint gris.

— Allez ouvrir, monsieur Guibot.

— « Lui » ? demanda le Gascon tandis que le portier obéissait. Qui ça, « lui » ?

— Lui, fit le capitaine en levant le menton vers le gentilhomme qui entrait dans la cour en tirant la bride d'un cheval bai…

Âgé de quarante-cinq à cinquante ans, il était grand, mince et pâle, plein de morgue et d'assurance, vêtu d'un pourpoint pourpre et de chausses noires.

Marciac le reconnut avant de pouvoir distinguer sa

moustache bien taillée et la cicatrice qu'il avait à la tempe.

— Rochefort.

28

Comme à son habitude, le jeune marquis de Gagnière dînait tôt, chez lui et seul. Un immuable rituel réglait les moindres détails du repas, depuis l'harmonieux ordonnancement de la table jusqu'au silence imposé aux domestiques, en passant par la ronde des plats préparés par un célèbre et talentueux rôtisseur au fait des goûts du plus exigeant de ses clients. Sur la nappe de lin immaculée, la vaisselle était de vermeil, les verres et les aiguières de cristal, les couverts d'argent. Assez luxueusement habillé pour briller à la Cour, Gagnière mangeait à la fourchette, selon une mode italienne qui ne s'imposait pas encore en France. Il coupait de petits morceaux égaux qu'il mâchait lentement, impassible et raide, le regard braqué devant lui, et reposant chaque fois les couverts, mains à plat de part et d'autre de l'assiette. Pour boire, il avait soin d'essuyer ses lèvres et sa fine moustache blonde afin de ne pas salir le bord des verres.

Il achevait une tranche de pâté de faisan quand un laquais, profitant d'un changement de plat, lui murmura quelques mots à l'oreille. Le marquis écouta sans trahir d'émotion ni bouger un muscle. Puis il acquiesça.

Peu après, Malencontre entrait.

La mine défaite, il était sale et débraillé, empestait l'écurie, avait le cheveu collé au front et la main gauche prisonnière d'un bandage crasseux.

Gagnière ne lui accorda qu'un coup d'œil clinique.

— Je gage, dit-il, que tout ne s'est pas déroulé selon tes plans.

On posa devant lui une caille farcie qu'il entreprit de méticuleusement découper.

— Tes hommes ? demanda-t-il.

— Morts. Tous. Tués par un homme.

— Un seul ?

— Mais pas n'importe lequel ! C'était Leprat. J'ai reconnu la rapière.

Gagnière porta un morceau de caille à sa bouche, mâcha, déglutit.

— M. Leprat, fit-il pour lui-même. M. Leprat et sa célèbre rapière d'ivoire…

— Un mousquetaire ! insista Malencontre comme si cela justifiait son échec. Et des meilleurs !

— Crois-tu que le roi confie ses courriers secrets à des valets de comédie ?…

— Non, mais…

— La lettre ?

— Il l'a toujours.

Le marquis acheva sa caille tandis que l'autre observait sans mot dire son profil impassible et juvénile. Puis, ayant croisé ses couverts dans son assiette, il agita une clochette et dit :

— Tu peux partir, Malencontre. Et veille à faire proprement soigner cette main, car tu me serais encore moins utile manchot.

Un laquais entra pour desservir et le spadassin, en sortant, croisa un valet qui apportait une missive cachetée sur un plateau. La missive fut présentée à Gagnière, qui la décacheta soigneusement et l'ouvrit.

Elle était écrite de la main de la vicomtesse de Malicorne.

« Votre homme a échoué. Le cavalier arrivera

avant minuit par la porte Saint-Denis. La lettre ne doit pas parvenir au Louvre. »

Le marquis replia le papier et s'accorda une dernière gorgée de vin.

*

Au même instant, Leprat, cavalier solitaire, chevauchait dans le couchant sur une route poussiéreuse et déserte.

Contre son cœur, dans les plis de sa chemise, sous son pourpoint encroûté de crasse, de sueur et de sang séché, il tenait un courrier diplomatique secret qu'il avait juré de défendre au péril de sa vie. Épuisé et blessé, affaibli par la maladie qui le rongeait patiemment, il galopait vers Paris et la nuit, ignorant des dangers qui l'y attendaient.

II

LE CHEVALIER ESPAGNOL

1

De grandes torches éclairaient la porte Saint-Denis lorsque le chevalier Leprat d'Orgueil s'y présenta une heure après la tombée de la nuit. Fatigué, crasseux, les épaules voûtées et les reins à la torture, il ne valait guère mieux que son cheval. Tête basse, la pauvre bête peinait désormais à mettre un sabot devant l'autre et, à chaque pas, menaçait de trébucher.

— Nous y sommes, mon beau, dit Leprat. Tu auras bien mérité de ne pas quitter l'écurie avant une pleine semaine.

Malgré la fatigue, il tendit son laissez-passer d'une main assez sûre, sans ôter son feutre à panache ni descendre de selle. Méfiant, l'officier des milices bourgeoises leva d'abord sa lanterne pour dévisager ce cavalier armé dont la mauvaise mine l'inquiétait : joues râpeuses, traits tirés, regard dur. Puis il examina le papier, vit la prestigieuse signature, se montra soudain déférent, salua et ordonna qu'on ouvre les portes.

Leprat remercia d'un signe de tête.

La porte Saint-Denis offrait un accès privilégié à Paris. Appuyée à l'ouest sur une enceinte neuve et bastionnée qui englobait désormais d'anciens faubourgs, elle fermait la rue Saint-Denis qui, du nord au sud, traversait toute la rive droite de la capitale, jusqu'au Châtelet dressé devant le pont au Change. De jour, cette artère presque rectiligne grouillait d'une vie turbulente et criarde. Mais elle devenait dès le crépuscule une tranchée étroite bientôt abandonnée à des ténèbres muettes et menaçantes. Tout Paris, d'ailleurs, offrait le même visage à la nuit.

Leprat devina vite qu'il était épié.

Son instinct le prévint d'abord. Puis la qualité particulière d'un silence habité. Et, enfin, un mouvement furtif sur un toit. Ce ne fut cependant qu'à la hauteur de l'hôpital de la Trinité, lorsqu'il aperçut le canon d'un pistolet pointer entre deux cheminées, qu'il piqua soudain des talons.

— YAH !

Surprise, sa monture trouva la dernière ressource de s'élancer d'un bond.

Des coups de feu éclatèrent.

Des balles sifflèrent et manquèrent leurs cibles.

Mais après quelques foulées au grand galop, le cheval heurta un obstacle qui lui faucha les antérieurs. Hennissant de douleur, l'animal chuta lourdement pour ne plus jamais se relever.

Leprat avait vidé les étriers. Le choc fut rude et une douleur vive déchira son bras blessé. Grimaçant, il se dressa sur les genoux…

… et vit la chaîne.

À leurs extrémités, les rues parisiennes avaient des tourniquets qui permettaient de tendre une chaîne en travers de la chaussée — un vieux dispositif médiéval qui avait pour but de gêner les mouvements de foule en cas d'émeute. Ces chaînes, qui ne pouvaient être déroulées sans une clef, relevaient de la responsabilité des officiers de la milice. Elles étaient larges et solides, trop basses pour arrêter un cavalier mais assez hautes pour l'obliger à sauter. Et dans l'obscurité, elles constituaient un piège redoutable.

Leprat comprit alors que les tireurs n'avaient pas pour principal objectif de l'abattre et que le véritable lieu de l'embuscade était ici, à l'angle de la rue aux Ours, non loin de l'une des rares lanternes suspendues que la Ville allumait au crépuscule et qui brûlaient jusqu'à l'extinction de leurs grosses chandelles de suif.

Trois hommes surgirent dans la lueur blême et d'autres arrivaient. Gantés et bottés, armés d'épées, ils portaient des chapeaux et de grands manteaux sombres, cependant que des foulards noirs leur cachaient le visage.

Leprat se mit difficilement debout, dégaina sa rapière d'ivoire et fit front contre les premiers de ceux qui le chargeaient. Il trompa l'un et le laissa passer, emporté par son élan. Puis il bloqua l'attaque du deuxième et bouscula le troisième de l'épaule. Il se fendit, troua une gorge, recula *in extremis* pour éviter une lame. Deux autres spadassins masqués se présentèrent. Le chevalier d'Orgueil rompit et contre-attaqua aussitôt. Il saisit l'un de ses nouveaux assaillants par le col et le projeta vers un mur tout en ferraillant. Il para, riposta, para encore, s'efforça d'imposer son rythme à l'engagement, de repousser ou déjouer un adversaire à temps pour se charger du suivant. Si le fait d'être gaucher l'avantageait un peu, sa blessure rouverte au bras le handicapait et ses agresseurs avaient le nombre pour eux : quand l'un flanchait, un autre prenait sa place. Enfin, il transperça une épaule et, d'un violent coup de pommeau, brisa une tempe. Cet assaut lui valut une méchante entaille à la cuisse, mais il put prendre du recul tandis que le blessé à l'épaule s'enfuyait et que l'autre tombait mort sur le pavé boueux.

Les deux spadassins restants marquèrent une pause. Prudents, ils se déployèrent à lents pas chassés de manière à cerner le chevalier. Celui-ci, dos au mur, se mit en garde et veilla à les maintenir ensemble dans son champ de vision. Son bras et sa cuisse le faisaient souffrir. La transpiration lui piquait les yeux. Et comme les spadassins ne semblaient pas se décider à prendre l'initiative, il comprit qu'ils espéraient du renfort. Un renfort qui, d'ailleurs, arrivait : trois hommes descendaient en courant la rue Saint-Denis. Sans doute étaient-ce ceux qui avaient fait feu depuis les toits.

Leprat ne pouvait se permettre de les attendre.

Il modifia légèrement sa garde, fit mine d'attaquer son adversaire de gauche, offrit une occasion à celui de droite et changea brusquement de cible. L'ivoire accrocha un rayon de lune avant de trancher net un poing resté crispé sur la poignée d'une épée. L'amputé hurla et battit en retraite tout en étreignant son moignon qui saignait par à-coups vigoureux. Leprat l'oublia et pivota afin de dévier une botte portée au visage. Parant deux fois, il saisit un bras trop tendu, tira l'homme à lui, le frappa d'un coup de tête en pleine bouche, puis de genou dans l'entrejambe, et enfin l'acheva d'un revers de lame qui l'égorgea.

Laissant le cadavre s'affaisser dans une boue déjà gorgée de sang, le chevalier le débarrassa du poignard qu'il avait à la ceinture et fit face aux trois retardataires. Il dévia un premier fer avec sa rapière blanche, un deuxième avec le poignard, esquiva le troisième qui, au lieu de lui percer l'œil jusqu'au cerveau, lui griffa la joue. Puis il bouscula un bretteur d'un coup de botte, réussit à arrêter haut les lames des deux autres et, l'ivoire crissant sous la double morsure de l'acier, les rabattit ensemble sur le côté pour les obliger à pointer vers le sol. Son poignard était libre : il le planta à trois reprises dans le flanc qu'un spadassin exposait. Poussant l'avantage, Leprat prit appui sur une borne de pierre et, tournoyant en l'air, décapita l'homme qu'il avait repoussé de la semelle et qui retrouvait à peine son équilibre. Une gerbe écarlate retomba en pluie poisseuse sur le chevalier d'Orgueil et son dernier adversaire. Ils échangèrent encore quelques attaques, parades et ripostes, chacun avançant et reculant le long d'une ligne imaginaire, bouches grimaçantes et regards furieux. Enfin, le spadassin commit une erreur fatale et sa vie cessa net quand une lame d'ivoire effilée se glissa sous son menton et pointa maculée par l'arrière de son crâne.

Ivre de fatigue et de violence, affaibli par ses blessures, Leprat chancela et se sentit mal. Un violent haut-le-cœur le cassa en deux et l'obligea à aller s'appuyer contre une porte pour rendre une glaire noire de ranse qui s'écoula en longs filaments.

Il croyait en avoir fini, mais entendit un cheval qui avançait au pas.

La paupière lourde et l'œil mauvais, toujours appuyé d'une main contre le mur au pied duquel il avait vomi, Leprat lorgna de côté pour voir le cavalier qui avançait vers lui.

C'était un très jeune et très élégant gentilhomme à la moustache blonde, monté sur un cheval luxueusement harnaché.

— Mes félicitations, monsieur Leprat.

Tous les membres à la torture, le chevalier fit l'effort de se redresser, même si l'on sentait qu'un coup de vent l'aurait renversé.

— Pour ceux que je ne connais pas, c'est « monsieur le chevalier d'Orgueil ».

— À votre guise, monsieur le chevalier d'Orgueil. Je vous prie de bien vouloir m'excuser.

Leprat cracha un reliquat de bile et de sang.

— Et vous, qui êtes-vous ?

Le cavalier eut un sourire compatissant en braquant un pistolet armé sur le chevalier.

— Il importe assez peu, monsieur le chevalier d'Orgueil, que vous emportiez mon nom dans la tombe.

Les yeux du chevalier étincelèrent.

— Un homme d'honneur mettrait pied à terre et tirerait l'épée.

— Oui. Sans doute.

Le marquis de Gagnière visa et abattit Leprat d'une balle en plein cœur.

2

Couché un peu plus tôt que d'ordinaire, Armand Jean du Plessis de Richelieu lisait lorsque l'on gratta à la porte. Des bougies brûlaient et, en cette froide nuit de printemps, un grand feu gourmand de bûches craquait dans l'âtre. Des trois secrétaires qui partageaient la chambre du Cardinal, toujours prêts à prendre une lettre à la dictée ou à prodiguer à leur maître les soins que sa santé défaillante exigeait, deux dormaient sur des lits de sangles rangés le long des murs tandis qu'un autre veillait sur une chaise. Celui-ci se leva, attendit l'acquiescement de Son Éminence, alla entrebâiller la porte, puis l'ouvrit en grand.

Entra un moine capucin quinquagénaire. Vêtu d'une bure grise et chaussé de sandales, il s'approcha sans bruit du grand lit à colonnes et rideaux dans lequel Richelieu était assis, le dos calé contre des oreillers pour soulager ses reins.

— Ce courrier vient d'arriver de Ratisbonne, dit-il en tendant une lettre. Sans doute voudrez-vous le lire avant demain.

Né François-Joseph Leclerc du Tremblay, celui que tout le monde nommait « le Père Joseph » était de famille noble et avait reçu une solide formation militaire avant de rejoindre, à vingt-deux ans, les Capucins par vocation. Réformateur de son ordre et fondateur des Filles du Calvaire, il s'était distingué par son zèle et ses prêches à la Cour. Il était désormais la fameuse « Éminence grise », c'est-à-dire le collaborateur le plus intime et le plus influent de Richelieu, celui qui siégeait parfois au Conseil, deviendrait bientôt ministre d'État, et auquel Son Éminence abandonnait volontiers la conduite de certaines affaires de l'État. Une amitié sincère, une estime réciproque et une même conviction de la politique à mener contre les Habsbourg en Europe unissaient les deux hommes.

Refermant *La Vie des hommes illustres*, le Cardinal prit la missive et remercia.

— Il y a autre chose, dit le Père Joseph.

Richelieu attendit, comprit, chassa ses secrétaires. Et quand celui qui était debout eut réveillé et accompagné ses collègues dans une pièce voisine, le capucin prit une chaise et le Cardinal dit :

— Je vous écoute.

— Je voudrais vous entretenir encore de vos... Lames.

— Je croyais pourtant l'affaire entendue entre nous.

— J'ai cédé, sans pour autant me rendre à tous vos arguments.

— Vous savez que des hommes de cette trempe seront bientôt nécessaires à la France…

— Il en existe d'autres que ceux-là.

Richelieu sourit.

— Point tant. Et quand vous dites « ceux-là », vous pensez « celui-là », n'est-ce pas ?

— Il est vrai que je n'aime guère M. de La Fargue. Il ne plie pas et vous a trop souvent désobéi.

— Vraiment ?

Le capucin entama un rapide inventaire en comptant sur ses doigts.

— Souvenez-vous. À Cologne, à Breda, en Bohême. Et je ne parle pas du désastre de La Rochelle…

— Si La Rochelle s'est arrachée au giron de la France pour devenir une république protestante, je ne pense pas que l'on puisse en imputer la responsabilité au capitaine La Fargue. Il eût suffi, après tout, que la digue résistât quelques jours de plus aux assauts de l'océan… Quant aux autres événements que vous évoquez, je crois plutôt que La Fargue a oublié des consignes en ces occasions pour mieux réussir les missions qui lui étaient données.

— Il continuera. Il est d'une race d'hommes qui ne changent jamais.

— Je l'espère bien.

Le Père Joseph soupira, réfléchit, revint à la charge :

— Et que croyez-vous qu'il adviendra quand La Fargue découvrira les motifs secrets de la mission que l'on s'apprête à lui confier ? Il se sentira trompé et, au nom des griefs qu'il aura contre vous, il pourrait être tenté de tout faire échouer. S'il venait à découvrir l'identité véritable du comte de Pontevedra !…

— Il faudra d'abord qu'il découvre son existence.

— Cela arrivera, n'en doutez pas. Vos Lames sont autant des soldats que des espions. La ruse et l'imagination ne leur manquent pas et on leur a vu dénouer des écheveaux bien plus complexes.

Ce fut au tour de Son Éminence de lâcher un soupir.

— Le moment venu, nous aviserons... Pour l'heure, l'important est que cette mission est capitale aux intérêts de la France. Et que pour les raisons que vous savez, les Lames sont à la fois ceux qui sont les plus à même de la mener à bien, et ceux qu'il aurait fallu tenir à l'écart de cette cabale...

— Curieux paradoxe.

— J'ai dit hier au capitaine que je n'avais pas toujours le choix des armes. C'est très vrai. En cette affaire, les Lames sont l'arme qu'il me faut employer. L'Espagne a fixé ses conditions. J'ai préféré lui donner quelque matière de satisfaction plutôt que de la voir nous nuire.

Le Père Joseph acquiesça en homme résigné.

— Vous êtes fatigué, reprit le Cardinal d'un ton aimable, presque affectueux. Reposez-vous, mon ami.

Au Palais-Cardinal, la chambre du capucin était contiguë à celle de Richelieu. Le Père Joseph eut un regard pour la porte qui y menait.

— Oui, fit-il. Vous avez raison.

— Et si cela peut vous aider à trouver le sommeil, songez que nous parlons d'un navire qui vogue déjà et que l'on ne peut rappeler au port.

Le capucin fronça les sourcils.

— En ce moment même, expliqua le Cardinal, Rochefort rapporte à La Fargue les détails de sa mission.

— Alors les dés sont jetés.

3

— Merci, dit Marciac à Naïs qui posait une bouteille de vin sur la table. Vous devriez aller vous coucher, maintenant.

La jeune et jolie servante remercia d'un sourire et, bien fatiguée, s'en fut accompagnée du regard par le Gascon.

Lui et Almadès étaient dans la grande salle de l'hôtel de l'Épervier, où ils avaient profité d'un excellent dîner servi par Naïs. Les reliefs de leur repas et quelques bouteilles vides restaient sur la longue table de chêne autour de laquelle les Lames se réunissaient volontiers naguère et, semblait-il, étaient appelées à se réunir encore. Ils n'étaient que deux pour l'heure, et la vaste salle semblait bien désolée. Le feu dans l'âtre ne suffisait pas plus à l'éclairer qu'à la chauffer. Il craquait, chantait, gémissait et semblait s'acharner à mener un combat perdu d'avance contre les ombres, le silence et le froid de la nuit.

— Elle est charmante, cette petite, lança Marciac pour faire la conversation.

Le maître d'armes espagnol ne répondit pas.

— Oui, bien charmante…, reprit le Gascon.

Moins détendu qu'il souhaitait le paraître, il tira un jeu de cartes de sa poche et proposa :

— Une partie ?

— Non.

— Nommez votre jeu. Ou alors une partie de dés ?

— Je ne joue pas.

— Mais tout le monde joue !

— Pas moi.

Découragé, Marciac se laissa aller contre le dossier de sa chaise, laquelle craqua sinistrement.

— Permettez-moi de vous dire que vous êtes toujours aussi piètre compagnon.

— Je suis maître d'armes. Pas montreur d'ours.

— Vous êtes surtout un triste sire.

Almadès but trois petites gorgées de vin.

— Toujours par trois, hein ? fit le Gascon.

— Pardon ?

— Non. Rien.

Poussant un soupir, Marciac se leva et se promena dans la pièce.

Il était de ceux dont le charme canaille et désinvolte est comme souligné par le négligé de la tenue. Il entretenait une barbe de trois jours dont le chaume était plus sombre que ses cheveux blonds ; ses bottes auraient mérité un coup de brosse et ses chausses un coup de fer ; son pourpoint déboutonné bâillait sur sa chemise ; et il portait l'épée avec une nonchalance étudiée mais non forcée qui semblait dire : « Ne t'y fie pas, compère. J'ai au côté une bonne amie qui me pèse aussi peu qu'elle ne m'encombre, et sur qui je sais pouvoir compter. » Dans son œil, enfin, brillait la lueur rieuse et complice d'une intelligence moqueuse, celle d'un homme pas plus dupe de lui-même que de la comédie du monde.

Almadès, à l'opposé, était la sévérité incarnée. Plus âgé d'une quinzaine d'années, le poil noir et la moustache grisonnante, il économisait ses gestes autant que ses mots, et son long visage aux traits anguleux n'exprimait, au mieux, qu'une réserve austère. Il avait la taille impeccablement prise dans un vieux pourpoint reprisé ; la plume manquait à son chapeau, tandis que les manches et le col de sa chemise arboraient une dentelle que le temps n'avait pas épargnée. On le devinait donc pauvre. Mais ce dénuement n'entamait pas sa dignité : elle n'était qu'une épreuve de plus à laquelle il opposait un stoïcisme aussi orgueilleux qu'inébranlable.

Pendant que Marciac allait et venait sans but, l'Espagnol restait de marbre, tête basse, les coudes sur la table et les mains réunies en coupe autour de son gobelet d'étain qu'il faisait tourner.

Trois tours, une pause. Trois tours, une pause. Trois tours…

— Depuis combien de temps sont-ils là-dedans, à votre avis ?

Le maître d'armes dirigea un œil sombre et patient vers le Gascon. Du pouce, celui-ci désignait la porte derrière laquelle La Fargue et Rochefort s'étaient enfermés.

— Je ne sais pas.

— Une heure ? Deux ?

— Peut-être.

— Je me demande ce qu'ils se disent. En avez-vous idée ?

— Non.

— Et cela ne vous intrigue pas ?

— Le capitaine nous dira en temps voulu tout ce que nous devons savoir.

Marciac, songeur, gratta à rebours les poils de sa barbe naissante.

— Je pourrais coller mon oreille contre la porte et écouter.

— Non, vous ne pouvez pas.

— Pourquoi ?

— Pour la raison que je vous l'interdis et que je vous en empêcherai.

— Oui, évidemment. C'est une excellente raison.

Le Gascon retourna à sa chaise tel un écolier puni.

Il sécha son verre, le remplit et, plutôt que de ne rien dire, demanda :

— Qu'avez-vous fait, au cours de ces cinq années ?

Peut-être dans l'intention de détourner l'attention de Marciac de la porte, Almadès fit l'effort de répondre.

— J'ai pratiqué mon métier. À Madrid d'abord. À Paris ensuite.

— Ah.

— Et vous ?

— Idem.

— Car vous avez un métier.

— Euh… En fait, non, reconnut le Gascon.

Mais il ajouta aussitôt :

— Ce qui ne veut pas dire que je n'ai pas été très occupé !

— Je n'en doute pas.

— J'ai une maîtresse. Cela occupe beaucoup, une maîtresse. Elle se nomme Gabrielle. Je vous la présenterai dès qu'elle aura cessé de me détester. Très belle, néanmoins.

— Plus belle que la jeune Naïs ?

Marciac collectionnait les aventures.

Il comprit l'allusion et, mauvais joueur, haussa les épaules.

— Cela n'a rien à voir.

Un silence s'installa, que les bruits du feu peinèrent à occuper sous les plafonds ténébreux.

— Ils ne s'aiment guère, lâcha finalement le Gascon.

— Qui ?

— La Fargue et Rochefort.

— Personne n'aime Rochefort. Il est l'âme damnée du Cardinal. Un espion. Sans doute un assassin.

— Et nous, que sommes-nous ?

— Des soldats. Nous menons une guerre secrète, mais ce n'est pas la même chose.

— N'empêche, il y a entre ces deux-là une querelle qui dépasse le cas général.

— Vous croyez ?

— J'en suis sûr. Avez-vous remarqué la cicatrice que Rochefort a à la tempe ?

Almadès acquiesça.

— Eh bien, n'allez jamais l'évoquer devant Rochefort en présence du capitaine. Rochefort pourrait y voir une allusion moqueuse. Il pourrait croire que vous savez.

— Et vous, vous savez.

— Non. Mais je fais comme si. Cela me donne un genre.

L'Espagnol prit sur lui.

— Je préférerais que vous vous taisiez, maintenant, Marciac.

La porte s'ouvrit et Rochefort traversa la grande salle sans un regard pour personne. La Fargue apparut à son tour. Il marcha jusqu'à la table, s'assit à califourchon sur une chaise et, soucieux, commença de piocher dans les plats.

— Alors ? s'enquit Marciac comme si de rien n'était.

— Alors nous avons une mission, répondit le vétéran de quelques guerres.

— Laquelle ?

— Rapidement dit, il s'agit de servir l'Espagne.

L'Espagne.

L'Espagne, ennemie jurée de la France, et sa Cour des Dragons.

La nouvelle tomba comme la hache du bourreau sur le billot, et même le très réservé Almadès leva un sourcil circonspect.

4

Fort des renseignements que lui avait fournis le Grand Coësre, Saint-Lucq attendit l'aube pour passer à l'action.

L'endroit s'avérait parfait pour l'emploi qu'on en faisait : discret, isolé de la route par le bois qui l'enserrait dans son giron, et à moins d'une heure de Paris. C'était à la lointaine périphérie du faubourg Saint-Jacques, à quelque distance d'un hameau dont le clocher silencieux pointait. Le vieux moulin, dont la grosse roue à aubes ne tournait plus, était bâti sur la berge d'une rivière. Ses pierres tenaient bon mais sa toiture — de même que celles des constructions voisines : une remise, un grenier à blé, une maison de meunier — avait souffert d'années d'intempéries. Un mur encore solide entourait la propriété laissée à l'abandon. Son porche ouvrait sur le seul chemin qui y menait, infréquenté depuis que le moulin ne servait plus.

Comment le Grand Coësre savait-il que les Corbins — comprenez : les Corbeaux — avaient établi ici l'un de leurs repaires ? Et comment savait-il que ce que Saint-Lucq voulait s'y trouvait ? Peu importait, après tout. Ce qui comptait, en revanche, était que l'information soit exacte. Restait une zone d'ombre : les raisons qui avaient poussé le monarque de la Cour des Miracles à aider le sang-mêlé. Certes, il y trouverait son intérêt si Saint-Lucq réussissait et nuisait aux Corbins. Cette bande sévissait dans la province et les faubourgs depuis deux ans et s'intéressait désormais à la capitale. Un conflit de territoire se dessinait, que le Grand Coësre préférait sans doute prévenir. Mais il craignait surtout que les activités des Corbins, même indirectement, ne lui nuisent à plus ou moins long terme. Ces brigands de grand chemin pillaient, violaient, torturaient volontiers, tuaient souvent. Ils terrorisaient les populations et exaspéraient les autorités, qui finiraient par réagir brutalement et indistinctement, mobiliseraient un régiment si nécessaire et dresseraient des dizaines de gibets. Les Corbins couraient à leur perte. Cependant, tous les coups ne tomberaient pas sur eux. La Cour des Miracles, elle aussi, en pâtirait et son chef souhaitait l'éviter. N'empêche, Saint-Lucq avait joué un coup risqué en allant le trouver en son fief de la rue Neuve-Saint-Sauveur et en le mettant comme au défi de le renseigner. Le temps manquait, certes, et le sang-mêlé ne reculait jamais devant rien pour parvenir à ses objectifs. Mais il paierait un jour le prix de son audace. On ne forçait pas impunément la main du Grand Coësre.

Un homme était assoupi sur une chaise devant la maison de meunier, l'épée accrochée au dossier et le pistolet en travers des cuisses. Un chapeau écorné sur les yeux, il était emmitouflé dans l'un de ces grands manteaux noirs qui étaient le signe distinctif de la bande. Il avait veillé toute la nuit et grelottait.

Un autre Corbin sortit de la maison. Vêtu de cuir et de gros drap, il bâilla, s'étira, se gratta les reins d'une main et la nuque de l'autre, puis secoua l'épaule de son complice. Celui-ci se redressa et bâilla à son tour. Ils échangèrent quelques mots avant que l'homme en cuir ne s'éloigne en débouclant sa ceinture. Il alla dans la remise où les chevaux étaient rangés, se déculotta, s'accroupit, urina bruyamment avec un soupir d'aise, et commençait à déféquer quand Saint-Lucq le garrotta par-derrière.

Incapable d'appeler à l'aide, le brigand voulut agripper la lanière qui mordait ses chairs et se releva brusquement. Sans relâcher son étreinte, le sang-mêlé accompagna le mouvement et tira sa victime à lui en reculant de deux pas. Le Corbin avait les chevilles prisonnières de ses chausses baissées. Bras battants, il bascula à la renverse mais ne tomba pas car Saint-Lucq le maintint en déséquilibre à mi-hauteur, étranglé par son propre poids. L'homme se débattit, gigota comme il pouvait. Ses talons creusaient frénétiquement le sol gorgé d'urine. Des râles lui déchirèrent la poitrine tandis que sa face virait au cramoisi. Ses ongles lacérèrent sa gorge suppliciée, impuissants à seulement griffer le garrot de cuir. Il voulut alors frapper et ses poings fendirent l'air devant le visage du sang-mêlé qui, impassible et concentré, se tenait les épaules en retrait. La terreur achevait de vider les entrailles du malheureux. Des matières brunes et collantes maculaient ses cuisses nues avant de tomber par terre avec un bruit mou. Dans un dernier sursaut, le Corbin chercha désespérément une prise, un appui, un secours qui n'existaient pas. Ses contorsions faiblirent. Enfin, sa trachée craqua et son sexe rendit un reliquat odorant. Langue pendante, yeux révulsés, l'homme s'affaissa lentement dans ses propres déjections, retenu par son bourreau.

Les chevaux avaient à peine bronché.

Abandonnant le cadavre souillé, Saint-Lucq enroula son garrot et remonta ses bésicles aux verres rouges sur son nez avant d'aller jeter un coup d'œil dehors.

Le brigand en sentinelle était toujours à son poste. Jambes tendues et chevilles croisées, doigts entrelacés sur le ventre et le chapeau lui couvrant les yeux, il somnolait sur sa chaise dont le dossier était en appui contre le mur de la maison.

Le sang-mêlé tira sa dague et, s'aventurant d'un pas résolu à découvert, marcha vers l'homme. L'autre l'entendit approcher mais crut au retour de son compagnon.

— Alors ? Soulagé ? demanda-t-il sans lever le nez.
— Non.

Le Corbin eut un sursaut et fit tomber le pistolet posé sur ses cuisses. D'un même geste, Saint-Lucq lui plaqua une main contre la bouche autant pour le bâillonner que pour l'obliger à rester assis, et lui planta sa dague sous le menton. La lame remonta d'un coup sec, troua le palais et fouilla le cerveau. Le brigand mourut dans l'instant en écarquillant des yeux immenses.

Le sang-mêlé essuya sa dague contre l'épaule du Corbin et laissa le cadavre sur la chaise, mollement affaissé, bras pendants. Il avait compté six chevaux dans la remise. Six moins deux. Reste quatre.

Il approcha de la porte, y colla son oreille, poussa doucement le battant. À l'intérieur, deux brigands tout juste levés prenaient un repas frugal et bavardaient en lui tournant le dos, l'un assis sur un tonnelet, l'autre sur un tabouret bancal.

— Il y aura bientôt plus de vin.
— Je sais.
— Ni de pain. Et toi qui voulais nourrir l'autre…
— Ça va, ça va… On en aura fini ce jourd'hui.
— T'as déjà dit ça hier.
— Ce jourd'hui, je te dis. Ils ne peuvent pas tarder plus longtemps.

Saint-Lucq entra sans bruit. Au passage, il prit un tisonnier rangé sur le manteau de la cheminée éteinte.

— En tout cas, ce que je te dis, moi, c'est que je passerai pas une nuit de plus dans cette ruine.
— Tu feras ce qu'on te dira.
— À voir !
— C'est tout vu. Tu te souviens de Figard ?
— Non. Jamais connu.
— C'est parce qu'il a désobéi avant que t'arrives.

Saint-Lucq fut sur eux plus vite et plus silencieusement qu'un assassin ordinaire. Le premier s'écroula, le crâne fendu par le tisonnier. Le deuxième n'eut que le temps de se lever, pour s'effondrer à son tour, la tempe brisée.

Deux secondes. Deux coups. Deux morts. Aucun cri.

Le sang-mêlé s'apprêtait à relâcher le tisonnier ensanglanté sur le ventre d'un cadavre quand il entendit des gonds grincer.

— Alors, les gars ? lança quelqu'un. Déjà occupés à vous bâfrer, pas vrai ?

Saint-Lucq fit volte-face en dépliant le bras.

Le tisonnier vrombit en tournoyant et alla se planter, crochet en avant, entre les yeux du Corbin qui, décoiffé et débraillé, arrivait sans méfiance. Ahuri, l'homme trébucha en arrière et s'effondra sur le dos.

Quatre et un font cinq — le compte n'y était pas.

La main droite serrant la poignée de sa rapière au fourreau, il passa dans la pièce d'où sortait le brigand qu'il venait de tuer.

Des couches de fortune y étaient installées et, sur l'une d'elles, l'ultime survivant du massacre se trouvait paralysé par un effarement terrifié. Il était jeune, encore adolescent, avait peut-être quatorze ou quinze ans. Sa lèvre s'ornait seulement d'un duvet blond et une mauvaise acné lui mangeait les joues. Réveillé en sursaut, il semblait incapable de détacher le regard du cadavre et de la tige de fer forgé fichée en son front. Le tisonnier, lentement, penchait, sa pointe maculée de matières visqueuses soulevant une écaille d'os qui déchirait la peau. Avec un dernier craquement, il acheva enfin de tomber et tinta sur le plancher.

Le bruit provoqua un grand frisson chez l'adolescent qui dirigea alors son attention vers le sang-mêlé aux bésicles rouges. Livide et les traits défaits, les yeux déjà pleins de larmes, il tenta en vain d'articuler quelques mots, fit plusieurs fois « non » de la tête — supplique silencieuse et désespérée. Quittant sa couverture, il recula sur les mains et les talons jusqu'à toucher le mur. Il ne portait qu'une chemise et des chausses, des chausses désormais imprégnées d'urine.

— Pi... Pitié...

Saint-Lucq le rejoignit d'un pas lent et tira l'épée.

*

Lucien Bailleux tremblait de peur, de froid et d'inanition. Il ne portait qu'une chemise de nuit et la terre battue sur laquelle il était couché s'avérait aussi froide que la pierre à laquelle il s'adossait parfois.

Il y avait déjà trois nuits que des inconnus l'avaient surpris en plein sommeil, chez lui, dans l'appartement qu'il occupait au-dessus de son étude de notaire. Ils l'avaient bâillonné avant de lui passer une cagoule sur la tête, puis l'avaient aussitôt assommé. Qu'avaient-ils fait de sa femme qui dormait à ses côtés ? Il s'était réveillé ici, pieds et poings liés, dans un lieu qu'il ne pouvait que deviner car il était toujours aveuglé par la cagoule nouée autour de son cou. Fixée à un mur, une courte et lourde chaîne lui entravait la taille. Il ignorait au juste ce qu'on lui voulait. Seule chose sûre, il ne se trouvait plus à Paris mais à la campagne. Les bruits environnants qui allaient lui permettre de garder le compte de ses jours de captivité l'indiquaient.

Se croyant abandonné, il avait rongé son bâillon de tissu et avait appelé, hurlé à s'en briser la voix. Il avait finalement entendu une porte s'ouvrir, les pas de plusieurs hommes bottés approcher, et une voix dure lui disant :

— Il n'y a que toi et nous, ici. Personne d'autre ne peut t'entendre. Mais tes cris nous agacent.

— Que… Que me voulez-vous ?

Plutôt que de lui répondre, on l'avait battu. Au ventre et dans les reins. Un coup de talon lui avait même délogé une dent. Il l'avait avalée, la bouche emplie de sang.

— Pas à la tête ! avait dit la voix. Nous devons le livrer vivant.

Après ça, le notaire ne s'était plus manifesté. Et les heures et les nuits s'étaient écoulées, dans l'incertitude et l'angoisse du sort qui l'attendait, sans que personne ne songe à lui donner à manger ni à boire…

Quelqu'un poussa la porte et entra.

Par réflexe, Bailleux se recroquevilla.

— Je vous en supplie, murmura-t-il. Je vous donnerai tout ce que je possède.

On lui ôta sa cagoule et, une fois accoutumé à la lumière, il découvrit un homme accroupi près de lui. L'inconnu était vêtu en cavalier, avec l'épée au côté et d'étranges bésicles aux verres incarnats cachant ses yeux. Quelque chose de sombre et menaçant émanait de lui. Le notaire prit peur.

— Ne me faites pas de mal, s'il vous plaît…

— Je m'appelle Saint-Lucq. Les hommes qui vous ont enlevé sont morts. Je suis venu vous libérer.

— Me… Me libérer ?… Moi ?

— Oui.

— Qui… Qui vous envoie ?

— Peu importe. Avez-vous parlé ?

— Pardon ?

— On vous a battu. Était-ce pour vous faire parler ? Avez-vous dit ce que vous savez ?

— Mais de quoi est-il question, Seigneur ?

Le sang-mêlé soupira et, patient, lâcha :

— Dernièrement, vous avez découvert et lu un testament oublié. Ce testament indiquait où trouver un certain document.

— C'était donc… cela ?

— Alors ?

— Non. Je n'ai rien dit.

Saint-Lucq attendit.

— Je vous le jure ! insista le notaire. Ils ne m'ont pas posé la moindre question !

— Bien.

Alors seulement le sang-mêlé détacha Bailleux, qui demanda :

— Et ma femme ?

— Elle est bien allant, répondit Saint-Lucq qui, en fait, n'en savait rien.

— Dieu merci !

— Pouvez-vous marcher ?

— Oui. Je suis faible mais…

Un hennissement et une cavalcade approchant se firent entendre. Laissant au notaire le soin de libérer ses chevilles, Saint-Lucq alla à la porte. Bailleux s'intéressa alors au décor. Ils étaient au rez-de-chaussée d'un moulin désaffecté et poussiéreux, près de l'énorme meule.

Ayant jeté un coup d'œil à l'extérieur, le sang-mêlé annonça :

— Six cavaliers. Sans doute ceux à qui vous deviez être livré.

— Seigneur Dieu !

— Savez-vous vous battre ? Ou au moins vous défendre ?

— Non. Nous sommes perdus, n'est-ce pas ?

Saint-Lucq avisa un escalier de bois vermoulu dont il grimpa les marches quatre à quatre.

— Par ici, lança-t-il après un court moment.

Le notaire le retrouva à l'étage, où le moyeu de la grosse roue à aubes rejoignait l'axe vertical qui, traversant le plancher, animait jadis la meule.

Le sang-mêlé forçait une lucarne.

— Il va falloir se faufiler par là et se laisser choir dans la rivière. Son courant nous entraînera au loin. Avec un peu de chance, nous ne serons pas vus. Et tant pis pour les chevaux qui nous attendent dans le bois.

— Mais je ne sais pas nager !

— Vous apprendrez.

5

Ce matin-là, alanguie sur un siège long et bas, la vicomtesse de Malicorne goûtait la quiétude de son jardin en fleur lorsque le marquis de Gagnière lui fut annoncé. Elle avait, posé près d'elle sur son socle précieux, l'étrange globe empli d'une obscurité mouvante qu'elle caressait nonchalamment comme elle aurait pu caresser la tête d'un chat endormi. Les tourments intérieurs de la Sphère d'Âme réagissaient à chaque frôlement et, en arrivant sur la terrasse, Gagnière s'efforça de regarder ailleurs. Il savait le danger que représentait le globe. Il savait à quel emploi il était bientôt destiné et s'étonnait, s'inquiétait de la désinvolture avec laquelle la jeune femme traitait cette relique confiée à elle par les Maîtres de la Griffe noire.

— Bonjour, monsieur le marquis. Que venez-vous m'apprendre dès potron-minet ?

— Leprat est mort.

— Leprat ?

— Le messager que Malencontre et ses hommes

ont échoué à arrêter entre Bruxelles et Paris. Grâce à vos renseignements, j'ai pu lui tendre cette nuit une embuscade près la porte Saint-Denis.

— M. Leprat…, lâcha la jeune femme d'un air songeur. Tiens donc…

— Un mousquetaire du roi, crut devoir expliquer Gagnière.

— Et un ancien des Lames du Cardinal. Ne vous avais-je pas dit que nous entendrions bientôt parler d'elles ?

— Si fait. Cependant…

— L'avez-vous tué ?

— Oui. D'une balle en plein cœur.

— Mes félicitations. Et la lettre ?

L'élégant marquis prit une inspiration.

— Il ne l'avait pas.

Alors, pour la première fois depuis le début de leur conversation, la vicomtesse leva le regard sur son visiteur. Son visage angélique restait impassible, mais ses yeux brillaient d'un éclat déjà furieux.

— Je vous demande pardon ?

— Il ne l'avait pas sur lui. Peut-être ne l'a-t-il jamais eue, après tout.

— On se serait joué de nous tandis que le véritable messager voyageait discrètement, par d'autres routes et sans encombre ?

— Je le crois.

— Oui, fit la vicomtesse de Malicorne en considérant de nouveau son jardin. C'est bien possible, après tout…

Ils se turent un moment et Gagnière ne sut que faire, ses parfaites manières lui interdisant de s'asseoir sans y être invité. Il resta donc debout, mal à l'aise, ses gants de daim beige à la main.

— Si la lettre est au Louvre, commença-t-il…

— Cela signifie que le roi et le Cardinal savent que nous représentons désormais une menace en France, acheva la jolie jeune femme. Gageons que la perspective d'avoir bientôt affaire à la Griffe noire dans le royaume ne les enchantera pas.

Au petit sourire qu'elle affichait, on pouvait deviner que cette idée, à la réflexion, ne lui déplaisait pas.

— Mais il ne sert à rien de pleurer sur le lait renversé, conclut-elle. Nous avons pour l'heure d'autres chats à fouetter…

Elle se leva, prit le bras du marquis et, ensemble, ils allèrent faire quelques pas dans le jardin. Cette initiative étonna Gagnière, qui comprit bientôt que la vicomtesse souhaitait les éloigner d'éventuelles oreilles indiscrètes. Même ici, même chez elle.

— Vous vous souvenez, dit-elle enfin, que nos frères et sœurs d'Espagne avaient promis de nous envoyer un homme de confiance. C'est chose faite : Savelda est à Paris.

— Je persiste à penser que nous devons le tenir à l'écart de nos affaires.

— Impossible, l'interrompit la vicomtesse. Faites-lui bon accueil, au contraire. Ne lui cachez rien et employez-le au mieux. S'il est entendu, entre vous et moi, que Savelda a pour mission de nous surveiller, nous ne devons pas laisser transparaître nos soupçons. Montrons-nous sensibles à l'honneur que la Grande Loge d'Espagne nous fait en mettant un homme de cette trempe à notre disposition…

— Soit.

L'affaire étant entendue, la vicomtesse passa à autre chose :

— Quand aurez-vous capturé Castilla ?

— Bientôt. Cette nuit sans doute.

— Et la fille ?

— Castilla nous conduira à elle et nous l'enlèverons.

— Chargez Savelda de cette besogne.

— Mais !…

— Cela l'occupera. Et nous laissera quelque peu les mains libres pour préparer notre première cérémonie d'initiation. Quand cela sera fait, une loge de la Griffe noire existera en France et nos frères d'Espagne, pour jaloux qu'ils seront peut-être, n'y pourront plus rien.

— Vous prendrez alors le rang de Maître.

— Et vous, celui de Premier Initié… Mais ne crions pas déjà victoire. Beaucoup ont échoué parce qu'ils croyaient trop tôt avoir réussi et ne virent pas venir le danger. Ce danger, moi, je le pressens.

Il y avait, au fond du jardin dans un recoin de verdure, un banc de pierre. La vicomtesse y prit place, et proposa à Gagnière de l'imiter.

— Voilà une chose, murmura-t-elle, que nos maîtres et Savelda doivent ignorer : l'un de nos agents a été pris au Palais-Cardinal hier.

— Lequel ?

— Le meilleur. Le plus ancien. Le plus précieux.

— Laincourt !

— Oui. Laincourt… J'ignore encore comment cela s'est fait, mais la chose est avérée. M. de Laincourt a été démasqué. Il est en ce moment aux arrêts et attend sans doute d'être interrogé.

— Où ?

— Au Châtelet.

— Laincourt ne parlera pas.

— Cela reste à voir. Mais il vous faudra, peut-être, vous en assurer.

6

Une longue nuit s'était écoulée depuis que le capitaine Saint-Georges avait solennellement demandé son épée et signifié son arrestation à Laincourt pour trahison. Le prisonnier avait ensuite été conduit sous bonne escorte au Châtelet, où on l'avait débarrassé de ses derniers effets personnels avant de l'enfermer anonymement. Aux yeux du monde, il aurait tout aussi bien pu disparaître dans les entrailles de la terre.

Il n'existait plus.

C'est en 1130 que Louis VI avait fait bâtir un petit château fortifié — ou « châtelet » — pour défendre le pont au Change sur la rive droite de la Seine. Rendu inutile par la construction du rempart de Philippe Auguste, le Grand Châtelet — parfois ainsi désigné pour le distinguer du Petit Châtelet dressé sur l'autre rive au débouché du Petit-Pont — perdit son affectation militaire. Saint Louis l'agrandit, Charles IV le remania et Louis XII le restaura. Au XVIIe siècle, le Châtelet accueillait le siège des juridictions de la prévôté de Paris, cependant que son donjon abritait des prisons. Celles-ci, baptisées, s'y étageaient. Dans la partie supérieure, des salles communes où les prisonniers s'entassaient : Beauvoir, la Salle, Barbarie et Gloriette ; au-dessous, trois geôles individuelles : la Boucherie, Beaumont et la Griesche ; à l'étage inférieur : Beauvais, une autre salle commune, et enfin dans les bas-fonds, les pires de toutes, sans air ni lumière : la Fosse, le Puits, la Gourdaine et l'Oubliette.

On avait fait à Laincourt les honneurs de la Gourdaine, où il foulait seul une paille pourrissante et grouillante de vermine. Au moins lui avait-on épargné la Fosse, un puits dans lequel le prisonnier était descendu par une trappe au bout d'une corde.

Le fond de cette geôle infâme baignait dans l'eau croupie et avait la forme d'un cône renversé, de sorte que l'on ne pouvait ni s'y asseoir, ni s'y coucher, ni même s'y adosser.

Depuis que la porte s'était refermée sur Laincourt, les heures avaient passé, étirées et silencieuses, dans des ténèbres absolues. De loin en loin lui parvenait l'écho d'un hurlement, celui d'un prisonnier fou de solitude ou d'un malheureux soumis à la torture. Il y avait aussi des bruits d'eau, lents goutte-à-goutte tombant dans des flaques saumâtres. Et aussi les grattements des rats contre la pierre humide.

Et soudain, au matin sans doute, une clef joua dans la serrure. Entra un gentilhomme à la moustache grisonnante, à qui le geôlier laissa une lanterne allumée avant de refermer.

Laincourt se leva et, plissant les paupières, reconnut Brussand.

— Vous ne devriez pas être là, Brussand. Je suis au secret.

— Tenez, répliqua l'autre en lui tendant une flasque de vin et un morceau de pain blanc.

L'ancien enseigne aux Gardes accepta volontiers les victuailles. Il mordit dans le pain à belles dents, mais s'obligea à mâcher lentement. Puis, ayant avalé une gorgée de vin, il demanda :

— Comment avez-vous pu arriver jusques ici ?

— L'officier du guichet me devait une faveur.

— Valait-elle celle qu'il vous fait à présent ?

— Non.

— Alors vous lui êtes désormais redevable… C'est regrettable et bien inutile. Néanmoins, je vous remercie… Maintenant, partez, Brussand. Partez avant de vous compromettre tout à fait.

— Le temps nous est compté, de toute manière. Mais je veux juste que vous me disiez une chose.

Les joues râpeuses et les traits tirés, Laincourt esquissa un pâle sourire.

— Je vous le dois bien, mon ami.

— Dites-moi seulement que tout cela est faux, s'enflamma le vieux garde. Dites-moi que l'on se trompe sur votre compte. Dites-moi que vous n'êtes pas l'espion que l'on vous accuse d'être. Dites-moi cela et, au nom de l'amitié, je vous croirai et vous défendrai !

Le prisonnier dévisagea longuement le vieux garde.

— Je ne veux pas vous mentir, Brussand.

— C'est donc vrai ?

Silence.

— Bon sang ! s'exclama Brussand. Vous ?... Un traître ?...

Abattu, déçu, trompé, encore incrédule, il recula d'un pas. Enfin, comme un homme résigné à affronter l'inéluctable, il prit une grande inspiration et lâcha :

— Alors parlez. Parlez, Laincourt. Quoi qu'il advienne, vous serez jugé et condamné. Mais épargnez-vous de subir la question...

Laincourt chercha ses mots.

Puis dit :

— Un traître trahit ses maîtres, Brussand.

— Eh bien ?

— Je ne puis que vous affirmer que je n'ai pas trahi les miens.

7

Il se réveilla pansé et lavé dans la chambre qu'il louait sous les toits rue Cocatrix, et dont il reconnut le décor familier sitôt qu'il ouvrit les yeux.

— Vous voilà enfin revenu parmi nous, fit une belle voix mâle.

Même s'il était assez modestement vêtu, le gentilhomme assis à son chevet jouissait d'une élégance naturelle qui sentait son grand seigneur à cent pas. Il portait l'épée, avait posé son feutre près de lui, tenait un livre qu'il referma. Il aurait bientôt quarante ans et servait aux mousquetaires du roi.

— Bonjour, Athos, salua Leprat.

— Bonjour. Comment vous sentez-vous ?

Leprat se redressa avec précaution contre les oreillers et fit l'inventaire de ses blessures. Son bras était soigneusement bandé, de même que sa cuisse sous le drap couvrant son corps nu. Il souffrait à peine, se sentait reposé et avait l'esprit clair.

— Étonnamment bien, répondit-il. La lettre ?

— Rassurez-vous, elle est arrivée à destination. L'officier de garde à la porte Saint-Denis, à qui vous l'avez prudemment confiée dès votre arrivée à Paris, n'a pas tardé à la remettre à M. de Tréville… Avez-vous faim ?

— Oui.

— C'est un excellent signe.

Athos ramassa un panier qu'il posa entre eux sur le lit et dont il souleva le torchon à carreaux rouges et blancs pour dévoiler un saucisson, du fromage, un pâté en terrine, une demi-miche de pain, un couteau, deux verres et trois bouteilles de vin.

— Or donc, dit Leprat tandis que l'autre lui préparait une tartine, je suis vivant.

— Mais oui. Tenez, mangez.

Le convalescent mordit dans une tranche de pain recouverte d'une épaisse couche de pâté, et son appétit ne s'en trouva que conforté.

— Et à qui dois-je d'être encore de ce monde ?

— Au ciel d'abord. À M. de Tréville ensuite... Mais commencez par me dire ce dont vous avez souvenir.

Leprat fouilla sa mémoire.

— Hier soir, à la nuit... Car c'était bien hier soir, n'est-ce pas ?

— Oui.

— Donc hier soir, à la nuit, je suis tombé dans une embuscade au croisement de la rue Saint-Denis et de la rue aux Ours. J'ai repoussé la plupart de mes assaillants mais le dernier, un gentilhomme, eut raison de moi. Je me souviens qu'il m'a tiré une balle de pistolet au cœur, et puis plus rien.

— Connaissiez-vous votre assassin ?

— Non. Mais je le reconnaîtrai désormais entre mille.

Athos acquiesça, songeur. Il ne connaissait ni le détail ni l'essentiel de cette mission et, en homme discret, ne posa aucune question à ce sujet. Il se doutait d'ailleurs que le chevalier n'en savait guère plus que lui. Se contorsionnant sur sa chaise, il décrocha le baudrier de Leprat pendu au dossier et dit :

— Voilà la raison pour laquelle vous devez remercier le ciel en premier lieu. Il vous a fait gaucher.

Leprat sourit.

Parce qu'il était gaucher, il portait l'épée à droite. Son lourd baudrier de cuir lui barrait donc la poitrine depuis l'épaule gauche et avait arrêté la balle destinée à lui trouer le cœur. Le choc seul l'avait renversé et assommé.

— Dieu merci, mon assassin n'a pas visé à la tête...

— Ce sont les hasards du combat. Tous ne nous sont pas néfastes.

Le blessé opina en acceptant le verre de vin tendu. Il avait suffisamment l'expérience de la guerre pour savoir que l'on y devait souvent la vie à sa bonne fortune.

— Même si je le devine, fit-il en trinquant, dites-moi à présent pourquoi je dois remercier M. de Tréville.

Athos vida son verre avant de répondre.

— Alertés par les bruits de votre combat, les pitres qui gardaient la porte Saint-Denis ne sont cependant arrivés qu'au moment où celui que vous savez venait de vous abattre d'un coup de pistolet. Leur venue mit l'homme en fuite. Comme de juste, ils vous crurent mort, puis comprirent que vous ne l'étiez pas, ou pas tout à fait. Grâce au laissez-passer que vous aviez montré, ils connaissaient votre état de mousquetaire du roi. L'un d'eux courut chercher M. de Tréville tandis que les autres vous transportaient chez un médecin. Aussitôt accouru, M. de Tréville vous arracha aux griffes du médecin, vous ramena chez vous et vous confia aux bons soins de son chirurgien. Voilà.

— Voilà ?

— Voilà.

— Et d'où vient que vous jouez les gardes-malade ?

Athos haussa les épaules.

— J'étais de service hier soir, expliqua-t-il.

Et pour couper court, il se leva, prit son chapeau, annonça :

— Je dois maintenant vous laisser.

— Retournez-vous rue du Vieux-Colombier ?

— Oui.

— Avec votre permission, je vous suis.

— Vraiment ?

— Je m'en crois capable et il tarde sans doute à M. de Tréville que je lui fasse mon rapport... Accordez-moi seulement le temps de m'habiller.

— Soit. Je vous attendrai dans le couloir.

*

Antoine Leprat habitait sur l'île de la Cité.

Rhabillé de frais mais arborant une vilaine barbe de trois jours, il rejoignit bientôt Athos et le pria de lui permettre de faire un saut chez le barbier. L'autre accepta d'autant plus volontiers qu'il avait également besoin d'un coup de rasoir et que Tréville tenait à ce que ses mousquetaires soient — au moins — présentables. Un barbier de la rue de la Licorne leur fit les joues nettes et leur fournit l'occasion de se détendre et bavarder encore un peu.

— Une chose m'intrigue, dit Athos.

— Laquelle ?

— Vous ne vous souvenez que du cavalier qui tira le coup de pistolet, n'est-ce pas ? Or les archers de la porte Saint-Denis parlaient, eux, d'un second cavalier qu'ils auraient vu… Un cavalier vêtu de gris clair ou de blanc, monté sur un cheval à la robe pâle, et qui faisait face au premier alors que vous étiez étendu sur le sol. L'apparition, à les entendre, était presque fantomatique… Et celui-là n'a pas attendu plus que l'autre d'être reconnu.

— Je vous ai dit tout ce que je me remémorais, Athos.

Plus tard, vers dix heures, ils empruntèrent le Petit-Pont sans cependant rien voir de la Seine car ce pont, comme la plupart de ceux de Paris, était bâti — de part et d'autre de l'étroite chaussée, des maisons accolées ne le distinguaient en rien d'une rue ordinaire. Ils prirent ensuite par les rues de la Harpe et des Cordeliers, jusqu'à la porte Saint-Germain où la foule les ralentit dans le grand vacarme d'une cohue impatiente et turbulente. Mais le franchissement d'une porte était une épreuve obligée pour qui prétendait sortir de Paris ou gagner ses faubourgs.

La capitale, en effet, était fortifiée. Jalonnées de tourelles coiffées en poivrières, hautes de quatre mètres et dominant un fossé, ses murailles médiévales étaient censées la protéger contre les dangers d'une guerre civile ou étrangère. Certes, ces défenses ne faisaient guère illusion. On y aurait vainement cherché le moindre canon. Les fossés s'encombraient d'ordures. Et les remparts tombaient en ruine malgré les efforts que l'Échevinage consacrait à relever ces décombres. Les Parisiens, qui ne s'y trompaient pas, disaient que leurs murs étaient faits de terre à potier, qu'un coup de mousquet pouvait y creuser une brèche et qu'un roulement de tambour suffirait à les mettre à bas. N'empêche, on ne pouvait entrer dans Paris que par l'une de ses portes. Elles étaient certes de gros bâtiments aussi désuets que délabrés, mais elles abritaient des corps de garde où veillaient commis de l'octroi et soldats des milices bourgeoises. Les premiers prélevaient les taxes sur les marchandises qui arrivaient, les seconds examinaient les passeports des étrangers et tous s'acquittaient jalousement de leurs tâches, ce qui n'accélérait pas le trafic.

Une fois dans le faubourg Saint-Germain, Athos et Leprat passèrent devant l'église Saint-Sulpice et, rue du Vieux-Colombier, franchirent le porche de l'hôtel de Tréville.

M. de Tréville étant le capitaine de la compagnie des mousquetaires du roi, l'endroit tenait plus du camp militaire que de la demeure d'un grand seigneur. On s'y bousculait, le plus souvent pour buter sur un fier gentilhomme sans fortune mais à la prunelle assassine. À défaut d'être riches, tous les mousquetaires de Sa Majesté avaient le sang bleu et chaud. Tous étaient prêts à tirer l'épée à la première invite. Et tous, qu'ils soient de service ou pas, qu'ils portent la casaque bleue à croix d'argent fleurdelisée ou non, se retrouvaient volontiers ici. Ils bivouaquaient presque dans la cour, dormaient dans les écuries, montaient la garde dans les escaliers, jouaient aux dés dans les antichambres et même, parfois, croisaient joyeusement le fer dans les couloirs afin de se distraire, de s'entraîner ou de démontrer l'excellence d'une phrase d'armes. Ce spectacle pittoresque qui marquait tant l'esprit des visiteurs n'avait rien d'extraordinaire. À l'époque, la plupart des troupes étaient recrutées à la perspective d'une guerre puis dispersées, par mesure d'économie, dès que l'on n'avait plus besoin d'elles. Quant aux rares régiments permanents, ils ne casernaient nulle part… faute de casernes. Membres de la prestigieuse maison militaire du roi, les mousquetaires de la garde étaient de ceux sur qui l'on savait pouvoir toujours compter et que l'on ne démobilisait pas en temps de paix. Pour autant, on ne se souciait guère de savoir où ils logeraient ni comment ils s'équiperaient et subviendraient à leurs besoins quotidiens : la solde versée par le Trésor, pourtant maigre et irrégulière, devait y suffire.

À l'hôtel de Tréville, tout le monde avait eu vent de l'embuscade dans laquelle Leprat était tombé. On le disait mort ou mourant, si bien que son retour fut très chaleureusement fêté. Sans participer aux effusions et autres viriles manifestations d'affection, Athos accompagna Leprat jusqu'au grand escalier encombré de mousquetaires, de valets et de solliciteurs. Là, il le laissa.

— Songez tout de même à économiser vos forces, mon ami. Vous revenez de loin.

— Je vous le promets. Merci, Athos.

*

Leprat se fit annoncer et n'eut pas à faire antichambre longtemps. Le capitaine de Tréville le reçut presque aussitôt dans son cabinet et se leva pour l'accueillir dès qu'il poussa la porte.

— Entrez, Leprat, entrez. Et asseyez-vous. J'en suis ravi, mais je ne m'attendais pas à vous revoir sur vos pieds si tôt. Je prévoyais même de vous faire une visite chez vous ce soir.

Leprat remercia et prit une chaise, tandis que M. de Tréville se rasseyait à sa table de travail.

— Premièrement, comment allez-vous ?

— Bien.

— Votre bras ? Votre cuisse ?

— Les deux serviront encore.

— Parfait. Maintenant, votre rapport.

Le mousquetaire s'exécuta, raconta d'abord comment il avait vaincu les sbires de Malencontre et laissé échapper ce dernier.

— « Malencontre », dites-vous ?

— C'est le nom qu'il m'a donné.

— J'en prends note.

Ensuite, Leprat en vint rapidement à l'embuscade de la rue Saint-Denis et au mystérieux gentilhomme qui l'avait abattu sans ciller. Quand il eut fini, le capitaine se leva et, mains dans le dos, se tourna vers la fenêtre. Elle lui offrait une vue plongeante sur la cour de son hôtel particulier, une cour pleine de ses mousquetaires qu'il adorait, protégeait et réprimandait comme un père. Aussi indisciplinés et batailleurs qu'ils soient, il n'y en avait pas un qui n'était prêt à courir mille dangers et à donner sa vie pour le roi, la reine ou la France. La plupart étaient jeunes et, comme tous les jeunes gens, ils se croyaient immortels. Mais cela ne suffisait pas à expliquer leur témérité ni leur extraordinaire dévouement. S'ils ne payaient pas de mine, ils étaient une élite que seuls les gardes du Cardinal valaient.

— Sachez, Leprat, que l'on est très satisfait de vous au Louvre. J'ai vu Sa Majesté ce matin. Elle se souvenait de vous et vous fait encore ses compliments... Votre mission est un succès.

Détournant ses regards de la cour, Tréville fit de nouveau face à Leprat.

— On m'a chargé de vous remettre un congé, dit-il d'un ton grave.

— Merci.

— Ne me remerciez pas. Il s'agit d'un congé illimité.

Le mousquetaire se raidit, troublé et incrédule.

Un congé de quelques jours ou de quelques semaines était une récompense. Mais un congé illimité signifiait que, jusqu'à nouvel ordre, on lui retirait sa casaque.

Pourquoi ?

8

Entré dans Paris par la porte de Richelieu, un carrosse de deux chevaux emprunta la rue du même nom entre les jardins du Palais-Cardinal et la butte Saint-Roch, gagna les quais et franchit la Seine sur un pont à péage qui venait d'être construit en bois : le pont Rouge, ainsi baptisé d'après la couleur du minium dont il était badigeonné. Le carrosse gagna ainsi le faubourg Saint-Germain qui, prospérant autour de sa célèbre abbaye, était presque une ville à part entière et n'attendait que d'être administrativement absorbé par la capitale.

Un nouveau quartier sortait de terre au débouché du pont Rouge. Ici, longtemps, il n'y avait eu qu'une berge boueuse et un vaste terrain nu, le Pré-aux-Clercs, avant que la reine Marguerite de Navarre ne décide au début du siècle de s'y édifier un domaine. Ainsi naquirent un quai, un luxueux hôtel, un grand parc et le couvent des Augustins réformés. La première épouse d'Henri IV emprunta pour financer ses acquisitions et ne recula pas devant quelques malversations — d'où, dit-on, le nom de quai Malaquais, pour « mal acquis ». En 1615, elle laissa à sa mort une magnifique propriété mais aussi 1 300 000 livres de dettes ! Les créanciers accoururent. Pour les satisfaire, le domaine fut mis en adjudication et vendu par parcelles à des entrepreneurs qui tracèrent de nouvelles rues et firent bâtir.

Guidé d'une main sûre par un cocher grisonnant, solidement charpenté, qui mordait le tuyau d'une petite pipe en terre, le carrosse longea le quai Malaquais, puis prit par la rue des Saints-Pères. À hauteur de l'hôpital de la Charité, il bifurqua dans la rue Saint-Guillaume et s'arrêta bientôt devant une grande et sombre porte cloutée.

Au sein d'un écusson usé par le temps, un rapace sculpté dans une pierre sombre ornait son fronton.

*

Assis sur la première marche du perron de l'hôtel de l'Épervier, Marciac s'ennuyait et jouait seul aux dés quand il entendit le lourd heurtoir de la porte cochère. Il leva le nez, vit M. Guibot qui, clopin-clopant sur sa jambe de bois, traversait la cour pour aller voir qui frappait. Dans le même temps, Almadès s'accouda à une fenêtre ouverte.

Une femme entra peu après par le battant réservé aux piétons. Assez grande, mince, vêtue de gris et rouge, elle portait une robe dont la jupe était relevée sur la hanche droite, montrant des chausses d'homme et des bottes de cavalier. Son feutre à large bord s'ornait de deux grosses plumes d'autruche — l'une blanche, l'autre écarlate — et d'une voilette qui cachait son visage autant qu'elle le protégeait de la poussière à laquelle s'exposait quiconque accomplissait un long voyage en carrosse par des routes terreuses. On devinait sa bouche, jolie, aux lèvres pleines et sombres.

Sans s'intéresser à Marciac qui s'approchait d'elle, elle regardait l'hôtel particulier comme si elle songeait à l'acheter.

— Bonjour, madame.

Elle se tourna vers lui, le toisa sans répondre.

Mais la bouche sourit.

— Que puis-je pour votre service ? insista le Gascon.

Depuis sa fenêtre, Almadès choisit cet instant pour intervenir.

— Vous avez bien mauvaise mémoire, Marciac. Vous ne reconnaissez pas les amis.

Interloqué, Marciac recula les épaules en fronçant le sourcil, puis passa de la circonspection à la joie soudaine quand la baronne de Vaudreuil souleva sa voilette.

— Agnès !

— Bonjour, Marciac.

— Agnès ! Me permets-tu de t'embrasser ?

— Je permets.

Ils s'enlacèrent amicalement même si, avant de s'écarter, la jeune femme dut retenir une main qui s'aventurait en bas de ses reins. Mais le bonheur que le Gascon manifestait de la revoir semblait sincère, et elle ne voulait pas le gâcher.

— Quelle joie, Agnès ! Quelle joie !... Alors toi aussi, tu remontes en selle ?

Agnès montra la chevalière d'acier qu'elle avait passée sur son gant de cuir gris.

— Ma foi, dit-elle. Un jour…

— … toujours ! acheva Marciac. Sais-tu que j'ai souvent pensé à toi durant ces cinq années ?

— Vraiment ? Étais-je habillée ?

— Parfois ! s'exclama l'autre. Parfois !

— Te connaissant, c'est un assez joli compliment.

Almadès, qui avait quitté la fenêtre, sortit par la porte du corps de logis.

— Soyez la bienvenue, Agnès.

— Merci. Je suis également très contente de vous revoir. Vos leçons d'escrime m'ont manqué.

— Nous les reprendrons quand il vous plaira.

Durant ces effusions, Guibot avait peiné seul à ouvrir les deux vantaux de la porte cochère. Cela fait, le carrosse entra, conduit par Ballardieu qui sauta de son siège et, pipe au bec, souriait largement. Là encore, les retrouvailles furent gaies et bruyantes, en particulier entre le vieux soldat et le Gascon : ces deux-là partageaient quelques souvenirs de bouteilles vidées et de jupons troussés.

Il fallut dételer le carrosse, le ranger dans la remise, descendre les bagages et mettre les chevaux à l'écurie. Cette fois-ci, tout le monde prêta la main au portier qui prétendit cependant interdire à Agnès de faire quoi que ce soit. Elle n'écouta pas, mais fit volontiers connaissance avec la charmante et timide Naïs que les éclats de voix avaient tirée de sa cuisine.

La Fargue, à son tour, parut.

Sans totalement jeter un froid, son arrivée dans la cour fit baisser chacun d'un ton.

— As-tu fait bon voyage, Agnès ?

— Oui, capitaine. J'ai fait atteler dès réception de votre lettre et nous avons brûlé les étapes depuis.

— Bonjour, Ballardieu.

— Capitaine.

— C'est toujours aussi triste, ici, fit la jeune femme en montrant les sinistres pierres grises de l'hôtel de l'Épervier.

— Un peu moins maintenant, glissa Marciac.

— Sommes-nous au complet, capitaine ?

Roide et sévère, sanglé dans son pourpoint ardoise et la main sur le pommeau de son épée au fourreau, La Fargue plissa les paupières et attendit avant de répondre, le regard dirigé vers la porte cochère.

— Presque, désormais.

Les autres se retournèrent et découvrirent celui qui, une rapière blanche au côté, leur souriait sans que l'on puisse dire si ce sourire était mélancolique ou seulement attendri.

Leprat.

9

Les dimanches et jours de fêtes, quand le temps était au beau, les Parisiens allaient volontiers se distraire hors de la capitale. À l'écart des faubourgs, les villages campagnards de Vanves, Gentilly ou Belleville, les bourgs de Meudon ou Saint-Cloud jouissaient d'accueillantes auberges où boire, danser, jouer au cochonnet sous les charmilles, profiter sans rien faire d'une ombre fraîche et d'un air pur. L'ambiance était joyeuse et la licence grande, scandaleuse aux yeux de certains. Et il est vrai que des parties fines s'y improvisaient parfois le soir venu, égayées par le vin et le goût des plaisirs. La clientèle se faisant moindre en semaine, ces établissements devenaient des retraites que l'on goûtait pour leur calme et leur table — ainsi *Le Petit Maure*, à Vaugirard, devait une certaine renommée à ses petits pois et à ses fraises.

Saint-Lucq et Bailleux avaient momentanément trouvé refuge dans l'une de ces auberges. Après s'être laissés tomber dans la rivière par la fenêtre du moulin à aubes dans lequel le notaire était enfermé, ils avaient échappé aux cavaliers venus chercher le prisonnier mais le courant les avait entraînés loin de leurs chevaux. Plutôt que de rebrousser chemin vers l'ennemi, Saint-Lucq avait décidé qu'ils continueraient à pied. Ils avaient alors marché quelques heures à travers bois et champs, guettant l'horizon à l'affût des cavaliers, et arrivèrent fourbus à un village à l'entrée duquel ouvrait le porche d'une hôtellerie.

Pour l'heure, Lucien Bailleux se trouvait seul dans une chambre à l'étage. Assis à une table dressée à son intention, il mangeait avec un féroce appétit car trois jours de captivité, de mauvais traitements et de jeûne l'avaient affamé. Il était encore en chemise, celle-là même qu'il portait quand on l'avait brusquement tiré de son lit en pleine nuit. Mais au moins était-il propre grâce au bain de rivière forcé. Maigre, les traits marqués et les cheveux lui tombant devant les yeux, il ressemblait à ce qu'il était : un rescapé.

Il eut un brusque regard inquiet vers la porte quand Saint-Lucq entra sans frapper. Le sang-mêlé rapportait un paquet de vêtements qu'il jeta sur le lit.

— Pour vous. Cela appartenait à un voyageur parti sans payer.

— Merci.

— Je nous ai aussi trouvé deux chevaux sellés, poursuivit Saint-Lucq en risquant un rapide coup d'œil par la fenêtre. Savez-vous monter ?

— Euh… Oui. Un peu… Croyez-vous que les cavaliers sont toujours après nous ?

— J'en suis sûr. Ils vous veulent et ne désarmeront pas… Les cadavres des brigands que j'ai tués au moulin étaient encore chauds quand ils sont arrivés. De fait, ces cavaliers savent que nous ne leur avons échappé que de très peu. Et s'ils ont trouvé les chevaux avec lesquels je comptais que nous fuirions, ils savent que nous sommes deux et que nous allons à pied. Ne doutez pas qu'ils battent la campagne à notre recherche en ce moment même.

— Mais nous leur échapperons, n'est-ce pas ?

— Nous avons nos chances si nous ne traînons pas. Après tout, ils ignorent où nous allons.

— À Paris ?

— Pas avant d'avoir récupéré le papier. Pas avant de l'avoir mis en lieu sûr. Habillez-vous.

Peu après, Bailleux achevait de se vêtir quand il craqua. Il se laissa tomber assis sur le lit, se prit le visage dans les mains et éclata en sanglots.

— Je… Je ne comprends pas, lâcha-t-il…

— Quoi ? fit le sang-mêlé impassible.

— Pourquoi moi ? Pourquoi est-ce que tout cela m'arrive à moi ?… Je mène une existence des plus réglées. J'ai étudié et travaillé avec mon père avant d'hériter de son office. J'ai épousé la fille d'un collègue. Je fus un bon fils et je crois être un bon époux. Je prie et fais la charité. Je mène mes affaires dans l'honneur et l'honnêteté. En retour, je n'ai jamais demandé qu'à vivre en paix… Alors pourquoi ?

— Vous avez ouvert le mauvais testament. Et ce qui est pire, vous l'avez fait savoir.

— Mais c'était mon devoir de notaire !

— Sans doute.

— C'est injuste.

À cela, Saint-Lucq ne répondit pas.

De son point de vue, il n'y avait pas de justice. Il n'y avait que les puissants et les faibles, les riches et les pauvres, les loups et les agneaux, les vivants et les morts. Le monde était ainsi et serait toujours. Tout le reste n'était que littérature.

Il s'approcha du notaire dans l'espoir de l'encourager à se ressaisir. Celui-ci se releva soudain et le serra fort contre lui. Le sang-mêlé se raidit tandis que l'autre disait :

— Merci, monsieur. Merci… J'ignore qui vous êtes au juste. J'ignore qui vous envoie… Mais sans vous… Mon Dieu, sans vous !… Croyez en ma reconnaissance éternelle, monsieur. Il n'y a rien, désormais, que je puisse vous refuser. Vous m'avez sauvé. Je vous dois la vie.

Lentement mais fermement, Saint-Lucq s'écarta.

Puis, les mains posées sur les épaules de Bailleux, il le secoua et ordonna :

— Regardez-moi, monsieur.

Le notaire obéit et les verres incarnats des bésicles lui rendirent son regard.

— Ne me remerciez pas, poursuivit Saint-Lucq. Et ne vous souciez pas plus de savoir qui m'emploie, que pourquoi. Je fais ce que je fais parce que l'on me paie. Vous seriez mort si l'on avait voulu que je vous tue. Alors ne me remerciez jamais plus. Ma place n'est ni dans les romans, ni dans les chroniques du temps. Je ne suis pas un héros. Je ne suis qu'une épée. Contrairement à vous, je ne mérite aucune estime.

D'abord incrédule, Bailleux accusa le coup de cette déclaration.

Enfin, comme estourbi, il acquiesça et se coiffa du béret que le sang-mêlé lui avait rapporté.

— Hâtons-nous, conclut Saint-Lucq. Chaque minute passée est une minute perdue.

Le notaire quitta la chambre le premier et tandis qu'il montait malhabilement en selle dans la cour de l'auberge, le sang-mêlé resta un moment à l'intérieur pour payer le patron et lui glisser quelques mots à l'oreille. L'homme écouta attentivement les consignes, puis acquiesça en empochant une pièce d'or supplémentaire.

Moins d'une demi-heure après le départ de Saint-Lucq et Bailleux, des cavaliers armés arrivèrent. L'aubergiste les attendait sur le pas de sa porte.

10

À l'hôtel de l'Épervier, dans la grande salle, les Lames du Cardinal achevaient de déjeuner.

Assis au bout de la table en chêne brut, La Fargue discutait assez sérieusement avec Leprat et Agnès. Près d'eux, Marciac écoutait, intervenait parfois, se contentait sinon de se balancer sur sa chaise et de battre un jeu de cartes qui, immanquablement, livrait ses quatre as sur le dessus. Almadès, silencieux, attendait. Quant à Ballardieu, il digérait en fumant une pipe et en sirotant un fond de vin, non sans lorgner les hanches de Naïs qui desservait.

— Jolie fille, pas vrai ? lui avait glissé Marciac au premier regard adressé par le vieux soldat à l'accorte cuisinière.

— Oui. Très.

— Mais peu bavarde. Presque muette.

— J'y vois un avantage.

— Vraiment ? L'étrange idée…

Tous avaient plus ou moins appréhendé ce repas qui, passé les immédiates et sincères embrassades des premières retrouvailles, les obligerait à prendre la vraie mesure de leur amitié. Que restait-il de ce qu'ils avaient été ? On ne sait jamais ce que des amis perdus de vue depuis longtemps peuvent être devenus, et les circonstances qui avaient entraîné la dissolution des Lames au siège de La Rochelle couchaient un voile de deuil sur les souvenirs. Ce voile, cependant, ne dura pas et les liens anciens furent bientôt renoués.

Telle qu'elle s'était tout naturellement imposée, la répartition des convives autour de la table exprimait autant d'affinités que d'habitudes retrouvées. Ainsi le capitaine présidait, en conciliabule avec Leprat et Agnès qu'il consultait volontiers, le mousquetaire faisant même office de lieutenant au sein de l'organisation très informelle des Lames. Marciac, légèrement en retrait, était celui dont on connaissait la valeur et les talents mais qui se plaisait à la marge, ne déméritait jamais et aurait trouvé injurieux qu'on le considère aux ordres. Sérieux et recueilli, Almadès n'attendait que d'être sollicité. Et Ballardieu, habitué aux longs préludes avant la bataille, profitait de l'instant.

Trois Lames, seulement, manquaient à l'appel. L'une avait disparu comme si les ténèbres tourmentées dont elle était sortie un temps l'avaient aussitôt engloutie après La Rochelle. L'autre avait trahi et personne, encore, n'avait osé prononcer son nom. La dernière, enfin, avait péri et sa perte était une blessure qui saignait dans toutes les mémoires.

Tandis que Naïs quittait la pièce avec les dernières assiettes, Agnès interrogea La Fargue du regard, qui comprit et acquiesça. Alors la jeune femme se leva et, très émue, dit :

— Je crois, messieurs, qu'il est temps de lever notre verre en l'honneur de celui que seule la mort pouvait retenir loin d'ici.

Tous se dressèrent, verre en main.

— À Bretteville ! fit La Fargue.

— À BRETTEVILLE ! lancèrent les autres en chœur.

— À Bretteville, répéta Agnès d'une voix étranglée, comme pour elle-même.

Les Lames se rassirent, partagées entre la joie d'avoir connu Bretteville, la fierté de l'avoir aimé et la tristesse de l'avoir perdu.

*

— Nous avons une mission, dit La Fargue après un moment.

On écouta.

— Il s'agit de retrouver un certain chevalier d'Irebàn.

— Qu'a-t-il fait ? s'enquit Agnès.

— Rien. Il a disparu et l'on s'inquiète pour sa vie.

— Les gens qui ne font rien ne disparaissent pas, décréta Almadès d'une voix neutre.

— Un Espagnol ? s'étonna Marciac.

— Oui, fit le capitaine.

— Alors que l'Espagne s'emploie à le retrouver !

— C'est précisément ce que le Cardinal souhaite éviter.

La Fargue se leva, fit le tour de sa chaise et s'appuya au dossier, mains réunies.

— Le chevalier d'Irebàn, reprit-il, est l'héritier d'un Grand d'Espagne. Un héritier secret et indigne. Un jeune débauché qui, sous ce nom d'emprunt, est venu dépenser à Paris sa fortune prochaine.

— Quel est son véritable nom ? demanda Almadès.

— Je l'ignore. Il semble que l'Espagne veuille garder le secret sur ce point.

— Sans doute par peur d'un scandale, supposa Ballardieu. Si le père est un Grand d…

— « Si » ! l'interrompit Marciac. Doit-on prendre pour argent comptant tout ce que prétend l'Espagne ?

Mais La Fargue fit taire le Gascon d'un regard et poursuivit :

— Le père est au plus mal. Il sera bientôt mort. Et l'Espagne voulait ramener le fils au bercail quand elle s'aperçut de sa disparition. Irebàn semble s'être évaporé du jour au lendemain et l'on craint qu'il n'ait fait quelque mauvaise rencontre à Paris.

— S'il menait une vie de débauche, nota Agnès, c'est probable. Et si ses mauvaises fréquentations ont découvert qui il est réellement…

— Encore des « si », souligna Marciac à voix basse.

— Par la bouche d'un émissaire spécial, enchaîna La Fargue, l'Espagne a fait part de la situation, de ses inquiétudes et de ses intentions au roi.

— De ses « intentions » ? fit Ballardieu.

— L'Espagne veut le retour d'Irebàn et, en un mot comme en cent, elle menace de dépêcher à cette fin des agents dans le royaume si la France ne fait pas le nécessaire. C'est là que nous intervenons.

Leprat rongeait son frein depuis trop longtemps.

N'y tenant plus, il se leva et fit les cent pas en fulminant, silencieux, visage fermé et prunelle incendiée. En premier lieu, que l'Espagne fixe des conditions à la France n'était pas pour lui plaire. Mais, surtout, il n'avait pas raccroché sa casaque de mousquetaire pour découvrir le jour même qu'il allait servir un pays étranger.

Un pays ennemi.

La Fargue s'attendait à cette réaction de la part de ses Lames.

— Je sais ce que tu penses, Leprat.

L'autre interrompit ses va-et-vient.

— Vraiment, capitaine ?

— Je le sais car je pense comme toi. Mais je sais aussi que Richelieu tente en ce moment un rapprochement avec l'Espagne. La France ira bientôt combattre en Lorraine et peut-être dans le Saint Empire. Elle ne peut pas se permettre d'être menacée sur la frontière des Pyrénées. Il lui faut plaire à l'Espagne et lui donner des gages d'amitié.

Leprat soupira.

— Soit. Mais pourquoi nous ? Pourquoi rappeler les Lames ? Le Cardinal ne manque pas d'espions, que je sache.

Le capitaine ne répondit pas.

— La mission est délicate, commença Agnès…

— … et nous sommes les meilleurs, ajouta Marciac.

Mais pour agréables qu'elles soient à dire ou à entendre, ces explications ne satisfaisaient personne.

Il y avait là un mystère qui occupa les pensées de chacun.

Un silence s'étira, puis le Gascon dit :

— Nous ignorons jusqu'au véritable nom de ce chevalier d'Irebàn et ce n'est pas l'Espagne qui nous en apprendra plus le concernant. Supposons qu'il vive. Supposons qu'il se cache ou soit retenu prisonnier. Reste qu'il y a quelque cinq cent mille âmes à Paris. En retrouver une, même espagnole, ne sera pas aisé.

— Nous avons une piste, annonça La Fargue. Elle est mince et sans doute froide, mais elle a le mérite d'exister.

— Laquelle ? s'enquit Agnès.

— Irebàn n'est pas venu à Paris seul. Il a un compagnon de débauche. Un gentilhomme de fortune, espagnol lui aussi. Un aventurier duelliste à ses heures et grand connaisseur des nuits de Paris. L'homme se fait appeler Castilla. C'est par lui que nous commencerons. Almadès, Leprat, vous m'accompagnerez.

Les intéressés acquiescèrent.

— Marciac, reste ici et fais avec Guibot l'inventaire de tout ce qui peut nous manquer. Mais dès ce soir, tu feras le tour des cabarets et des maisons de jeux susceptibles d'être fréquentés par Irebàn et Castilla.

— Entendu. Mais ces lieux sont nombreux à Paris.

— Tu feras ton possible.

— Et moi ? demanda la baronne de Vaudreuil.

La Fargue marqua un temps.

— Toi, Agnès, tu as une visite à faire. Acquitte-t'en.

Elle comprit avant d'échanger un regard avec Ballardieu.

*

Plus tard, La Fargue alla rejoindre Leprat qui sellait les chevaux dans l'écurie.

— Je sais qu'il t'en coûte, Leprat. Pour nous autres, le retour au sein des Lames est un bienfait. Mais pour toi…

— Pour moi ?

— Ta carrière chez les mousquetaires de la garde est toute tracée. Rien ne t'oblige à y renoncer et si tu veux mon avis…

Le capitaine n'acheva pas.

L'autre eut un sourire ému et songea à ce que M. de Tréville lui avait dit en lui remettant son nouvel ordre de mission :

— Vous êtes l'un de mes meilleurs mousquetaires.

Je ne tiens pas à vous perdre, surtout si vous souhaitez conserver votre casaque. Je prendrai votre parti. Je soutiendrai au roi et au Cardinal que vous m'êtes indispensable, ce qui n'est que vérité. Vous pouvez rester. Vous n'avez qu'un mot à dire.

Or ce mot, Leprat ne l'avait pas dit.

— Cette mission ne m'inspire pas confiance, renchérit La Fargue. L'Espagne ne joue pas franc jeu. Je crains qu'elle ne veuille nous utiliser que pour son seul bénéfice, et peut-être même aux dépens de la France… Au mieux, nous n'y gagnerons rien. Tandis que toi, tu as beaucoup à perdre.

L'ancien mousquetaire acheva de serrer une sangle, puis flatta la croupe de sa nouvelle monture. C'était une belle bête alezane, cadeau de M. de Tréville.

— Puis-je te parler librement ? demanda-t-il.

Il ne tutoyait son capitaine qu'en privé.

— Bien sûr.

— Je suis un soldat : je sers où l'on me dit de servir. Et si cela ne suffisait pas, je suis une Lame.

11

Pour Ballardieu, les véritables retrouvailles avec Paris eurent lieu sur le Pont-Neuf. Car si le marché des Halles était son ventre et si le Louvre était sa tête, le Pont-Neuf était le cœur de la capitale. Un cœur qui l'irriguait, lui donnait vie et mouvement, animait le grand flux populeux qui parcourait ses rues. Tout le monde, en effet, empruntait le Pont-Neuf. Par commodité d'abord, puisqu'il permettait d'aller directement d'une rive à l'autre, sans passer par l'île de la Cité et son entrelacs de venelles médiévales. Mais aussi par plaisir.

Achevé à la fin du règne d'Henri IV, le Pont-Neuf devait originellement soutenir des maisons, comme il était de règle dans une ville où le moindre espace à bâtir se trouvait exploité. On y renonça pour ne pas gâcher la vue que la famille royale avait depuis ses fenêtres du Louvre sur la Cité. De ce projet, restèrent les deux larges banquettes, hautes de six marches, qui bordaient la chaussée pavée. Ces banquettes devinrent des trottoirs, les premiers de Paris, depuis lesquels il était permis d'admirer la Seine et de profiter du grand air sans craindre d'être renversé par un carrosse ou un cavalier. Les Parisiens apprécièrent bientôt la promenade. Artistes de rue et commerçants s'installèrent le long des parapets et dans les demi-lunes, si bien que le Pont-Neuf devint une foire permanente où l'on se bousculait.

— Bon sang ! lâcha Ballardieu en prenant une grande aspiration. Je me sens revivre !

Plus réservée, Agnès sourit.

À pied, ils avaient franchi la porte de Nesle et étaient passés devant l'hôtel de Nevers pour arriver au Pont-Neuf. C'était le chemin le plus court menant au Louvre, où ils se rendaient.

— Quel bien ça fait ! ajouta le vieux soldat ravi. Tu ne trouves pas ?

— Si.

— Et rien n'a changé ! Regarde, je me souviens de ce pitre !

Il désignait un escogriffe au manteau troué qui, monté sur un pauvre cheval aussi efflanqué que lui, vantait les mérites d'une poudre qui « conservait les dents ». Qu'il ne lui en reste plus qu'une en bouche ne semblait pas entamer sa conviction ni gêner son auditoire.

— Et là-bas ! Tabarin et Mondor !... Viens, allons les écouter.

Tabarin et Mondor étaient des saltimbanques célèbres qui avaient chacun leurs tréteaux à l'entrée de la place Dauphine. Pour l'heure, l'un chantait une chanson paillarde et l'autre, armé d'un clystère immense, jouait les médecins ridicules et proposait à qui voulait de lui « laver le cul bien rose ». Leurs spectateurs s'esclaffaient.

— Plus tard, dit Agnès. Au retour.

— Tu n'es pas drôle, gamine.

— Te souviens-tu que je suis baronne ?

— Une baronne que j'ai connue sans fesses ni tétons, qui monta sur mes épaules et à qui j'ai fait boire son premier verre d'eau-de-vie.

— À huit ans ! Le bel exploit… Je me souviens avoir rendu tripes et boyaux la nuit durant.

— Cela forge le caractère. Et j'en avais six quand mon père fit ce que je fis pour vous, madame la baronne de Vaudreuil. Auriez-vous à redire sur l'éducation qu'il plut à mon père de me donner ?

— Allez, vieille bête. Avance donc… Au retour, te dis-je.

— Promis ?

— Oui.

Le trafic des carrosses, chevaux, chariots et autres charrettes à bras était si dense que l'on pouvait à peine traverser, tandis que l'on piétinait sur les trottoirs. Charlatans, commerçants, bateleurs, montreurs de dragonnets savants, arracheurs de dents — « Aucune douleur ! Je remplace celle ôtée ! » — et autres chansonniers se donnaient en spectacle ou appâtaient le chaland en italien, en espagnol, voire en latin ou en grec pour faire docte. Les bouquinistes étaient nombreux, qui proposaient à bas prix des livres fripés, écornés, déchirés, mais parmi lesquels s'exhumaient parfois des trésors. Tous avaient dressé leurs estrades, leurs baraques, leurs tentes, leurs étals. Les emplacements étaient chers et âprement disputés. Ceux qui n'y avaient pas droit laissaient des écriteaux indiquant leurs noms, adresses et spécialités. D'autres — bouquetières, chapeliers en vieux, marchands d'eau-de-vie — criaient fort et allaient d'une rive à l'autre, un éventaire sur le ventre ou poussant une carriole. Tout se vendait et s'achetait sur le Pont-Neuf. On y volait également beaucoup, car il n'est pas de foule oisive qui n'attire la canaille.

Agnès dépassait la fameuse « vyverne de bronze » — qui, sur son piédestal de marbre, attendait encore en 1633 d'être montée par une statue d'Henri IV — quand elle s'aperçut qu'elle marchait seule. Revenant sur ses pas, elle trouva Ballardieu arrêté par une gitane qui jouait du tambourin et dansait lascivement dans le frétillement métallique des sequins ornant sa jupe. Agnès entraîna le vieux soldat en le tirant par la manche. Il suivit à reculons d'abord, s'empêtra les jambes dans son fourreau d'épée, dressa bientôt l'oreille à l'appel suivant :

— Hasard à la blanque ! De trois coups personne ne manque ! Pour un sou, vous aurez six balles ! Hasard à la blanque !

Celui qui s'égosillait ainsi proposait de jouer à la « blanque », c'est-à-dire à la loterie. Il faisait tourner une roue et avait devant lui ce que l'on pouvait gagner : un peigne, un miroir, un chausse-pied, tout un bric-à-brac ordinaire qui ne payait guère de mine quand on y regardait à deux fois. Ballardieu tenta sa chance, fut heureux, remporta une tabatière dont le couvercle était à peine ébréché. Et il voulait la montrer à la jeune baronne dont la patience s'épuisait quand une sonnerie de trompettes retentit.

Intriguée, incertaine, la foule tendit le cou dans un grand murmure.

De la rive gauche, des soldats du régiment des gardes françaises arrivaient pour ouvrir la voie. Ils chassèrent voitures et cavaliers du pavé, repoussèrent les piétons sur les trottoirs et firent trois rangs sur les marches, au garde-à-vous, pique tenue droite ou mousquet sur l'épaule. Les tambours alignés battirent la caisse tandis qu'avançaient les Suisses de la garde, puis une troupe d'élégants cavaliers — officiers, seigneurs, courtisans. Des pages revêtus de la livrée royale suivaient à pied et, de part et d'autre du cortège, les célèbres cent-suisses avec leurs hallebardes. Vint le carrosse royal, tout doré, tiré par six magnifiques chevaux et entouré d'une escorte de gentilshommes. Était-ce vraiment le roi que l'on devinait de profil à l'intérieur ? Peut-être. Tenue à distance par la haie de piques et de mousquets, la foule n'acclamait pas. Elle se tenait respectueuse et silencieuse, comme recueillie, tête nue. D'autres carrosses défilèrent. L'un d'eux était sans armoiries, aussi blanc que son attelage. Il appartenait à la mère abbesse de l'ordre des Sœurs de Saint-Georges — les fameuses « Dames blanches » qui, depuis deux siècles, protégeaient la cour de France contre la menace draconique.

Comme tout le monde, Agnès s'était arrêtée, tue et découverte.

Mais le carrosse royal l'intéressa moins que celui, immaculé, dont elle fut incapable de détacher le regard dès qu'elle l'aperçut. Quand il arriva à sa hauteur, une main gantée de blanc souleva le rideau et une femme montra la tête. La mère abbesse ne chercha pas. Elle trouva aussitôt les yeux d'Agnès et y riva les siens. Ce fut long et lent, comme si la voiture blanche allait au ralenti, comme si le temps renâclait à interrompre l'échange silencieux de deux êtres, de deux âmes.

Puis le carrosse passa.

La réalité reprit ses droits et le cortège s'éloigna avec son martèlement de sabots sur le pavé. Le régiment de garde française, en bon ordre, abandonna les trottoirs et s'en fut. Le Pont-Neuf, bien vite, renoua avec son animation coutumière.

Seule Agnès, tournée vers le Louvre, restait immobile.

— Voilà un regard que je n'aurais pas aimé essuyer, dit Ballardieu près d'elle. Et quant à le soutenir…

La jeune femme eut un haussement d'épaules fataliste.

— Cela m'épargne au moins d'aller jusqu'au Louvre.

— Tu n'iras pas lui parler ?

— Pas ce jourd'hui… Et pour quoi faire ? Elle me sait de retour. Cela suffit.

Et bien décidée à songer à autre chose, Agnès sourit au vieux soldat :

— Alors ? demanda-t-elle. Y allons-nous ?

— Où ?

— Mais écouter Tabarin et Mondor, pardi !

— Tu es sûre ?

— J'ai promis, non ?

12

Ils arrivèrent à la chapelle en milieu d'après-midi.

Elle se dressait en rase campagne, là où une route déserte croisait un chemin caillouteux. Un troupeau de moutons paissait non loin. Un moulin dont les ailes tournaient lentement dominait un paysage de vertes collines.

— Nous y sommes, dit Bailleux depuis l'orée d'un bois.

Saint-Lucq et lui étaient en selle côte à côte mais, plutôt que la chapelle, le sang-mêlé regardait les environs.

Il avait aperçu un nuage de poussière.

— Attendez, dit-il.

Le nuage approchait.

On y distinguait à présent des cavaliers allant au trot sur la route. Ils étaient quatre, peut-être cinq, tous armés d'épées. Ce n'était pas la première fois que Saint-Lucq et le notaire les repéraient depuis qu'ils avaient quitté l'auberge. Eux ou d'autres, d'ailleurs. Mais qui n'avaient sans doute qu'un but : mettre la main sur Bailleux et lui arracher son secret.

— Laissez-les passer, dit, très calme, le sang-mêlé.

— Mais comment peuvent-ils savoir que c'est ici que…, s'inquiéta l'autre.

— Ils ne savent pas. Ils cherchent, c'est tout. Calmez-vous.

Les cavaliers firent halte un instant au croisement avec le chemin. Puis ils se séparèrent en deux groupes qui prirent des directions différentes. Peu après, tous avaient disparu au loin.

— Voilà, dit Saint-Lucq avant de piquer des talons.

Bailleux le rattrapa alors qu'ils descendaient une pente herbue au petit trot.

— Je crois que c'est là qu'eut lieu le baptême. C'est sans doute pour ça que…

— Oui, sans doute, l'interrompit le sang-mêlé.

Ils mirent bientôt pied à terre sur un carré de terre battue et entrèrent dans la chapelle. Elle était basse, fraîche, nue, emplie d'un air chargé de poussière. Nul ne semblait plus la fréquenter depuis longtemps.

Peut-être servait-elle de refuge aux voyageurs égarés par mauvais temps.

Saint-Lucq ôta ses bésicles dans la pénombre, massa du pouce et de l'index ses yeux fatigués, et balaya le décor d'un lent regard circulaire. Le notaire, presque aussitôt, désigna une statue de saint Christophe dressée sur un piédestal dans une niche.

— Si le testament dit vrai, c'est là.

Ils approchèrent, examinèrent la statue.

— Il faut la pencher, dit Bailleux. Ce ne sera pas aisé.

Le poids de la statue peinte aurait représenté une difficulté si Saint-Lucq avait voulu l'épargner. Mais il s'arc-bouta, poussa, fit basculer le saint Christophe qui tomba lourdement et se brisa sur les dalles de pierre.

Bailleux se signa devant ce sacrilège.

Quelqu'un avait jadis glissé sous la statue une enveloppe qui exposait maintenant son cuir craquelé sur le piédestal. Le notaire la prit, l'ouvrit, déplia avec soin une page arrachée à un ancien registre de baptême. Le papier parcheminé menaçait de casser aux pliures.

— C'est ça ! s'exclama-t-il. C'est bien ça !

Le sang-mêlé tendit la main.

— Donnez.

— Mais me direz-vous enfin de quoi il retourne exactement ? Le savez-vous, au moins ?

Saint-Lucq réfléchit, arriva à la conclusion que l'autre avait le droit de savoir.

— Ce papier prouve les droits légitimes d'une certaine personne à un héritage. Une couronne ducale accompagne cet héritage.

— Mon Dieu !

Bailleux voulut lire sur la page quel nom prestigieux y apparaissait, mais le sang-mêlé la lui arracha prestement. D'abord surpris, l'autre se raisonna.

— C'est… C'est sans doute mieux ainsi… J'en sais déjà bien trop, n'est-il pas ?

— Oui.

— Mais tout est fini, désormais. Je ne serai plus jamais inquiété.

— Bientôt.

Ils entendirent alors des cavaliers qui arrivaient.

— Nos chevaux ! s'exclama Bailleux à mi-voix. Ils ont dû voir nos chevaux !

Les cavaliers s'arrêtèrent devant la chapelle mais ne semblèrent pas descendre de selle. Apaisés après la course, leurs chevaux s'ébrouaient. À l'intérieur de la chapelle, de longues secondes s'écoulèrent dans le silence. Il n'y avait aucune issue.

Paniqué, le notaire ne s'expliquait pas le calme absolu du sang-mêlé.

— Ils vont entrer ! Ils vont entrer !

— Non.

D'un geste sec et précis, Saint-Lucq poignarda Bailleux au cœur. L'homme mourut sans comprendre, tué par celui qui l'avait d'abord sauvé. Avant de s'éteindre, son regard incrédule trouva celui, rouge et impassible, de son assassin.

Le sang-mêlé retint le cadavre et le coucha avec précaution.

Puis il essuya soigneusement sa dague, la rengaina en marchant vers la porte d'un pas égal et sortit dans le grand jour éblouissant. Là, il remit ses bésicles aux verres rouges, leva les yeux vers le ciel, prit une profonde inspiration. Enfin, il considéra les cinq cavaliers en armes qui attendaient devant lui sur un rang.

— C'est fait ? demanda l'un d'eux.

— C'est fait.

— A-t-il cru que nous vous poursuivions ?

— Oui. Vous avez parfaitement joué votre rôle.

— Et pour le paiement ?
— Voyez avec Rochefort.

Le cavalier acquiesça et la troupe partit au galop.

Saint-Lucq les accompagna du regard jusqu'à l'horizon et resta seul.

13

L'après-midi commençait quand on vint chercher Laincourt.

Sans un mot, deux geôliers du Châtelet le tirèrent de son cachot et le menèrent par des couloirs humides et un escalier en colimaçon qui montait. Le prisonnier ne posa aucune question : il les savait inutiles. Il avait les chevilles et les poignets libres. Sans doute aurait-il pu venir à bout de ses gardiens, dont l'un allait devant avec une lanterne et l'autre derrière. Sûrs de leur force, trop confiants, ils n'étaient armés que de matraques portées à la ceinture. Mais une évasion n'était pas à l'ordre du jour.

Ils dépassèrent le rez-de-chaussée, ce qui indiqua à Laincourt qu'ils ne quitteraient pas le Châtelet. Enfin, au premier, le geôlier qui ouvrait la marche s'arrêta devant une porte close. Il se tourna vers le prisonnier, lui fit signe de tendre les poignets et son collègue les attacha avec une lanière de cuir. Puis il fit jouer le loquet et s'effaça. L'autre geôlier voulut pousser Laincourt. Mais celui-ci eut un brusque mouvement d'épaule quand il sentit qu'on le touchait et il entra de son propre chef. On referma derrière lui.

C'était une pièce basse et froide, au sol dallé, aux murs nus. Le jour glissait des rais obliques et pâles par des fenêtres étroites, anciennes meurtrières désormais équipées de châssis et de carreaux de verre sales.

Il y avait une cheminée, où l'on venait d'allumer un feu dont la chaleur peinait encore à combattre l'humidité ambiante. Les bougies de deux grands chandeliers brûlaient sur une table et, à cette table, le cardinal de Richelieu était assis, frileusement emmitouflé dans un manteau à col de fourrure. Botté, vêtu en cavalier, il avait gardé ses gants, cependant que le grand chapeau destiné à garantir son incognito hors du Palais-Cardinal était posé devant lui.

— Approchez, monsieur.

Laincourt obtempéra et se tint devant la table, à une distance qui ne menaçait pas la sécurité de Richelieu.

Ce dernier n'était pas venu seul. Sans sa casaque ni rien qui puisse indiquer son identité ou sa fonction, le capitaine Saint-Georges, officier commandant de la garde du Cardinal, était debout à la droite de son maître, légèrement en retrait, l'épée au côté et le regard exprimant un mélange de haine et de mépris. L'un des innombrables secrétaires de Richelieu avait également fait le déplacement : il occupait un tabouret, avait une écritoire sur les cuisses et se tenait prêt à retranscrire les détails de l'entretien.

— Ainsi, fit le Cardinal, vous m'espionniez…

Le secrétaire commença aussitôt à faire crisser sa plume d'oie sur le papier.

— Oui, répondit Laincourt.

— C'est très mal. Depuis longtemps ?

— Assez.

— Depuis votre trop longue mission en Espagne, j'imagine.

— Oui, monseigneur.

Saint-Georges tressaillit.

— Traître, fit-il entre ses dents.

Richelieu leva aussitôt une main pour lui intimer

le silence et, constatant qu'il était obéi, s'adressa de nouveau au prisonnier.

— Je vous dirais bien, comme un reproche, que je vous honorais de ma confiance, mais c'était là un préalable nécessaire à l'exercice de votre métier. Après tout, que vaut un espion dont on se défie ?... Cependant, il me semblait vous avoir bien traité. Alors pourquoi ?

— Il est des causes qui dépassent ceux qui les servent, monseigneur.

— Par idéal, donc... Oui, je le puis comprendre... Étiez-vous bien payé, néanmoins ?

— Oui.

— Par qui ?

— L'Espagne.

— Mais encore ?

— La Griffe noire.

— Monseigneur ! intervint un Saint-Georges frémissant de colère. Ce traître ne mérite pas que vous lui adressiez la parole !... Confions-le aux bourreaux. Ils sauront lui faire dire tout ce qu'il sait.

— Allons, capitaine, allons... Il est vrai que l'on dit tout, tôt ou tard, à un bourreau expert. Mais l'on dit aussi n'importe quoi... Et d'ailleurs, vous constatez que M. de Laincourt ne fait aucune difficulté pour nous répondre.

— Alors qu'on le juge et qu'on le pende !

— Pour cela, nous verrons.

Richelieu revint à Laincourt qui, durant cet échange, était resté de marbre.

— Vous ne semblez pas redouter, monsieur, le sort qui vous attend. Il n'a pourtant rien d'enviable... Seriez-vous un fanatique ?

— Non, monseigneur.

— Alors éclairez ma lanterne, voulez-vous ? D'où vous vient ce calme ?

— Votre Éminence le sait ou l'a déjà deviné.

Le Cardinal sourit tandis que Saint-Georges explosait en amorçant un pas en avant, main à l'épée.

— Pas d'insolence ! Répondez !

Richelieu dut de nouveau tempérer ses ardeurs.

— Je gage, monsieur de Laincourt, que vous avez conservé par-devers vous un document qui vous protège.

— En effet.

— Il s'agit d'une lettre, n'est-ce pas ? D'une lettre et d'une liste.

— Oui.

— On écrit toujours trop… Que demandez-vous en échange ?

— La vie. La liberté.

— C'est beaucoup.

— En outre, je n'échange pas.

Saint-Georges en resta bouche bée, tandis que le Cardinal fronçait les sourcils et, coudes sur la table, réunissait ses dix doigts en clocher devant ses lèvres minces.

— Vous n'échangez pas, reprit-il. Vendez-vous ?

— Non plus.

— Alors je ne comprends pas.

— La lettre que vous savez cessera de me protéger dès qu'elle sera entre vos mains. On n'abandonne pas sa cuirasse devant l'ennemi.

— L'ennemi peut promettre la paix…

— L'ennemi peut promettre tout ce qu'il veut.

Cette fois, Richelieu leva la main avant même que son capitaine ne réagisse. Le secrétaire, sur son tabouret, hésita à prendre note de cette repartie. Dans l'âtre, une bûche dévorée bougea et le feu gagna en force.

— Je veux cette lettre, affirma le Cardinal après un

moment. Considérant que vous ne voulez pas vous en défaire, je puis vous livrer au bourreau. Il vous fera avouer où vous la cachez.

— Je l'ai remise à une personne de confiance. Une personne que son rang et sa naissance protègent. Même de vous.

— Ces personnes-là sont rares. Dans le royaume, elles se comptent sur les doigts d'une main.

— Une main gantée d'acier.

— D'acier anglais ?

— Peut-être.

— La manœuvre est habile.

Laincourt s'inclina légèrement.

— J'ai été à bonne école, monseigneur.

Richelieu chassa le compliment d'un geste vague, comme on chasse distraitement un insecte agaçant.

— La personne dont nous parlons connaît-elle la nature du papier que vous lui avez confié ?

— Certes non.

— Alors que proposez-vous ?

— Monseigneur, vous vous trompez en disant que vous désirez retrouver cette lettre.

— Vraiment ?

— Car vous souhaitez la détruire, n'est-ce pas ? Ce que vous désirez en priorité, c'est que cette lettre reste inconnue de tous à jamais.

Le Cardinal se renfonça dans son fauteuil et fit signe au secrétaire de cesser d'écrire.

— Il me semble deviner vos intentions, monsieur de Laincourt. Vous voulez la vie, la liberté, et en retour vous vous engagez à ce que ce trop compromettant papier reste où il est. Ainsi garantira-t-il votre sécurité. Si je vous fais emprisonner ou tuer, son secret sera immédiatement révélé. Mais quelles garanties m'offrez-vous en retour ?

— Plus rien ne me protégera de vous si je dévoile le secret de cette lettre, monseigneur. Et je sais qu'où que j'aille, ce ne sera jamais assez loin pour vous échapper. Si je veux vivre…

— Mais voulez-vous vivre, monsieur de Laincourt ?

— Oui.

— En ce cas, songez plutôt à vos maîtres. Songez à la Griffe noire. Le levier que vous employez sur moi ne vaut pas sur elle. Au contraire, la Griffe noire a tout intérêt à ce que le secret qui nous lie soit révélé. Alors qui vous protégera d'elle ? Je devrais même dire : qui *nous* protégera d'elle ?

— Ne vous en inquiétez pas, monseigneur. J'ai pris, à l'égard de la Griffe noire, certaines dispositions.

Le Cardinal attira alors l'attention du secrétaire et lui désigna la porte. L'homme comprit et sortit en emportant son écritoire.

— Vous aussi, monsieur, ajouta Richelieu à l'adresse de Saint-Georges.

Le capitaine crut d'abord avoir mal entendu.

— Pardon, monseigneur ?

— Laissez-nous, je vous prie.

— Mais, monseigneur ! Vous n'y songez pas !

— N'ayez crainte. M. de Laincourt est un espion, pas un assassin. Et d'ailleurs, il me suffira d'appeler pour vous faire revenir, n'est-ce pas ?

À regret, Saint-Georges quitta la pièce et alors qu'il refermait la porte, il entendit :

— Vous êtes décidément un homme très prévoyant, monsieur de Laincourt. Expliquez-moi donc de quoi il retourne…

— Il n'habite plus ici, messieurs.

— Depuis long ?

— Assez.

La Fargue et Leprat discutaient avec le patron d'une auberge de la rue de la Clef, dans le faubourg Saint-Victor. Tandis qu'Almadès gardait les chevaux à l'extérieur, les deux autres avaient pris une table, commandé du vin et invité le tenancier à apporter un troisième verre pour lui.

— Asseyez-vous, monsieur. Nous désirons vous parler.

L'homme avait hésité un moment. En essuyant ses grosses mains rouges à son tablier taché, il avait balayé la salle du regard, comme pour vérifier qu'il n'avait pas mieux à faire.

Puis s'était assis.

La Fargue savait que Castilla, le compagnon de débauche du chevalier d'Irebàn, avait vécu ici. Malheureusement, ce n'était plus le cas.

— Soyez plus précis, je vous prie. Quand est-il parti ?

— Attendez que j'y réfléchisse... Il y a de cela une semaine, je pense. Il a pris ses affaires une nuit et n'est plus revenu.

— Pressé, donc.

— Je le crois, oui.

— A-t-il logé ici longtemps ? demanda Leprat.

— Deux bons mois.

— Seul ?

— Oui.

— Pas de visiteur ?

Devenu méfiant, l'aubergiste se recula sur sa chaise.

— Pourquoi ces questions, messieurs ?

Les deux autres échangèrent un regard et La Fargue reprit la parole.

— Castilla a des dettes. Il doit de l'argent, beaucoup d'argent, à certaines personnes. Ces personnes souhaitent recouvrer ce qui leur est dû. Elles préfèrent que leurs noms ne soient pas prononcés mais savent se montrer très généreuses. Comprenez-vous ?

— Je comprends… Dettes de jeu, n'est-ce pas ?

— En effet. D'où vient que vous l'avez deviné ?

L'aubergiste eut le sourire satisfait de celui qui, sans le dire, veut donner à croire qu'il en sait long.

— Bah… Juste une idée, comme ça…

— Sa chambre, intervint Leprat. Nous voulons la voir.

— C'est-à-dire que…

— Quoi ? L'avez-vous relouée ?

— Non, mais Castilla avait payé pour le mois. Qu'il l'occupe ou non, elle est encore à lui. Seriez-vous heureux d'apprendre que j'ai ouvert la porte de votre chambre à des étrangers ?

— Non, reconnut La Fargue.

— Alors que lui dirai-je s'il revient demain ?

— Vous ne lui direz rien. Et même, vous me ferez prévenir à l'adresse que je vous indiquerai tantôt…

Le capitaine tira de son pourpoint gris une bourse — petite mais replète — qu'il poussa sur la table vers l'aubergiste. Elle fut prestement raflée.

— Suivez-moi, messieurs, dit l'homme en se levant.

Ils l'accompagnèrent à l'étage, où l'aubergiste déverrouilla une porte grâce au trousseau qu'il avait à la ceinture.

— C'est là, annonça-t-il.

Il poussa la porte.

La chambre était modeste et propre, avec des murs badigeonnés de beige et un plancher en bois brut.

Pour tout mobilier, elle offrait un tabouret, une petite table sur laquelle reposaient un broc et une cuvette, un lit nu dont la paillasse était repliée. Un vase de nuit était retourné sur le rebord de la fenêtre qui ouvrait sur la rue.

Le ménage avait été fait. La pièce, parfaitement anonyme, n'attendait qu'un nouveau locataire. Les Lames se consultèrent du regard et soupirèrent, doutant de trouver grand-chose ici.

Pour permettre à Leprat d'inspecter la chambre en paix, La Fargue retint l'aubergiste dans le couloir.

— Vous ne nous avez pas dit si Castilla recevait des visiteurs…

— Un seul, en fait. Un très jeune cavalier, espagnol comme lui. Castilla lui donnait du « chevalier », mais ils semblaient bons amis.

— Avez-vous souvenir d'un nom ?

— Quelque chose comme… Obérane… Baribane…

— Irebàn ?

— Oui ! Le chevalier d'Irebàn. C'est cela… Est-il également en dettes ?

— Oui.

— Cela ne m'étonne pas. Entre ces deux-là, il a plusieurs fois été question d'aller chez Mme de Sovange. Et pourquoi iraient-ils chez Mme de Sovange, sinon pour jouer ?

— À quoi ressemble-t-il, ce Castilla ?

*

Sans la refermer tout à fait, Leprat avait repoussé la porte sous le prétexte de regarder derrière. Il avait ensuite entrepris de passer la chambre au peigne fin.

Il ignorait ce qu'il cherchait, ce qui ne lui facilitait pas la tâche. Il sonda les murs et le plancher, regarda partout, tâta la paillasse et examina attentivement ses coutures…

En vain.

La pièce ne recelait aucun secret. Si Castilla avait jamais possédé quoi que ce soit de compromettant, il l'avait emporté avec lui.

L'ancien mousquetaire allait renoncer quand il jeta par hasard un œil dans la rue. Ce qu'il y vit — ou plutôt celui qu'il vit — le figea.

Malencontre.

Malencontre qui, coiffé de son chapeau de cuir et la main gauche bandée, se faisait désigner l'auberge par un badaud. Il leva le regard vers la fenêtre, se raidit en écarquillant les paupières et tourna aussitôt les talons.

— Merde ! lâcha Leprat.

Il savait qu'il ne rattraperait pas le spadassin en prenant l'escalier. Il ouvrit brusquement la fenêtre, envoya voler le vase de nuit qui se brisa sur le plancher, et sauta dans le vide au moment où La Fargue — attiré par la casse — entrait.

Devant l'auberge, Leprat se reçut près d'Almadès. Mais il avait oublié sa blessure à la cuisse. La douleur le foudroya et il s'écroula en poussant un cri qui alarma la rue. Incapable de se relever, grimaçant et pestant contre lui-même, il trouva néanmoins la ressource de désigner Malencontre au maître d'armes espagnol.

— Là ! Le chapeau de cuir ! Vite !

Malencontre s'éloignait, courait presque, bousculait les passants.

Alors qu'il se lançait à sa poursuite, Almadès entendit Leprat qui hurlait dans son dos :

— Vivant ! Il nous le faut vivant !

L'Espagnol avait déjà perdu le spadassin de vue en arrivant au croisement des rues de la Clef et d'Orléans. Il grimpa sur une charrette que l'on déchargeait et, sans s'inquiéter des protestations qu'il soulevait, regarda loin devant lui. Il repéra le chapeau de cuir alors que Malencontre disparaissait à l'angle d'une ruelle. Il bondit dans la foule, heurta de la hanche un étal qui pencha et laissa rouler ses légumes. Il ne s'arrêta pas, renversa tous ceux qui ne s'écartaient pas assez vite. On vociférait et levait le poing dans son sillage. Enfin, il arriva à la ruelle.

Elle était déserte.

Il tira l'épée.

*

La Fargue sortit de l'auberge rapière au poing, pour trouver Leprat qui se tordait de douleur par terre, serrait les dents et se tenait la cuisse à deux mains. Des bonnes âmes approchaient pour l'aider mais elles renoncèrent en voyant le capitaine.

— Bon sang, Leprat ! Mais qu'est-ce que…

— Malencontre !

— Quoi ?

— Chapeau de cuir. Main bandée. Almadès est après lui. Je t'expliquerai. Par là ! Vite !

La Fargue prit un pistolet à la selle de son cheval et s'élança.

*

Pas à pas, Almadès avançait dans des venelles silencieuses et aussi étroites que des couloirs. Il avait laissé les bruits des rues populeuses derrière lui et savait que sa proie avait cessé de fuir. Il entendrait ses pas, sinon. L'homme se cachait. Pour échapper à son poursuivant, ou pour lui tendre une embuscade.

Prudence…

L'attaque vint soudain par la droite.

Surgi d'un recoin, Malencontre frappa avec une bûche volée sur un tas de bois. Almadès leva l'épée pour se protéger. La bûche heurta violemment la garde de la rapière et délogea l'arme du poing de l'Espagnol. Les deux hommes engagèrent aussitôt un corps-à-corps. Chacun tenant le poignet droit de l'autre, ils luttèrent en grognant, rebondirent contre les murs de la ruelle, percutant tour à tour la pierre rugueuse du dos. Puis Almadès releva violemment le genou dans le flanc du spadassin. Malencontre lâcha prise mais réussit à porter un coup de bûche à la tempe de son adversaire. Sonné, l'Espagnol chancela, recula en trébuchant. Sa vue se troubla en même temps que ses oreilles s'emplissaient d'un bourdonnement assourdissant. L'univers lui parut tanguer follement.

Il devina Malencontre dégainant sa rapière.

Il le devina armant un coup fatal tandis que lui glissait assis et vaincu le long du mur.

Et comme dans un rêve ouaté, il entendit à peine la détonation.

Malencontre s'effondra.

À dix mètres de là, La Fargue tenait braqué un pistolet dont le canon fumait.

15

Ils étaient trois cavaliers qui attendaient place de la Croix-du-Trahoir, laquelle n'était jamais qu'un modeste carrefour du quartier du Louvre, là où la rue de l'Arbre-Sec rencontrait la rue Saint-Honoré. Silencieux et immobiles, ils se tenaient près de la fontaine dont la croix ornementale baptisait le lieu. L'un d'eux était un gentilhomme de haute taille, au teint pâle, qui avait une cicatrice à la tempe. En le voyant, tous les passants ne reconnaissaient pas le comte de Rochefort, l'âme damnée du Cardinal. Mais son air sinistre inquiétait immanquablement.

Tiré par un bel attelage, un carrosse sans armoiries vint et s'arrêta.

Rochefort descendit de cheval, confia ses rênes au plus proche des deux autres cavaliers, dit :

— Attendez-moi.

Et grimpa dans le carrosse qui s'ébranla aussitôt.

Les rideaux de cuir étaient descendus, si bien que la cabine baignait dans une pénombre ocre. Deux bougies de cire bien blanche brûlaient aux appliques fixées de part et d'autre de la banquette du fond. Sur cette banquette, un très élégant gentilhomme avait pris place. Le cheveu long, épais et les tempes grises, il portait un pourpoint de brocart rehaussé d'aiguillettes d'or et de diamant. Il avait la cinquantaine, un âge respectable pour l'époque. Mais il était encore robuste et vif, jouissait même d'un charme accru par la maturité. Sa moustache, autant que sa royale, était parfaitement taillée. Une fine cicatrice ornait sa pommette.

En comparaison, l'homme assis à sa droite ne payait pas de mine.

Petit, chauve, vêtu modestement, il portait un habit brun, des bas blancs et des souliers à boucle. Son attitude était humble et réservée. Il n'était pas un domestique. Cependant, on devinait en lui un subalterne, un roturier qui s'était élevé au-dessus de son état à force de zèle et de travail. Peut-être avait-il trente à trente-cinq ans. Sa physionomie était de celles que l'on remarque rarement et que l'on oublie aussitôt.

Rochefort s'assit en face de ces deux personnages, tournant le dos au sens de la marche.

— Je vous écoute, dit le comte de Pontevedra dans un parfait français.

Rochefort hésita, eut un regard pour le petit homme.

— Quoi ? C'est Ignacio qui vous inquiète ?... Oubliez-le. Il ne compte pas. Il n'est pas là.

— Soit... Le Cardinal souhaite que vous sachiez que les Lames sont à pied d'œuvre.

— Déjà ?

— Oui. Tout était prêt. Il ne manquait plus qu'elles répondent à l'appel.

— Ce qu'elles n'ont pas manqué de faire prestement, je suppose... La Fargue ?

— Il commande.

— Bien. Que sait-il ?

— Il sait qu'il recherche un certain chevalier d'Irebàn, dont la disparition inquiète Madrid au motif qu'il est le fils d'un Grand d'Espagne.

— Et c'est tout ?

— Ainsi que vous le souhaitiez.

Pontevedra acquiesça et s'accorda un moment de réflexion, la lueur d'une bougie soulignant de côté son profil volontaire.

— Il faut que le capitaine La Fargue ignore les rouages véritables de cette affaire, dit-il enfin. C'est de la plus grande importance.

— Son Éminence y a veillé.

— S'il venait à découvrir que...

— Ne vous souciez pas de cela, monsieur le comte. Vous évoquez un secret bien gardé. Cependant...

Rochefort laissa sa phrase en suspens.

— Eh bien, quoi ? fit Pontevedra.

— Cependant vous devez savoir que le succès des

Lames n'est pas assuré. Et si La Fargue et ses hommes venaient à échouer, le Cardinal s'inquiète de savoir ce que…

L'autre l'interrompit :

— À mon tour de vous rassurer, Rochefort. Les Lames n'échoueront pas. Et si elles échouent, c'est que personne ne pouvait réussir.

— Et donc l'Espagne…

— … tiendra parole en toutes circonstances, oui.

De nouveau, Pontevedra détourna le regard.

Il parut soudain frappé d'une grande tristesse et dans ses yeux brilla l'éclat trouble d'une inquiétude intime.

— Les Lames n'échoueront pas, ajouta-t-il d'une voix étranglée.

Mais il semblait moins affirmer une certitude qu'adresser une prière au ciel.

16

Lorsqu'ils arrivèrent à l'hôtel de l'Épervier, Leprat tenait difficilement en selle et Malencontre était couché en travers du cheval d'Almadès. La Fargue appela, fit venir tout le monde dans la cour. On s'inquiéta d'abord de Leprat, qu'Agnès aida à marcher tandis que Guibot refermait le portail. Puis Ballardieu et l'Espagnol portèrent Malencontre à l'intérieur. Selon les instructions du capitaine, ils l'allongèrent sur le lit d'un réduit sans fenêtre que personne n'occupait.

— Mais que s'est-il passé ? demanda Marciac après être allé chercher dans sa chambre une mallette en bois sombre.

— Plus tard, répondit La Fargue. Occupe-toi de lui.

— De lui ? Et Leprat ?
— De lui d'abord.
— Qui est-ce ?
— Il s'appelle Malencontre.
— Mais encore ?
— Il doit vivre.

Le Gascon s'assit sur le lit, tourné vers le blessé inconscient, et posa sa mallette à ses pieds. Renforcée de ferrures, elle avait la forme d'un petit coffre que l'on pouvait transporter aisément grâce à la poignée de cuir rivée à son couvercle en demi-lune. C'était une mallette de chirurgien. Marciac l'ouvrit mais ne toucha pas aux instruments sinistres — lames, scies, marteaux, pinces — qu'elle contenait. Il se pencha sur Malencontre et entreprit, avec beaucoup de précaution, d'ôter le bandage ensanglanté qui lui emmaillotait le crâne.

— Qu'est-ce qui lui est arrivé ?
— Je lui ai tiré une balle de pistolet dans la tête, expliqua La Fargue.

Un sourire en coin, Marciac se retourna vers le capitaine.

— Et il doit vivre ? N'aurait-il pas mieux valu commencer par ne pas lui fendre la calebasse ?
— Il allait tuer Almadès. Et je ne visais pas sa tête.
— Voici qui va sans doute le consoler et l'aider à guérir.
— Fais ton possible.

Marciac resta seul avec le blessé.

*

Il rejoignit les autres un peu plus tard dans la grande salle.

— Alors ? s'enquit La Fargue.

— Il vivra sans doute. Votre balle n'a fait que glisser sur l'os de son crâne, si l'on peut dire. Et l'homme a la tête dure... Mais je ne pense pas qu'il sera en mesure de répondre à des questions avant longtemps. D'ailleurs, il n'a pas encore recouvré ses sens.

— Merde.

— En quelque sorte. Puis-je m'occuper de Leprat, à présent ?

Soucieux, distrait, le capitaine acquiesça.

Le pied posé jambe tendue sur un tabouret, Leprat était installé aussi confortablement que possible dans un fauteuil. Une large déchirure dans ses chausses montrait sa cuisse blessée, que Naïs achevait de laver avec de l'eau tiède et un linge propre.

— S'il te plaît, Naïs, laisse-moi la place.

La jolie servante s'écarta, considéra la mallette de chirurgien avec curiosité, adressa un regard interrogateur au Gascon.

— Je suis médecin, expliqua-t-il. Enfin, presque... C'est une histoire assez compliquée...

Cette révélation étonna plus encore Naïs. Elle se tourna vers Agnès, qui acquiesça pour confirmer.

Tandis qu'il officiait, on expliqua à Marciac comment Leprat avait rouvert sa blessure. Puis il fut question de la poursuite, du combat d'Almadès contre Malencontre dans la ruelle et de l'intervention salutaire de La Fargue.

— Repos et béquille, annonça le presque médecin quand il eut fini le bandage. Voilà ce que gagne un convalescent à jouer les acrobates.

— J'ai présumé de mes forces, s'excusa Leprat.

— Je crois surtout que tu n'as pas réfléchi... Pour les jours prochains, je te conseille de manger ta viande saignante et de boire ton vin bien rouge, sans l'allonger.

— Et si tu nous disais ce qui t'a pris ? intervint La

Fargue. Qui est au juste ce Malencontre ? Et que lui voulais-tu ?

Tous s'approchèrent pour écouter, sauf Naïs et Guibot qui quittèrent la pièce et Ballardieu qui resta appuyé contre un mur à grignoter des pralines dont il avait acheté un grand cornet sur le Pont-Neuf. Seule Agnès avait été invitée à piocher dedans.

— Ce matin, dit Leprat, j'étais encore aux mousquetaires. Et hier, j'effectuai une mission secrète... Cela faisait quelque temps que les courriers du roi étaient attaqués, dépouillés et assassinés entre Bruxelles et Paris. La première fois, on crut à une rencontre fortuite avec des brigands. Mais il y eut une deuxième fois, puis une troisième, et enfin une quatrième malgré les changements d'itinéraire. C'était à croire que les assassins savaient non seulement quand partiraient les courriers, mais aussi par où ils passeraient... Une enquête fut diligentée au Louvre. En vain. Alors on décida de tendre un piège à l'ennemi.

— Et ce piège, ce fut toi, supposa Agnès.

— Oui. Après avoir gagné Bruxelles incognito, j'en suis revenu porteur d'une lettre de notre ambassadeur dans les Pays-Bas espagnols. Et cela n'a pas manqué : à quelques lieues de Paris, dans un relais de poste, j'ai été rejoint et attaqué par des spadassins. Un seul m'a échappé. Leur chef. C'était Malencontre.

— Et voilà tout ? demanda La Fargue.

— Presque... Je ne suis rentré à Paris qu'hier, à la nuit. Comme mon cheval était fatigué, que je n'étais pas bien vaillant et que j'avais pris les petits chemins par prudence, je pense que Malencontre m'y avait précédé. Quoi qu'il en soit, je suis tombé dans une embuscade rue Saint-Denis. Et je serais mort si la balle qui visait mon cœur n'avait été arrêtée par mon baudrier de cuir.

— Quand as-tu hérité de ta blessure à la cuisse ? s'enquit Marciac.

— Rue Saint-Denis.

— Et celle au bras ?

— Au relais de poste.

— Et tout heureux d'avoir survécu à un coup de pistolet, tu sautes dès le lendemain par les fenêtres…

Leprat haussa les épaules.

— Je n'ai pas réfléchi… Malencontre m'a vu au moment où je le voyais. Il fuyait déjà quand…

Il s'interrompit et se tourna vers Almadès.

— Je suis désolé, Anibal.

Tête nue, l'Espagnol tenait un linge humide et frais contre sa tempe.

— Je me suis laissé surprendre, dit-il. Je ne peux m'en prendre qu'à moi. J'en serai quitte pour une belle bosse…

— Revenons à nos moutons, fit La Fargue. Que sais-tu d'autre concernant Malencontre ?

— Rien. Je sais son nom, qu'il m'a dit. Et je sais qu'il travaille pour des ennemis de la France.

— L'Espagne, proposa Marciac. Qui d'autre que l'Espagne peut vouloir connaître les courriers de la France en provenance de Bruxelles ?

— Tout le monde, rétorqua Agnès. L'Angleterre, le Saint Empire, la Lorraine. Peut-être même la Hollande ou la Suède. Sans parler du parti de la reine mère en exil. Tout le monde. Ami ou ennemi.

— Oui, mais tout le monde ne recherche pas le chevalier d'Irebàn…, lâcha Ballardieu entre deux pralines.

— Malencontre, précisa Leprat, ne se trouvait pas rue de la Clef par hasard. Il se faisait indiquer l'auberge de Castilla quand je l'ai reconnu. Il ne peut s'agir d'une coïncidence.

Il y eut un silence, à peine dérangé par la mastication de Ballardieu, tandis que chacun réfléchissait à ce qui venait d'être dit. Puis La Fargue plaqua la main sur la table et dit :

— Inutile de nous perdre en conjectures. Cette affaire est sans doute plus complexe qu'il n'y paraît, c'est entendu. Souhaitons que nous puissions en apprendre plus de Malencontre quand il sera revenu à lui. Mais pour l'heure, nous avons une mission à accomplir.

— Quelle est la prochaine étape ? demanda Agnès.

— Tout dépend de Marciac.

— Moi ? s'étonna le Gascon.

— Oui. Toi... Connais-tu une certaine Mme de Sovange ?

17

Urbain Gaget discutait avec l'un des soigneurs de sa florissante entreprise lorsqu'on vint le prévenir de l'arrivée de sa marchandise à la porte Saint-Honoré. L'information lui fut transmise par un adolescent dégingandé qui déboula hors d'haleine dans la cour.

— Enfin, lâcha Gaget.

Le soir tombait et les portes de Paris seraient bientôt closes.

Gaget donna la pièce à l'adolescent, chargea le soigneur des derniers préparatifs et fit appeler son valet. Il troquait ses souliers contre des bottes propres à épargner ses bas des outrages de la boue parisienne, lorsque Gros François le rejoignit.

— Prends un bâton, lui dit-il. Nous sortons.

Et ainsi escorté d'un solide valet armé d'un non moins solide bâton, il se hâta d'aller payer les commis de l'octroi.

Comme il eut soin d'ajouter quelques pistoles, les formalités furent vite expédiées. Il put bientôt regarder la lourde charrette s'engager dans la file des voyageurs et approvisionneurs admis à entrer. Une foule dense encombrait les abords de la porte et s'étirait à peine moins nombreuse dans la rue Saint-Honoré. Celle-ci était déjà l'une des voies principales de Paris avant le récent agrandissement de la capitale. Toujours aussi fréquentée, elle avait été allongée jusqu'à la nouvelle enceinte bastionnée — dite des « Fossés-Jaunes » d'après la couleur de la terre que l'on y avait creusée — et l'affluence faisait qu'il était aussi difficile de circuler ici qu'ailleurs, une multitude bruyante et turbulente se disputant le pavé.

Chargée d'une dizaine de cages dont chacune abritait un dragonnet, la charrette s'engagea au pas lent mais régulier des bœufs qui la tiraient. Un paysan tenait les rênes ; un autre avait cédé sa place sur le banc à Gaget pour guider les bêtes par le mors, tandis que Gros François marchait devant et ouvrait le chemin à grand-peine dans la cohue. Heureusement, leur destination leur épargnait de remonter la rue Saint-Honoré jusqu'au dédale tortueux et populeux du vieux Paris. Ils prirent par la rue de Gaillon, l'empruntèrent presque tout du long et, enfin, passèrent un porche faisant face au départ de la rue des Moineaux. À l'ombre de la butte Saint-Roch et de ses moulins, le quartier était l'un des plus agréables de la rive droite — c'est-à-dire de la « Ville », comme on la désignait alors par opposition à l'« Université » sur la rive gauche et à la « Cité » sur son île. Il n'avait pas encore achevé de sortir de terre en ce printemps 1633, mais il était bien découpé, traversé de rues régulières, aéré par de nombreux jardins et par la vaste esplanade accueillant un marché aux chevaux. Preuve de son succès, de beaux et riches hôtels particuliers commençaient d'y être bâtis.

Si elle avait été située ailleurs dans la capitale, la propriété d'Urbain Gaget aurait volontiers occupé tout un pâté de maisons. Plusieurs bâtiments en pierre s'y organisaient autour d'une cour pavée et jonchée de paille, dont une tour mince et circulaire, coiffée d'un toit d'ardoise conique, et percé de plusieurs rangs d'ouvertures en demi-lunes. Elle ressemblait à un pigeonnier, mais à un pigeonnier surdimensionné et dont les pensionnaires faisaient des pigeons leur ordinaire. On entendait des dragonnets s'ébattre à l'intérieur, grogner, cracher parfois dans de brusques bruissements d'ailes.

Gaget devait à ces petits reptiles ailés d'être un homme bientôt très riche et déjà passablement occupé. Il avait débuté en reprenant l'affaire paternelle et en vendant des dragonnets ordinaires sur les marchés. Puis il s'était tourné vers le commerce du luxe et avait proposé aux plus riches des bêtes à pedigree ou jouissant de caractéristiques physiques spectaculaires. Mais l'idée qui devait faire sa fortune ne lui était venue que plus tard, quand il songea à employer les dragonnets à un usage inédit : la messagerie. Là où un pigeon ne peut transporter qu'un minuscule rouleau de papier, un dragonnet est assez puissant pour emporter des lettres, voire un petit paquet, plus vite et plus loin.

Le problème était que si les dragonnets pouvaient être dressés à rallier deux points choisis d'une même ville, ils étaient dénués des prédispositions des pigeons voyageurs : ils se perdaient ou s'échappaient dès que la distance à couvrir était grande. La solution consista à profiter de l'instinct maternel de leurs femelles, un instinct qui les ramenait toujours à leur œuf, quelles que soient la difficulté et la longueur du parcours. Gaget conçut donc de déplacer des femelles juste après la ponte, en remplaçant au besoin les œufs par des simulacres auxquels elles s'attachaient tout autant et vers lesquels elles revenaient immanquablement avec le courrier, dès qu'elles étaient relâchées. Ne restait plus, ensuite, qu'à ramener par la route les femelles à leur point de départ.

Sans abandonner le commerce de dragonnets au détail, l'éleveur put bientôt exercer sa nouvelle activité avec un privilège royal qui lui garantissait un monopole « en Paris et cités circumvoisines ». Sa messagerie prospéra très vite en rapprochant la capitale d'Amiens, Reims, Rouen et Orléans. Avec un relais, il était même désormais possible de faire parvenir un courrier à Lille, Rennes ou Dijon.

Mince et assez bel homme, grisonnant et ne manquant pas d'allure, Gaget assista au déchargement de la charrette et surveilla ses employés qui emportaient les cages dans une bâtisse où les dragonnets resteraient enfermés seuls quelques jours, le temps qu'ils se calment des angoisses du voyage et s'habituent à leur nouvel environnement. Issus d'une stricte sélection, ils étaient destinés à la vente et chacun valait une petite fortune. Il importait de les ménager, de crainte qu'ils ne se blessent entre eux ou ne se mutilent.

Satisfait, l'éleveur laissa son soigneur examiner les reptiles et retourna dans son cabinet de travail, où d'assommants travaux d'écriture l'attendaient. Il ôta son manteau, ses bottes, s'aperçut qu'il était sorti sans chapeau, sursauta en découvrant une présence alors qu'il se croyait seul. Le cœur battant, il poussa un soupir de soulagement quand il vit de qui il s'agissait. Il avait tôt découvert que le privilège royal dont il jouissait n'irait pas sans quelques discrètes servitudes. Il devait ce privilège à l'intervention du Cardinal et l'on ne refuse rien à un bienfaiteur, surtout quand celui-ci vous honore de sa confiance. Les messageries Gaget servaient ainsi à transmettre des courriers secrets.

Et bien plus.

— Je vous ai fait peur, dit Saint-Lucq.

Il était assis dans un fauteuil, le chapeau sur les yeux, jambes tendues et croisées, le talon en appui contre un rebord de fenêtre.

— Vous… Vous m'avez surpris, expliqua l'éleveur. Par où êtes-vous entré ?

— Est-ce important ?

Reprenant vite contenance, Gaget alla fermer la porte à clef et tirer les rideaux.

— Voilà trois jours que j'attends votre venue, reprocha-t-il.

— Je sais, fit le sang-mêlé en relevant son feutre.

Négligemment, il entreprit de nettoyer les verres de ses bésicles avec sa manche. Ses yeux reptiliens semblaient luire dans la pénombre.

— J'ai reçu la visite du comte de Rochefort, dit l'éleveur.

— Que voulait-il ?

— Des nouvelles. Et vous faire savoir que l'on s'inquiète de vos progrès.

— On a tort.

— Allez-vous réussir avant qu'il soit trop tard ?

Saint-Lucq chaussa ses bésicles et prit le temps de peser sa réponse.

— J'ignorais qu'il y avait une autre possibilité…

Puis il s'enquit :

— Quand reverrez-vous Rochefort ?

— Ce soir sans doute.

— Vous lui direz que l'affaire qui le préoccupe tant est réglée.

— Déjà ?

Saint-Lucq se leva, tira sur le devant de son pourpoint et ajusta son baudrier, prêt à partir.

— Ajoutez que le papier est en ma possession et que je n'attends plus que d'apprendre à qui je dois le remettre.

— Cela, je le sais. Vous devez le remettre en mains propres au Cardinal.

Le sang-mêlé s'arrêta et, par-dessus ses verres rouges, adressa un regard intrigué à Gaget.

— En mains propres ?

L'éleveur de dragonnets opina.

— Dès que possible, m'a-t-on dit. Ce soir même, donc. Au Palais-Cardinal.

18

Le carrosse gagna le faubourg Saint-Jacques en début de soirée et, par la rue des Postes, s'engagea dans celle de l'Arbalète avant de franchir le portail d'un grand hôtel particulier. Bien qu'encore inutiles à cette heure, des flambeaux brûlaient dans la cour où, déjà, des voitures libéraient une à une leurs passagers, tandis que des chaises à porteurs arrivaient et que d'élégants cavaliers laissaient leurs montures aux valets d'écurie. Trois étages de hautes fenêtres étaient éclairés de l'intérieur en façade. Sur les degrés du perron, on bavardait en attendant de présenter ses hommages à la maîtresse de maison. Celle-ci, Mme de Sovange, souriait et glissait un mot agréable à chacun. Vêtue d'une luxueuse robe de cour, elle faisait d'aimables reproches à ceux qui ne venaient pas assez souvent, complimentait les autres, flattait toutes les vanités avec un art consommé.

Ce fut au tour de Ballardieu d'arrêter le carrosse en bas de l'escalier. Un laquais ouvrit la portière et, élégamment habillé, Marciac parut en donnant la main à Agnès. Coiffée, poudrée, apprêtée, la baronne de Vaudreuil resplendissait dans une robe de soie et satin écarlate. Une robe cependant légèrement passée de mode, ce qui n'échapperait à personne ici. Agnès ne l'ignorait pas, mais le temps lui avait manqué pour mettre sa garde-robe au goût du jour. En outre, elle savait pouvoir compter sur sa beauté et ce faux pas vestimentaire correspondait au personnage qu'elle incarnait.

— On ne voit que toi, lui glissa Marciac pendant qu'ils patientaient sur les marches du perron.

De fait, elle essuyait bien des regards en coin. Regards méfiants et parfois hostiles de la part des femmes, intrigués et souvent séduits de la part des hommes.

— C'est justice, non ? fit-elle.

— Tu es superbe. Et moi ?

— Tu ne me fais pas honte… À la vérité, j'ignorais même que tu savais te raser…

Le Gascon sourit.

— Essaie de ne pas en imposer trop. N'oublie pas qui tu es ce soir…

— Me prendrais-tu pour une débutante ?

Ils gravirent quelques marches.

— Je ne vois que du beau linge, lâcha Agnès.

— Du très beau linge. L'académie de jeu de Mme de Sovange est l'une des mieux fréquentées de Paris.

— Et l'on t'y laisse entrer ?

— Méchante. L'important est que, si le logeur de Castilla a dit vrai, le chevalier d'Irebàn et Castilla se retrouvaient volontiers ici.

— Qui est-elle, au juste ?

— Mme de Sovange ? Une veuve à qui son mari laissa des dettes et qui résolut de subvenir à ses besoins en ouvrant ses salons aux plus gros joueurs de la capitale… D'ailleurs, on ne fait pas que jouer, chez elle. On y intrigue aussi beaucoup.

— Sur quel air ?

— Sur tous. Airs galant, commercial, diplomatique, politique… On n'imagine pas tout ce qui peut se régler dans le secret de certaines antichambres, entre deux parties de piquet, un verre de muscat d'Espagne à la main…

Ils arrivèrent devant Mme de Sovange, une femme brune et empâtée, sans réelle beauté, mais dont le sourire et les manières affables inspiraient la sympathie.

— Monsieur le marquis ! s'exclama-t-elle.

« Marquis » ?

Agnès résista à la tentation de chercher le marquis en question autour d'elle.

— Je suis ravie de vous revoir, monsieur. Savez-vous que vous nous avez beaucoup manqué ?

— J'en suis le premier désolé, répondit Marciac. Et n'allez pas croire que je vous ai été infidèle. Des affaires d'importance me retenaient loin de Paris.

— Ces affaires sont-elles résolues ?

— Mais oui.

— C'est heureux.

S'adressant toujours à Mme de Sovange, Marciac se tourna à demi vers Agnès.

— Permettez-moi de vous présenter Mme de Laremont, qui est une mienne cousine à qui je fais découvrir notre belle capitale.

La maîtresse de maison salua la prétendue Mme de Laremont.

— Soyez la bienvenue, très chère… Mais dites-moi, marquis, il semble que toutes vos cousines sont ravissantes…

— C'est de famille, madame. De famille.

— Je vous retrouve tout à l'heure.

Agnès et Marciac entrèrent alors sous les lambris dorés d'un vestibule brillamment éclairé et passèrent dans les salons dont les portes, en enfilade, étaient largement ouvertes.

— Ainsi, tu es marquis…

— Ma foi, rétorqua le Gascon, si Concini fut fait maréchal d'Ancre, je peux bien être marquis, non ?

Ils ne remarquèrent ni l'un ni l'autre un très jeune et très élégant gentilhomme qui les observait, ou plutôt qui observait la baronne de Vaudreuil — sans doute était-il séduit par l'éclatante beauté de cette inconnue. S'il avait été présent, Leprat aurait reconnu le cavalier qui lui avait tiré une balle au cœur rue Saint-Denis. C'était le marquis de Gagnière, dont un valet s'approcha discrètement par-derrière pour lui glisser quelques mots à l'oreille.

Le gentilhomme acquiesça, quitta les salons, gagna une petite cour réservée au service, celle par où entraient les domestiques et les fournisseurs. Un spadassin l'y attendait. Botté, ganté, armé, il portait des vêtements et un chapeau de cuir noir. Un cache — en cuir lui aussi, et orné de petits clous d'argent — masquait son œil gauche mais ne suffisait pas à dissimuler la tache de ranse qui s'étalait tout autour. Il avait le teint mat et les traits anguleux. Un rien de barbe sombre couvrait ses joues creuses.

— Malencontre n'est pas rentré, dit-il avec un fort accent espagnol.

— Nous nous en inquiéterons plus tard, décréta Gagnière.

— Soit. Quels sont les ordres ?

— Pour l'heure, Savelda, je veux que tu réunisses des hommes. Nous agirons cette nuit. Cette histoire n'a que trop longtemps duré.

19

Les cavaliers arrivèrent au vieux moulin dans un crépuscule qui couchait sur le paysage des ors et des pourpres flamboyants. Ils étaient cinq, tous armés et bottés, tous appartenant à la bande des Corbins dont ils ne portaient cependant pas les grands manteaux noirs distinctifs. Ils avaient chevauché longtemps depuis le camp forestier où le gros de la bande s'était établi dernièrement, et avaient préféré ne pas risquer d'être reconnus chemin faisant.

Le premier cadavre qu'ils virent fut celui qui gisait devant la maison de meunier, allongé près de la chaise sur laquelle il était assis quand Saint-Lucq l'avait surpris et poignardé.

L'un des cavaliers mit pied à terre et fut aussitôt imité. Trapu et quinquagénaire, il devait à son visage cabossé et couturé d'être appelé « Belle-Trogne ». Il ôta son chapeau, essuya d'une main gantée de cuir la sueur qui emperlait son crâne totalement chauve, et dit d'une voix rocailleuse :

— Fouillez partout.

Tandis que les hommes se dispersaient, il entra, trouva deux corps sans vie près de la cheminée, puis un autre étendu plus loin. Ils baignaient dans des flaques figées qui offraient un festin à de grosses mouches noires. L'odeur de sang se mêlait à celles de poussière et de vieux bois. On n'entendait que le bourdonnement des insectes. La lumière du soir passait par les fenêtres du fond. Rasante, elle étirait des ombres sépulcrales.

Les Corbins partis inspecter les lieux revinrent bientôt.

— Plus de prisonnier, dit l'un.

— Corillard est avec les chevaux dans la remise, annonça un autre.

— Mort ? demanda Belle-Trogne par acquit de conscience.

— Oui. Étranglé pendant qu'il chiait.

— Bon sang, Belle-Trogne ! Mais qui a fait ça ?

— Un homme.

— Un seul ? Contre cinq ?

— Il n'y a pas eu de combat. Tous ont été assassinés… D'abord Corillard dans la remise, puis Traquin devant la maison. Ensuite, Galot et Feuillant ici, pendant qu'ils mangeaient. Et enfin Michel… Un homme seul a pu faire ça… Un bon…

— Je me vois pas l'annoncer à Soral…

Belle-Trogne ne répondit pas et alla s'accroupir près du dernier cadavre qu'il avait évoqué. Le dénommé Michel gisait dans l'embrasure d'une porte ouverte sur la pièce où les Corbins dormaient — des grabats et des couvertures l'attestaient. Pieds nus, la chemise hors des chausses, il avait eu le front fendu par le tisonnier tombé près de lui.

— C'est arrivé tôt le matin, affirma Belle-Trogne. Michel venait de se lever.

Il se redressa et quelque chose attira son attention. Il fronça le sourcil, compta les grabats.

— Six couches, dit-il. L'un des nôtres manque à l'appel… Avez-vous bien cherché partout ?

— Le gamin ! s'exclama un Corbin. Je l'avais oublié mais souviens-toi ! Il avait insisté pour être de la partie et Soral avait fini par…

Il n'acheva pas.

Des coups sourds venaient de retentir et les brigands, par réflexe, tirèrent tous l'épée.

Les coups se répétèrent.

Belle-Trogne en tête, les brigands entrèrent dans la chambre commune, s'approchèrent à pas de loup de la porte d'un réduit. Ils l'ouvrirent d'un coup et découvrirent l'unique survivant du massacre.

Bâillonné, ligoté, les yeux rouges et humides, un adolescent de quatorze ans leur adressait un regard aussi effrayé qu'implorant.

20

Il faisait nuit mais chez Mme de Sovange, des feux et flambeaux donnaient une lumière chaude que renvoyaient les ors, les cristaux et les miroirs. Les femmes en grande toilette resplendissaient et les hommes n'étaient pas en reste. Toutes et tous étaient habillés comme pour paraître à la Cour. Certains, d'ailleurs, s'en revenaient avides de distractions et de badinages que Louis XIII tolérait mal au Louvre. Loin de ce roi timide et terne qui ne goûtait guère que les plaisirs de la chasse, ici, au moins, s'amusait-on en plaisante compagnie. On bavardait, on courtisait, on riait, on médisait, on dînait, on buvait et, bien sûr, on jouait.

Il y avait des billards à l'étage, sur lesquels on poussait des billes d'ivoire avec des cannes recourbées. Çà et là, des échiquiers, des damiers et des plateaux de trictrac étaient laissés à la disposition de chacun. Des dés roulaient. Mais les cartes, surtout, plaisaient. Piquet, hoc, ambigu, impériale, trente et un, triomphe, tous ces jeux se prêtaient à parier sur un as de cœur, un neuf de trèfle, une vyverne de carreau ou un roi de pique. Des fortunes se perdaient et se gagnaient. Des héritages disparaissaient sur une levée malheureuse. Des bijoux et des reconnaissances de dettes étaient raflés sur les tapis en même temps que des piles de pièces d'or.

Abandonnée par Marciac à la première occasion, la prétendue Mme de Laremont avait erré un moment dans les salons et éconduit quelques présomptueux avant de permettre à un vieux gentilhomme de lui faire la cour. Le vicomte de Chauvigny avait la soixantaine. Il portait encore beau mais des dents lui manquaient, ce qu'il tentait de dissimuler en portant un mouchoir à sa bouche quand il parlait. Il était sympathique, drôle, plein d'anecdotes. Il courtisait Agnès sans espoir de réussite, pour le seul plaisir d'une conversation galante dont il connaissait tous les tours et détours, et qui sans doute lui rappelait l'époque où le séduisant cavalier qu'il avait été multipliait les conquêtes. La jeune femme laissait faire d'autant plus volontiers qu'il lui épargnait de subir les assauts d'importuns et qu'elle lui soutirait insensiblement de précieux renseignements. Elle avait ainsi déjà appris que le chevalier d'Irebàn et Castilla avaient effectivement leurs entrées à l'hôtel de Sovange, qu'Irebàn n'y avait pas reparu depuis quelque temps mais que Castilla, s'il ne restait jamais longtemps, continuait de venir presque chaque soir.

Cherchant en vain à apercevoir Marciac, Agnès vit une femme potelée dont l'air austère, l'œil sournois et la modeste robe noire juraient dans le décor. Elle rôdait, pillait les assiettes de pâtisseries, guettait comme à l'affût autour d'elle. Personne ne semblait la remarquer et cependant, tout le monde l'évitait.

— Et elle ? Qui est-ce ?

Le vicomte suivit le regard de sa protégée.

— Oh ! Elle ?... C'est la Rabier.

— Mais encore ?

— Une usurière redoutable. Permettez-moi, madame, un conseil. Vendez votre dernière robe et embarquez en chemise pour les Indes plutôt que d'emprunter à cette goule. Sinon, elle vous sucera le sang jusqu'à la dernière goutte.

— On ne la devine pas si terrible...

— C'est une erreur de jugement dont d'autres se sont repentis trop tard.

— Et on la laisse faire ?

— Qui l'en empêcherait ?... Tout le monde lui doit un peu et elle n'est cruelle qu'envers ceux qui lui doivent beaucoup.

Après avoir jeté un regard méfiant par-dessus son épaule, la Rabier quitta la pièce.

— Désirez-vous boire quelque chose ? demanda Chauvigny.

— Volontiers.

Le vicomte laissa Agnès et revint bientôt avec deux verres de vin.

— Merci.

— À vous, madame.

Ils trinquèrent, burent et le vieux gentilhomme lâcha sur le ton de la conversation :

— Mais, au fait, je viens de voir cet hidalgo dont vous me parliez tantôt...

— Castilla ? Où ça ?

— Là, à la porte. Je crois qu'il partait.

— Veuillez m'excuser, dit Agnès en confiant d'autorité son verre à Chauvigny, mais je dois absolument lui parler...

Elle se hâta de gagner l'entrée et reconnut Castilla à la description que l'aubergiste de la rue de la Clef avait faite de lui. Mince, bel homme, la moustache fine et l'œil très noir, il descendait les marches du perron, salua au passage une connaissance avec un fort accent espagnol.

Agnès hésita à l'aborder. Mais sous quel prétexte ? Et dans quel but ?

Non, mieux valait le suivre.

Le problème était que Ballardieu ne se trouvait pas dans les parages et qu'elle n'imaginait pas filer Castilla dans le Paris nocturne en escarpins et robe du soir. Si seulement Marciac daignait réapparaître !

Agnès pesta intérieurement.

— Un problème ? lui demanda Mme de Sovange.

— Aucun, madame. Aucun… N'est-ce pas M. Castilla qui s'éloigne ?

— Si fait. Le connaissez-vous ?

— Sauriez-vous où est le marquis ?

— Non.

Masquant son anxiété, la jeune femme retourna dans les salons, ignora Chauvigny qui lui souriait de loin, chercha Marciac. Elle passa devant une fenêtre et aperçut Castilla qui franchissait le porche. Au moins était-il à pied…

Le Gascon, enfin, parut par une porte.

Sur le coup, Agnès se moqua bien de l'air grave qu'il affichait.

Elle l'attrapa par le coude.

— Bon sang, Marciac ! Mais où étais-tu donc passé ?

— Moi ?… Je…

— Castilla était là. Il vient de partir !

— Castilla ? rétorqua Marciac comme s'il entendait ce nom pour la première fois.

— Oui, Castilla ! Merde, Marciac, reprends-toi !

Paupières closes, le Gascon prit une grande inspiration.

— C'est bon, lâcha-t-il. Qu'attends-tu de moi ?

— Il a quitté l'hôtel à pied. Si personne ne l'attendait avec une voiture ou un cheval dans la rue, tu peux encore le rattraper. Il est vêtu en cavalier avec une plume rouge à son chapeau. Vois où il va. Et ne le lâche pas d'une semelle !

— Entendu.

Marciac s'en fut, suivi du regard par Agnès.

La jeune baronne resta un moment immobile et soucieuse. Puis, prise d'un doute, elle poussa la porte par laquelle le Gascon avait reparu. Elle donnait sur une antichambre sans fenêtre, que quelques bougies éclairaient.

Occupée à grignoter une assiette de friandises à la pâte d'amandes, la Rabier salua Agnès d'un signe de tête poli et réservé.

21

Cette nuit-là, Saint-Lucq rencontra Rochefort dans une antichambre du Palais-Cardinal. Ils s'adressèrent un bref hochement de tête, chacun prenant note de la présence de l'autre sans rien manifester de plus. C'était un salut échangé entre deux professionnels qui se connaissent et s'indiffèrent.

— Il vous attend, dit l'homme du Cardinal. Ne frappez pas.

Il semblait pressé et ne fit que passer. Le sang-mêlé le croisa d'un même pas, mais attendit d'être seul pour ôter ses bésicles rouges, ajuster sa tenue et pousser la porte.

Il entra.

La pièce était haute et longue, silencieuse, luxueuse et presque enténébrée. À l'autre bout du vaste cabinet tapissé de livres précieux, au-delà des sièges, pupitres et autres consoles dont on devinait à peine les formes et les vernis luisants, les bougies de deux grands chandeliers d'argent éclairaient d'ocre la table de travail à laquelle Richelieu était assis, dos à une splendide tapisserie.

— Approchez, monsieur de Saint-Lucq. Approchez.

Saint-Lucq obéit, traversa la salle jusqu'à la lumière.

— Il y a longtemps que nous ne nous étions vus, n'est-ce pas ?

— Oui, monseigneur.

— M. Gaget est un intermédiaire fort efficace. Que pensez-vous de lui ?

— Il est discret et compétent.

— Diriez-vous qu'il est loyal ?

— La plupart des hommes sont loyaux tant qu'ils n'ont pas intérêt à trahir, monseigneur.

Richelieu esquissa un sourire.

— Informez-moi donc des progrès de votre mission, monsieur de Saint-Lucq. Le comte de Rochefort s'inquiète de voir les jours passer. Des jours qui, selon lui, nous sont comptés…

— Voilà, dit le sang-mêlé en tendant la page arrachée jadis à un vieux registre de baptêmes.

Le Cardinal la prit, la déplia, l'approcha d'une bougie pour déchiffrer l'encre pâlie, et la remisa soigneusement dans une serviette de cuir.

— L'avez-vous lue ?

— Non.

— Vous avez réussi en trois jours. Je croyais la chose impossible. Recevez mes félicitations.

— Merci, monseigneur.

— Comment avez-vous fait ?

— Votre Éminence souhaite-t-elle connaître les détails ?

— Allez à l'essentiel.

— J'ai appris du Grand Coësre par qui et où le notaire Bailleux était retenu prisonnier depuis son enlèvement. Puis je l'ai libéré et lui ai laissé croire que nous étions recherchés par ceux à qui il devait être livré.

— Ce qui n'était que vérité…

— Oui. Mais les cavaliers qui battaient la campagne dans nos parages et semblaient menacer sans cesse de nous rattraper, ces cavaliers-là avaient pour seule mission d'inquiéter Bailleux au point de lui ôter le jugement.

— Voilà donc à quoi servirent les hommes que vous avez réclamés à Rochefort.

— En effet, monseigneur.

— Et le notaire ?

— Il ne parlera pas.

Sur ce point, le Cardinal ne demanda aucune précision.

Durant un moment, il regarda son dragonnet pourpre qui, dans une grande cage en fer forgé, rongeait un os épais.

Puis il soupira et lâcha :

— Vous me manquerez, monsieur de Saint-Lucq.

— Pardon, monseigneur ?

— J'ai fait une promesse que je dois tenir. À mon grand regret, croyez-le…

Discrètement entré, un secrétaire les interrompit en venant glisser quelques mots à l'oreille de son maître.

Richelieu écouta, acquiesça, et dit :

— Monsieur de Saint-Lucq, veuillez attendre quelques instants à côté, je vous prie…

Le sang-mêlé s'inclina et, par une porte dérobée, sortit à la suite du secrétaire. Peu après, La Fargue parut d'un pas qui donnait à comprendre qu'il répondait à une convocation urgente. La main gauche sur le pommeau de l'épée, il salua en ôtant son chapeau.

— Monseigneur.

— Le bonsoir, monsieur de La Fargue. Progressez-vous ?

— Il est encore tôt pour le dire, monseigneur. Mais nous suivons une piste. Nous avons appris que le chevalier d'Irebàn et l'un de ses proches amis fréquentaient chez Mme de Sovange. À cette heure, deux de mes Lames s'y renseignent incognito.

— Fort bien… Mais me parlerez-vous de votre prisonnier ?

La Fargue tiqua.

— Mon prisonnier ?

— Vous avez ce jourd'hui capturé un certain Malencontre avec qui M. Leprat a eu maille à partir dernièrement. Je veux que cet homme me soit remis.

— Monseigneur ! Malencontre n'a pas encore repris conscience ! Il n'a pas encore parlé et…

— Tout ce que cet homme pourra dire n'intéresse pas votre affaire.

— Mais comment le savoir ? La coïncidence serait énorme si…

Le Cardinal imposa le silence en levant la main.

Son jugement était sans appel et le vieux capitaine, mâchoires serrées, regard furieux, dut se résoudre à l'admettre.

— À vos ordres, monseigneur.

— Vous allez cependant découvrir que je ne suis pas homme à prendre sans donner, murmura Richelieu.

Et d'une voix assez forte pour être entendu dans la pièce voisine, il ordonna :

— Faites entrer M. de Saint-Lucq.

22

Par des rues obscures et désertes, Castilla mena Marciac dans le proche faubourg Saint-Victor. Ils traversèrent la rue Mouffetard, remontèrent celle d'Orléans, dépassèrent la rue de la Clef où l'Espagnol avait jusqu'à peu logé à l'auberge, et enfin s'engagèrent dans la petite rue de la Fontaine. Là, après avoir jeté un regard alentour sans remarquer le Gascon, Castilla frappa trois coups à la porte d'une maison. On lui ouvrit presque aussitôt et le temps qu'il entre, Marciac ne put qu'entrapercevoir une silhouette féminine.

Le Gascon attendit un moment, puis avança à pas de loup. Il approcha des fenêtres mais les rideaux fermés lui permettaient seulement de deviner de la lumière. Il prit par la ruelle, remarqua une lucarne trop haute et trop étroite pour que l'on s'inquiète de la protéger. Il sauta à pieds joints, agrippa le rebord, tira sur ses bras jusqu'à pouvoir poser le menton sur la pierre. À défaut de les entendre, il vit Castilla et une jeune femme qui parlaient dans un intérieur propre et ordonné. L'inconnue était brune, gracile, jolie, coiffée d'un chignon simple, des boucles souples lui caressant les tempes. Elle portait une robe assez quelconque, de celles que la fille d'un modeste artisan peut s'offrir.

Castilla et la jeune femme s'enlacèrent sans que l'on puisse dire s'ils étaient amis, amants ou frère et sœur. Les bras à la torture, Marciac dut lâcher prise et se reçut souplement. Il entendit bientôt une porte s'ouvrir côté jardin, puis d'autres gonds grincèrent. Un cheval s'ébroua et, peu après, l'Espagnol passa au petit trot dans la ruelle. Marciac fut obligé de se plaquer dans un recoin d'ombre pour n'être ni vu, ni renversé. Il s'élança à la suite de Castilla mais celui-ci disparaissait déjà au coin de la rue de la Fontaine.

Le Gascon retint un juron entre ses dents. Il savait qu'il s'épuiserait inutilement à essayer de filer le train à un cavalier.

Et maintenant, que faire ?

Monter la garde toute la nuit ne servirait sans doute à rien et, d'ailleurs, tôt ou tard, il devrait rentrer faire son rapport à l'hôtel de l'Épervier. Mieux valait retrouver les autres Lames dès à présent afin d'organiser au plus tôt une surveillance à plusieurs de la maison et de sa charmante occupante. De toute manière, La Fargue déciderait.

Marciac s'en retournait quand il surprit des bruits suspects du côté de la rue du Puits-l'Hermite. Il hésita, rebroussa chemin, risqua un œil à l'angle d'une maison. Un peu plus loin, des spadassins étaient réunis autour d'un cavalier vêtu de cuir noir et dont un cache clouté d'argent dissimulait l'œil gauche.

Ces gars-là préparent un mauvais coup, songea Marciac.

Il n'était pas assez près pour les entendre et chercha en vain un moyen d'approcher discrètement d'eux par la rue. En revanche, il avisa un balcon, s'y hissa, grimpa sur les toits et, sans bruit, sa main gauche serrant son fourreau d'épée pour qu'il ne heurte rien, passa d'une maison à l'autre. Sa démarche était souple et assurée. Le vide qu'il enjambait parfois, à l'évidence, ne l'effrayait pas. Il se baissa, s'allongea bientôt, acheva son périple en rampant jusqu'à un dernier rebord de tuiles.

— C'est rue de la Fontaine, disait le borgne avec l'accent espagnol. Vous reconnaîtrez la maison, n'est-ce pas ?… La fille est seule, alors vous ne devriez pas rencontrer de problèmes. Et n'oubliez pas qu'il nous la faut vivante.

— Tu ne viens pas, Savelda ? demanda un spadassin.

— Non. J'ai mieux à faire dans l'immédiat. N'échouez pas.

Sans attendre, l'homme en noir piqua des talons et s'en fut tandis que Marciac, toujours inaperçu, quittait son poste d'observation.

23

Crasseux et mal rasé, Laincourt sortit du Châtelet à la nuit tombée. On lui avait rendu ses vêtements, son chapeau, son épée, mais ses gardiens avaient fait main basse sur le contenu de sa bourse. Cela ne l'avait pas surpris et il n'avait pas songé à réclamer. L'honnêteté n'était pas un critère de sélection chez les geôliers. Non plus que chez les archers du guet, d'ailleurs. Ni chez la plupart des sans-grade qui servaient la justice du roi. Greffiers, hallebardiers, tabellions, porte-clefs, tout le monde agrémentait l'ordinaire.

Son séjour en prison l'avait affaibli.

Son dos, ses reins, sa nuque le faisaient souffrir. Une migraine lui mordait les tempes à chaque battement de cœur. Ses yeux brillaient. Il sentait un début de fièvre venir et ne rêvait que d'un bon lit. Il n'avait pas faim.

Du Châtelet, il pouvait aisément rejoindre la rue de la Ferronnerie en remontant une courte section de la rue Saint-Denis. Mais il savait que son appartement y avait été visité — sans doute sans ménagement — par les hommes du Cardinal. Peut-être même que ceux qui s'étaient chargés de cette besogne portaient la casaque, qu'ils étaient arrivés à cheval, avaient enfoncé la porte et avaient fait grand bruit et alerté tout le voisinage en tenant les curieux à distance. On ne parlait sans doute plus que de cela dans le quartier. Laincourt ne craignait pas les regards. Cependant, plus rien ne le retenait rue de la Ferronnerie car le Laincourt enseigne aux gardes de Son Éminence n'existait plus.

Il louait en secret un autre logis où il conservait les seuls biens ayant une importance à ses yeux : ses livres. Malgré tout, il résolut de ne pas s'y rendre aussitôt et, par la rue de la Tisseranderie, alla vers la place du cimetière Saint-Jean. De peur d'être suivi, il fit des tours et des détours, prit des passages obscurs et traversa un dédale d'arrière-cours.

C'était ici le très vieux Paris des ruelles sinueuses où le jour n'entrait jamais, où l'air empuanti stagnait, où la vermine prospérait. La boue était partout et plus épaisse qu'ailleurs. Elle couvrait le pavé, maculait les murs, éclaboussait, collait à la semelle. Noire et nauséabonde, elle était un mélange de crottins et de bouses, de terre et de sable, de pourriture et d'ordures, de fumier, de déjections de latrines, de résidus organiques rejetés par les boucheries, tanneries et écorcheries. Elle ne séchait jamais tout à fait, rongeait les tissus, n'épargnait pas le cuir. « Vérole de Rouen et boue de Paris ne s'en vont qu'avec la pièce », disait un très vieil adage. Pour protéger bas et chausses, le port de hautes bottes s'imposait aux piétons. Les autres allaient en carrosse, en chaise à bras ou, selon leurs moyens, à dos de cheval, de mule… et d'homme. Quand ils passaient, de rares éboueurs enlevaient le plus gros avant d'aller vider leurs tombereaux dans l'une des neuf décharges — ou « voieries » — situées à l'extérieur de la ville. Les paysans des environs connaissaient la valeur de la boue parisienne. Ils venaient chaque jour la récolter pour l'épandre sur leurs champs, et les Parisiens ne manquaient pas de remarquer que les voieries étaient de loin mieux nettoyées que la capitale.

Laincourt poussa la porte d'une taverne et entra dans une atmosphère alourdie par les fumées des pipes et des mauvaises chandelles de suif. L'endroit était sale, malodorant, sordide. Tous silencieux et prostrés, les peu nombreux clients semblaient être écrasés par le poids d'une même tristesse contagieuse. Un vieil homme jouait à la vielle une mélodie mélancolique. Vêtu de hardes miteuses et coiffé d'un galurin misérable dont le bord relevé sur le front serrait un reliquat de plume, il tenait en laisse un dragonnet borgne et efflanqué posé sur son épaule.

Laincourt prit une table et se vit servir, d'autorité, un gobelet d'une infâme piquette. Il y trempa les lèvres, retint une grimace, s'obligea à boire pour se requinquer. Le vielleux cessa bientôt de jouer dans l'indifférence générale et vint s'asseoir en face de lui.

— Tu fais peine à voir, gamin.

— Il faudra que tu paies pour le vin. Je n'ai plus un sou vaillant.

Le vieil homme acquiesça.

— Où en est-on ? demanda-t-il.

— J'ai été arrêté hier et relâché ce jourd'hui.

— As-tu vu le Cardinal ?

— Au Châtelet. En présence de Saint-Georges et d'un secrétaire qui notait tout. La partie a commencé.

— La partie d'un jeu dangereux, gamin. Et dont tu ne connais pas toutes les règles.

— Je n'avais pas le choix.

— Bien sûr que si ! Il est d'ailleurs peut-être encore temps de…

— Tu sais bien que non.

Le vielleux planta son regard dans celui de Laincourt, puis renonça et soupira.

Le dragonnet sauta de l'épaule de son maître sur la table. Il se coucha, allongea son cou mince, gratta par jeu un amas de cire figé dans le bois encrassé.

— Je vois que tu es résolu à aller jusqu'au bout de cette affaire, gamin. Mais il t'en coûtera, crois-moi… Tôt ou tard, tu seras pris entre le Cardinal et la Griffe noire comme entre le marteau et l'enclume. Et rien de ce que tu…

— Qui est le capitaine La Fargue ?

La question prit le vieil homme de court.

— La Fargue, insista Laincourt. Sais-tu qui il est ?

— D'où… D'où vient que tu connais ce nom ?

— Il a réapparu au Palais-Cardinal.

— Vraiment ? Quand cela ?

— L'autre nuit. Son Éminence l'a reçu… Alors ?

Le vielleux attendit avant de lâcher, comme à regret :

— C'est une vieille histoire.

— Raconte-la-moi.

— Je n'en connais pas les détails.

Laincourt s'impatienta d'autant plus qu'il ne s'expliquait pas ces réticences.

— Je ne suis pas d'humeur à te tirer les vers du nez. Tu es censé me renseigner et me servir, non ?

Mais l'autre hésitait encore.

— Dis-moi tout ce que tu sais ! ordonna le jeune homme en haussant le ton.

— Oui, oui… C'est bon…

Le vielleux but une gorgée de vin, se torcha la bouche d'un revers de manche, adressa comme un regard de reproche à Laincourt, et dit :

— Naguère, La Fargue commandait des hommes qui…

— … accomplissaient des missions secrètes pour le Cardinal, oui. Cela, je le sais.

— On les appelait les Lames du Cardinal. Ils ne devaient pas être plus d'une dizaine. Certains diraient qu'ils étaient des exécuteurs des basses œuvres. Je dirais, moi, qu'ils étaient des espions et des soldats. Et parfois, il est vrai, des assassins…

— Des « assassins » ?

Le vielleux fit la moue.

— Le mot est peut-être un peu fort… Mais tous les ennemis de la France ne combattent pas sur les champs de bataille, tous n'avancent pas au son du tambour et précédés d'un drapeau… Ce n'est pas à toi que je vais apprendre que les guerres se mènent également dans les coulisses et que les morts y sont nombreux.

— Et ces morts-là, il faut bien que quelqu'un les fasse…

— Oui. Je reste cependant convaincu que les Lames ont sauvé plus de vies qu'ils n'en ont pris. Il faut parfois couper la main pour sauver le bras et l'homme.

— Que s'est-il passé au siège de La Rochelle ?

Encore une fois surpris, mais désormais sur ses gardes, le vieil homme leva un sourcil à l'intention de Laincourt.

— Si tu poses cette question, gamin, c'est que tu connais la réponse…

— Je t'écoute.

— Les Lames étaient chargées d'une mission qui, sans doute, devait hâter la fin du siège. Mais ne me demande pas en quoi consistait cette mission… Quoi qu'il en soit, La Fargue fut trahi.

— Par qui ?

— Par l'un des siens, par une Lame… La mission

échoua et une autre Lame y perdit la vie. Le traître, lui, put s'enfuir… Quant au siège, tu sais comment il s'acheva. La digue qui empêchait les assiégés d'être secourus par la mer rompit, le roi dut rappeler ses armées avant de ruiner le royaume et La Rochelle devint une république protestante.

— Et après ça ?

— Après ça, il ne fut plus jamais question des Lames.

— Jusqu'à ce jourd'hui… Qu'est-ce que les Lames ont à voir avec la Griffe noire ?

— Rien. À ma connaissance, tout du moins…

Le dragonnet s'était assoupi. Il ronflait doucement.

— Le retour de La Fargue signifie sans doute le retour des Lames, décréta Laincourt à mi-voix. Cela doit avoir quelque chose à voir avec moi.

— Rien n'est moins sûr. Le Cardinal a très certainement plusieurs fers au feu.

— N'empêche. J'aurais préféré ne pas avoir à surveiller mes flancs en même temps que mes arrières…

— Alors tu as bien mal choisi ta voie, gamin… Oui, bien mal…

*

Lorsqu'un peu plus tard, Laincourt sortit dans la nuit, un dragonnet noir aux yeux d'or prit discrètement son envol d'un toit voisin.

24

La Fargue galopait au côté d'Almadès dans Paris. Il sortait tout juste du Palais-Cardinal et avait retrouvé le maître d'armes qui l'attendait dehors avec les chevaux. Ils remontèrent le quai de l'École et traversèrent le Pont-Neuf désert à vive allure.

— Son Éminence veut Malencontre ? disait le capitaine assez fort pour couvrir le bruit de la cavalcade. Soit. Je ne peux que m'incliner devant cette exigence. Mais rien ne m'interdit de lui tirer les vers du nez avant de le livrer !

— Si le Cardinal le réclame, c'est que Malencontre a plus de valeur que nous ne l'imaginions. Il en sait sans doute long. Mais sur quoi ?

— Ou sur qui !... À en croire le Cardinal, ce que Malencontre sait n'intéresse pas l'affaire qui nous occupe. Nous verrons bien...

Peu après le Pont-Neuf, ils durent s'arrêter à la porte de Buci.

Ils s'engagèrent au pas entre les deux grosses tours crénelées, sous la large voûte où les sabots des chevaux claquaient contre le pavé comme des coups de mousquet. Les piquiers de la milice appelèrent leur officier, qui examina les laissez-passer des cavaliers à sa lanterne et reconnut un sceau — celui du Cardinal — ayant valeur de sésame partout en France.

La herse était déjà levée et le pont-levis couché. Mais il restait à ouvrir l'énorme porte et les miliciens somnolents traînèrent des pieds pour ôter les chaînes, bouger la barre, pousser les lourds battants bardés de fer. Cela fit perdre un temps que La Fargue savait précieux. Il s'impatienta.

— PRESSONS, MESSIEURS. PRESSONS !

— Malencontre était encore très mal allant tout à l'heure, lui glissa Almadès. Il avait à peine repris conscience et ne...

— Peu importe... Je lui arracherai ce qu'il sait en moins d'une heure. Par la force si nécessaire. Et quoi qu'il en coûte.

— Mais capitaine…

— Non ! Après tout, je ne me suis pas engagé à livrer cette crapule en bonne santé. Ni même vivante, si l'on y songe…

Ils purent enfin passer et piquèrent des talons pour franchir le fossé empli de boues immondes et s'engager à bride abattue dans le faubourg. Ils firent irruption dans la petite rue Saint-Guillaume au moment où Guibot s'employait à refermer le portail de l'hôtel de l'Épervier. Almadès ralentit l'allure, mais pas La Fargue. Il entra au grand galop, obligeant le vieux portier à s'effacer en écartant l'un des battants de la porte cochère. Sa monture dut freiner des quatre fers dans la cour et il sauta aussitôt de selle, s'élança vers le corps de logis…

… et trouva Leprat assis, ou plutôt vautré, sur l'escalier du perron.

Tête nue, le pourpoint ouvert et la chemise sortant des chausses, sa jambe blessée tendue, l'ancien mousquetaire était penché en arrière et s'appuyait des coudes contre la dernière marche. Il buvait, sans soif, une bouteille de vin au goulot. Sa rapière au fourreau était couchée près de lui.

— Trop tard, lâcha-t-il… Ils l'ont emmené.

— Malencontre ?

Leprat acquiesça.

— Qui ? insista La Fargue. Qui l'a emmené ?

L'autre avala une dernière goulée, constata que sa bouteille était vide, l'envoya se briser contre un mur. Puis il ramassa sa rapière et se leva péniblement.

— C'est à croire qu'en vous convoquant, le Cardinal ne souhaitait que vous éloigner, n'est-ce pas ? fit-il d'un ton amer.

— Épargne-moi ça, veux-tu ? Et réponds à ma question.

— Rochefort et ses sbires, bien sûr… Ils viennent de repartir. Ils avaient un ordre signé de Son Éminence. Un ordre que Rochefort me parut particulièrement satisfait d'exhiber.

— Je ne pouvais pas prévoir ! Je ne pouvais pas savoir que…

— Savoir quoi ? s'emporta Leprat. Savoir que rien n'avait changé ? Savoir que le Cardinal continuerait de jouer son propre jeu avec nous ? Savoir que nous sommes des pantins dont il use à sa guise ? Savoir que nous comptons pour si peu ?… Allons, capitaine, le Cardinal vous a-t-il seulement dit pourquoi il nous prenait Malencontre ? Non, n'est-ce pas ? En revanche, il s'est bien gardé de vous annoncer sa décision avant que vous y puissiez quoi que ce soit… Cela devra réveiller chez vous quelques souvenirs. Et susciter autant de questions…

Dégoûté, Leprat retourna à l'intérieur en boitant.

Il laissa La Fargue, qu'Almadès rejoignait en tenant leurs chevaux par la bride.

— Il… Il a raison, murmura le capitaine d'une voix froide.

— Oui. Mais ce n'est pas le pire…

La Fargue se tourna vers l'Espagnol.

— Guibot, expliqua Almadès, vient de me dire que Rochefort et ses hommes avaient une voiture dans laquelle emporter Malencontre. Cela signifie que le Cardinal savait non seulement que nous le détenions, mais aussi qu'il n'était pas en mesure de monter à cheval.

— Et alors ?

— Nous étions seuls à savoir que Malencontre était blessé, capitaine. Nous seuls. Personne d'autre.

— L'un des nôtres renseigne Richelieu en secret.

25

Après s'être assurée que la porte d'entrée était bien close, la jeune femme éteignit toutes les lumières sauf une au rez-de-chaussée et, le bougeoir à la main, prit l'escalier en protégeant la flamme vacillante de la paume. La chandelle éclairait par en dessous son joli visage et logeait deux points d'or au tréfonds de ses yeux, cependant que les marches grinçaient dans la maison silencieuse.

Ayant gagné sa chambre, la jeune femme posa le bougeoir sur un meuble et, défaisant le chignon qui retenait ses longs cheveux noirs, alla fermer la fenêtre entrouverte derrière les rideaux. Elle avait commencé à dénouer les lacets de sa robe quand quelqu'un la saisit par-derrière et lui plaqua une main contre la bouche.

— Ne criez pas, murmura Marciac. Je ne vous veux aucun mal.

Elle acquiesça, sentit l'étreinte se relâcher, acheva de se libérer d'un méchant coup de coude et se précipita sur sa table de chevet pour faire volte-face en brandissant un stylet.

Marciac, que ses côtes endolories faisaient moins souffrir que son orgueil blessé, tendit la main en un geste apaisant et, conservant ses distances, dit d'une voix qu'il espérait apaisante :

— Vous n'avez vraiment rien à redouter de moi. Au contraire.

Il craignait avant tout qu'elle ne se blesse.

— Qui… Qui êtes-vous ?

— Je m'appelle Marciac.

Il tenta un pas prudent sur le côté mais la jeune

femme, sur ses gardes, suivit le mouvement de la pointe de son stylet.

— Je ne vous connais pas !… Que faites-vous chez moi ?

— J'ai été engagé pour vous protéger. Et c'est exactement ce que je m'efforce de faire.

— Engagé ? Engagé par qui ?

Le Gascon était joueur.

— L'homme qui vient de vous quitter, tenta-t-il. Castilla.

Ce nom ébranla le regard méfiant que Marciac essuyait.

— Castilla ?… Il… Il ne m'a rien dit.

— Il craignait de vous inquiéter inutilement. Il m'a payé en m'intimant de ne pas me faire voir de vous.

— Vous mentez !

D'un geste vif, il saisit le poignet de la jeune femme et, sans la désarmer, la retourna contre lui. Il la serrait ferme désormais, mais en s'efforçant de ne pas lui faire trop mal.

— Écoutez-moi bien, à présent. Le temps manque. Des spadassins se préparent à vous enlever. J'ignore qui ils sont. J'ignore ce qu'ils vous veulent au juste. Je sais simplement que je ne les laisserai pas faire. Mais vous devez me faire confiance !

Sur ces mots, des gonds grincèrent, sinistres, au rez-de-chaussée.

— Vous entendez ? Ils sont déjà là… Avez-vous compris, maintenant ?

— Oui, fit la jeune femme d'une voix blanche.

Il la relâcha, la fit pivoter, posa les mains sur ses épaules, planta son regard dans le sien.

— Quel est votre prénom ?

— Cécile.

— Avez-vous une arme autre que ce jouet ?

— Un pistolet.
— Armé et chargé ?
— Oui.
— Parfait. Prenez-le et passez un manteau.

Sans attendre, il quitta la chambre et alla vers l'escalier. Il tendit l'oreille, devina des hommes qui montaient en file indienne, aussi silencieusement que possible. Il attendit que le premier arrive sur le palier et, surgissant de l'ombre, le frappa en plein visage avec un tabouret.

L'homme partit à la renverse, bouscula ses complices, provoqua une débâcle. Des cris s'élevèrent tandis que les spadassins se démenaient dans l'escalier. Pour faire bonne mesure, Marciac lança le tabouret à l'aveuglette et fit mouche, ajoutant au désordre.

Cécile l'avait rejoint, revêtue d'un grand manteau à capuche. Il l'entraîna vers une fenêtre qu'il ouvrit. Elle donnait sur la ruelle latérale, à moins d'un mètre d'un balcon. Le Gascon fit passer la jeune femme de l'autre côté avant de la rejoindre. Du balcon, il grimpa sur le toit juste au-dessus puis tendit sa main dans le vide. Cécile l'attrapa et il la tira brusquement à lui au moment où un spadassin arrivait à la fenêtre. L'homme voulut agripper la robe mais ses ongles ne firent que griffer le tissu. La jeune femme cria. Emporté par son violent coup de rein, Marciac bascula en arrière tandis que Cécile s'effondrait sur lui.

— Ça va ? demanda-t-il.
— Oui.

Ils se relevèrent.

Un spadassin avait déjà bondi sur le balcon. Il se hissait quand le Gascon le surprit d'un grand coup de botte qui lui brisa la mâchoire et le fit tomber six mètres plus bas.

Marciac ne lâchant pas la main de Cécile, ils s'enfuirent dans le dédale des toits enchevêtrés. Un coup de feu claqua et une balle s'écrasa contre la cheminée derrière laquelle ils disparurent. Ils entendaient les spadassins qui se hélaient et organisaient la poursuite — certains sur les toits, les autres dans le quartier. Ils escaladèrent encore une toiture, se détachèrent un moment sur fond de ciel étoilé, essuyèrent un tir de pistolet mais Marciac put prendre la mesure de la situation depuis ce promontoire. Il savait qu'ils devraient redescendre tôt ou tard. Plutôt que d'attendre d'être acculé à un vide infranchissable, il mit le cap sur le gouffre noir et profond d'une cour intérieure.

Là, vestige d'un chantier abandonné, un immense échafaudage était accroché aux trois étages d'une bâtisse condamnée. Leurs poursuivants approchant, Marciac pendit Cécile à bout de bras et la lâcha sur la charpente provisoire. Un spadassin surgit. Le Gascon dut tirer l'épée et un duel s'engagea. Les combattants s'affrontèrent sur la saillie du toit. Tout en ferraillant, ils allaient et venaient au rythme des assauts entre ciel et vide. Les tuiles qu'ils délogeaient de la semelle glissaient en cascade et rebondissaient sur l'échafaudage avant d'aller se briser dans la cour, quinze mètres en contrebas. Enfin, parant un coup de taille et saisissant son adversaire par le bras, Marciac voulut le faire passer par-dessus son épaule en pivotant sur lui-même. Mais ses appuis étaient mauvais. Il perdit l'équilibre, entraîna dans sa chute le spadassin qui l'agrippait. Les deux hommes roulèrent et basculèrent du toit. Sous les yeux de Cécile qui retint un cri d'effroi, ils traversèrent la plus haute passerelle de l'échafaudage dans un fracas et s'écrasèrent sur la suivante. Le choc ébranla toute la structure, qui oscilla un moment.

Planches et poutres gémirent. Des craquements de sinistre augure se firent entendre.

Bien que chancelant, Marciac fut le premier debout. Il chercha sa rapière, comprit qu'elle était au fond de la cour et, d'un coup de pied sous le menton, acheva son adversaire qui se relevait à peine. Il dit ensuite à Cécile de le rejoindre en se laissant glisser sur la passerelle rompue par le milieu. Il reprit sa main, la rassura d'un regard et, ensemble, ils dévalèrent plusieurs volées de marches incertaines dans la crainte que le vieil échafaudage à la torture ne s'effondre sur eux.

En bas, ils découvrirent que la cour n'avait qu'une issue : un passage ténébreux d'où surgirent trois spadassins. L'un d'eux braqua un pistolet sur les fuyards. Marciac prit aussitôt la jeune femme à bras-le-corps et tourna le dos au tireur. La détonation claqua. La balle entailla l'épaule du Gascon qui serra les dents et poussa Cécile derrière une charrette chargée de fûts de vin. Il se précipita sur sa rapière qui gisait dans la boue et, à temps, fit face à ses assaillants. Concentré, acharné, il lutta sans céder un pouce de terrain ni se laisser déborder, de peur d'exposer sa protégée au danger. Puis, alors qu'il semblait ne jamais pouvoir prendre l'avantage sur un spadassin sans qu'un autre ne l'oblige à rompre aussitôt, il initia une contre-attaque fulgurante. Il égorgea le premier d'un revers de lame, foudroya le deuxième d'un coup de coude à la tempe, botta l'entrejambe du troisième et lui planta sa rapière dans la poitrine jusqu'à la garde.

Il espérait en avoir fini mais Cécile l'appela en lui montrant le dernier étage de l'échafaudage branlant : rapière au poing, deux hommes descendus des toits s'y aventuraient à pas prudents. Dans le même temps, un retardataire arrivait par le passage obscur et le quartier commençait à s'éveiller. Fatigué, blessé, le Gascon devinait qu'il n'était plus de taille à éliminer trois adversaires supplémentaires. Aurait-il seulement la force et le temps de vaincre l'un avant l'arrivée des deux autres ?

Il battit en retraite vers Cécile et la charrette à deux roues derrière laquelle elle s'abritait. Impassible, il attendit que le premier spadassin avance, que ses complices atteignent le deuxième étage de l'échafaudage. Et soudain, levant haut sa rapière à deux mains, il frappa de toutes ses forces la corde tendue qui, passée dans des anneaux rivés aux pavés de la cour, maintenait la charrette à l'horizontale. Tranchée net, la corde claqua comme un fouet hors des anneaux. La charrette pencha brusquement en levant ses brancards vides et libéra sa pyramide de tonneaux couchés qui roulèrent comme une avalanche.

Le spadassin dans la cour recula en hâte et, acculé sous l'échafaudage, réussit à éviter les tonneaux. Certains se brisèrent contre le mur en lâchant des flots de vin. Mais d'autres percutèrent les poutres instables qui soutenaient l'immense charpente. Ces poutres cédèrent et la structure de trois étages s'effondra dans un vacarme qui noya les cris des malheureux que ces tonnes de bois condamnaient. Des pièces de maçonnerie furent arrachées à la façade avec de larges plaques de plâtre. Des volutes épaisses s'élevèrent, engloutirent la cour, enflèrent jusqu'à dépasser les toits…

… puis retombèrent sur un décor blanchi, en même temps que revenait le silence.

Marciac resta un instant à contempler le désastre. Puis, tandis que le quartier résonnait des appels inquiets de ses habitants, il rengaina sa rapière et marcha vers Cécile. Couverte de poussière comme lui, elle était recroquevillée dans un coin.

Il s'accroupit, tournant le dos aux décombres.

— C'est fini, Cécile.

— Je... Je... Ces hommes, balbutia la jeune femme.

— Tout va bien, Cécile...

— Sont-ils... morts ?

— Oui. Tenez, prenez ma main...

Elle semblait ne pas entendre, ne pas comprendre.

Il insista d'une voix douce.

— Nous devons partir, Cécile. Bientôt...

Il allait l'aider à se lever quand il lut dans ses yeux une terreur soudaine et comprit.

Un spadassin avait survécu.

Il le sentait maintenant qui se tenait debout derrière lui et allait frapper. Il savait qu'il n'aurait pas le temps de se retourner, de se relever, et encore moins de dégainer sa rapière.

Il adressa un profond regard à la jeune femme, pria pour qu'elle comprenne, crut percevoir un très léger acquiescement... Et s'écarta brusquement.

Cécile brandit son pistolet à deux mains et fit feu.

III

LA SPHÈRE D'ÂME

1

Ses jambes ne le soutenant plus, l'homme pendait de tout son poids par ses poignets entravés. Il oscillait légèrement et les ongles de ses orteils raclaient le sol de terre battue. Il était presque nu, ne portait que ses chausses et une chemise déchirée et imprégnée de sang. Un même sang — le sien — trempait ses cheveux emmêlés, maculait son visage tuméfié, luisait sur son torse meurtri à la lumière des torches. L'homme respirait à peine, mais vivait : un souffle rauque s'échappait encore des tréfonds douloureux de sa poitrine et des bulles roses naissaient aux narines de son nez brisé.

Il n'était pas seul dans cette cave devenue une antichambre de l'enfer. Il y avait d'abord le colosse obèse et couvert de sueur qui, à grands coups de chaîne, s'employait à le soumettre à un supplice aussi brutal que savant. Et puis il y avait l'autre, un borgne, qui parlait et posait les questions en castillan. Teint mat et visage anguleux, il était vêtu de cuir noir, jusqu'aux gants et au chapeau qu'il n'avait jamais quittés. Un cache clouté d'argent masquait son œil gauche que l'on devinait détruit par la ranse. La maladie étendait en effet ses ravages alentour de l'orbite, gagnait la tempe et la joue, la tumeur se propageant en un entrelacs étoilé de rugosités violacées.

Le borgne avait dit s'appeler Savelda et servir la Griffe noire. D'une voix calme, il avait promis mille tourments au prisonnier s'il n'obtenait pas les réponses qu'il espérait.

Il n'avait pas menti.

Patient et résolu, il avait dirigé l'interrogatoire en ne s'inquiétant pas outre mesure de l'entêtement que le supplicié mettait à garder ses secrets. Il savait que le temps, la douleur et le désespoir travaillaient pour lui. Il savait que sa victime finirait par parler, comme la plus solide des murailles finit toujours par s'écrouler sous les boulets. Cela se produirait brusquement, sans que rien ou presque ne l'annonce. Il y aurait le coup de trop et viendrait le grand effondrement libérateur.

D'un geste, il venait d'interrompre une énième volée de chaîne.

Puis il dit :

— Sais-tu ce qui ne laisse jamais de m'étonner ?... C'est de voir à quel point nous avons la vie chevillée au corps.

Inerte mais conscient, le supplicié resta muet. Ses paupières gonflées étaient mi-closes sur des yeux vitreux et parcourus de vaisseaux écarlates. Des caillots suintants encroûtaient ses oreilles. Bave, bile et sang mélangés, des filaments coulaient d'entre ses lèvres boursouflées et crevassées.

— Toi, par exemple, reprit Savelda... En ce moment, tu ne désires que la mort. Tu la désires de tous tes vœux, de toute ton âme. Si tu le pouvais, tu consacrerais tes dernières forces à mourir. Et pourtant, cela n'arrive pas. La vie est là, en toi, comme un clou profondément fiché dans le plus solide des bois. Elle se moque bien de ce que tu veux, la vie. Elle se moque bien de ce que tu subis et du service qu'elle te rendrait en t'abandonnant. Elle s'entête, elle s'acharne, elle trouve en toi des refuges secrets. Elle s'épuise, certes. Mais il faudra du temps avant de la déloger de tes entrailles.

Savelda tira sur ses gants pour les ajuster au plus près et fit crisser le cuir en serrant et desserrant les poings.

— Et vois-tu, c'est sur elle que je compte. Ta vie, cette vie insufflée en toi par le Créateur, elle est mon alliée. Contre elle, ta loyauté et ton courage ne sont rien. Pour ton malheur, tu es jeune et vigoureux. Ta volonté cédera bien avant que la vie ne te quitte, bien avant que la mort ne t'emporte. C'est ainsi.

Le supplicié fit alors l'effort de parler, murmura quelque chose.

Savelda approcha et entendit :

— *Hijo de puta !*

À cet instant, un spadassin descendit dans la cave par l'escalier. Il s'arrêta sur les marches et, penché par-dessus la rambarde, annonça en français :

— Le marquis est là.

— Gagnière ? s'étonna le borgne dans la même langue mais avec un fort accent espagnol.

— Oui. Il veut te parler. Il a dit que c'était urgent.

— Bien. J'arrive.

— Et moi ? demanda le bourreau. Qu'est-ce que je fais ? Je continue ?

La chemise ouverte sur son large torse ruisselant, il fit cliqueter la chaîne ensanglantée. À ce bruit, le supplicié se raidit.

— Non. Tu attends, répondit le borgne en prenant l'escalier.

Après la tiédeur moite de la cave, Savelda accueillit

avec plaisir la fraîcheur nocturne qui régnait au rez-de-chaussée. Il traversa une pièce où ses hommes dormaient ou tuaient le temps en jouant aux dés, sortit dans la nuit et huma un air embaumé. Un grand verger en fleur entourait la maison.

Toujours aussi outrageusement élégant, le jeune et beau marquis de Gagnière attendait en selle.

— Il n'a pas encore parlé, annonça Savelda.

— Ce n'est pas ce qui m'amène.

— Un problème ?

— C'est le moins que l'on puisse dire. Tes hommes ont échoué rue de la Fontaine. La fille s'est échappée.

— Impossible.

— Un seul est revenu, avec la cuisse et la mâchoire rompues. De ce qu'il a marmonné, nous avons compris que la fille n'était pas seule. Il y avait quelqu'un avec elle. Et ce quelqu'un a suffi à mettre toute ton équipe en déroute.

Soucieux, Savelda ne sut que dire.

— Je me charge de l'annoncer à la vicomtesse, reprit Gagnière. De ton côté, n'échoue pas avec ton prisonnier. Il doit parler.

— Il parlera. Avant demain.

— Souhaitons-le.

Le gentilhomme piqua des talons et, sous la lune, entre deux rangées d'arbres, s'en fut au trot par un chemin couvert de pétales blancs que les sabots de sa monture soulevèrent.

2

— Elle se repose, dit Agnès de Vaudreuil en sortant de la chambre. Tiens-lui compagnie, veux-tu ? Et tu iras me chercher dès qu'elle se réveillera.

Évitant timidement de croiser le regard de la baronne, Naïs acquiesça et se glissa comme à la dérobée par la porte entrebâillée qu'elle referma sans bruit.

Agnès attendit un peu et, presque à tâtons, se dirigea vers l'escalier. On n'y voyait guère dans ce sinistre couloir du non moins sinistre hôtel de l'Épervier. C'était partout la même pierre grise, nue et sépulcrale. Dans les pièces, les fenêtres étaient rares et basses, souvent bouchées par des volets, toujours défendues par des barres de fer. Ailleurs, dans les passages et les escaliers, il fallait se contenter d'étroites ouvertures, véritables meurtrières qui en cette heure ne laissaient passer qu'un rien de la lueur blême de l'aube. L'usage était en outre d'emporter sa lumière avec soi plutôt que de laisser une flamme brûler seule. Par peur des incendies, mais aussi par économie — pour malodorant qu'il soit, le suif valait son prix et les belles bougies de cire blanche étaient un luxe plus onéreux encore. Or Agnès avait laissé sa chandelle dans la chambre.

Elle s'engageait d'un pas prudent dans l'escalier quand quelqu'un l'appela.

— Agnès, fit le capitaine La Fargue.

Elle ne l'avait pas remarqué et ignorait qu'il l'attendait, dissimulé par son silence et la pénombre. Ajouté à l'imposante stature d'un corps endurci par une vie d'épreuves et de combats, son portrait de patriarche antique forçait le respect : port de tête martial, visage sévère et creusé par les ans, barbe rase, regard plein de force et de sagesse. Il n'avait pas quitté ses bottes ni son pourpoint gris ardoise, dont le bouton de col était défait. Il était en revanche sans épée et tête nue, ses épais cheveux argentés luisant presque dans le clair-obscur.

Il approcha d'Agnès, lui prit doucement le coude et l'invita à s'asseoir avec lui sur la première marche de l'escalier. Elle se laissa faire, intriguée, comprenant qu'il souhaitait un entretien avant qu'ils ne rejoignent les autres Lames, dont on entendait les voix mélangées monter du rez-de-chaussée. Leur sexe et une trentaine d'années séparaient le vieux capitaine de la jeune baronne. Et ils devaient en outre dépasser une réserve naturelle pour lui, et une difficulté à se confier pour elle. Mais un lien particulier d'estime et d'amitié les unissait par-delà leurs pudeurs et leurs différences. Un lien qui touchait à l'amour paternel et filial.

— Comment va-t-elle ? demanda La Fargue.

Il parlait à voix basse, comme dans la maison d'un mort.

Par-dessus son épaule, Agnès eut un bref et instinctif regard vers la porte de la chambre où venait de s'assoupir la jeune femme que Marciac avait sauvée.

— Son aventure de cette nuit l'a rudement éprouvée.

— S'est-elle confiée à toi ?

— Oui. À l'en croire, elle…

— Plus tard, l'interrompit La Fargue. Pour l'heure, je voudrais savoir ce que tu penses d'elle.

Agnès n'avait pas encore eu le temps de se changer et portait donc l'élégante robe de soie et satin écarlate qu'elle avait revêtue avant de se rendre avec Marciac chez Mme de Sovange. Dans un froufrou de jupe, jupons et vertugadin, elle s'écarta un peu pour mieux embrasser le capitaine du regard.

— L'étrange question, lâcha-t-elle.

Penché en avant, les coudes sur les cuisses et les mains jointes, il fixait un point situé loin devant eux.

— Entre autres talents, tu sondes les âmes mieux que quiconque. Alors que penses-tu d'elle ?

Agnès se détourna du capitaine, soupira, prit le temps de collecter ses pensées et de faire le bilan de ses intuitions.

— Je crois, dit-elle… Je crois qu'elle ment un peu et dissimule beaucoup.

Impénétrable, La Fargue acquiesça lentement.

— Je crois aussi avoir deviné qu'elle est née en Espagne, poursuivit Agnès. Ou qu'elle y a passé de longues années.

Elle le guettait du coin de l'œil et surprit sa réaction. Il fronça les sourcils, redressa les épaules, demanda :

— Qu'en sais-tu ?

— Ses origines espagnoles ne s'entendent pas dans ses inflexions. Mais certaines de ses tournures de phrase pourraient être directement traduites du castillan.

Il acquiesça encore, cette fois d'un air soucieux et résigné.

Un silence dura.

— Que souhaitez-vous au juste savoir, capitaine ? demanda enfin la baronne d'une voix douce. Ou plutôt, que savez-vous déjà ?… J'étais près de vous quand Marciac est revenu avec cette fille. J'ai vu votre réaction. Vous avez pâli…

À son retour de la maison de jeu, Agnès avait trouvé l'hôtel de l'Épervier toujours éclairé malgré l'heure tardive, et les Lames en émoi après l'enlèvement — sur ordre du Cardinal — de Malencontre par le comte de Rochefort. Frustré et humilié, Leprat, en particulier, ne décolérait pas et buvait plus que de raison. Puis Marciac était arrivé avec celle qu'il avait sauvée de haute lutte et tous avaient brusquement eu d'autres sujets de préoccupation.

— Je ne suis encore sûr de rien, dit La Fargue… Rejoins les autres, veux-tu ? Et ne leur parle pas de notre conversation. Je vous retrouve tantôt.

Agnès hésita, puis se leva et prit l'escalier.

Resté seul, le vieux capitaine tira un médaillon de son pourpoint, en souleva le petit couvercle ciselé et s'abîma dans la contemplation d'un portrait peint en miniature. S'il n'avait été réalisé vingt-cinq ans plus tôt, il aurait pu être celui de la nouvelle et mystérieuse protégée de l'hôtel de l'Épervier.

*

Après s'être changée et démaquillée, Agnès rejoignit le reste de la troupe dans la grande salle que des flambeaux éclairaient plus que le faible jour entrant par les petits carreaux en losange des fenêtres.

Assis dans un fauteuil près de la cheminée, Leprat, sa jambe blessée posée sur un tabouret devant lui, vidait en silence une bouteille au goulot. À l'écart, Almadès passait une pierre à aiguiser sur le fer de sa rapière — trois coups d'un côté, trois coups de l'autre, et encore. Attablés, Ballardieu et Marciac partageaient une solide collation que Guibot, clopin-clopant sur sa jambe de bois, avait servie à leur demande. Ils buvaient mais le Gascon, encore tout excité par son aventure, parlait plus qu'il ne mangeait tandis que le vétéran acquiesçait de bon cœur en faisant montre d'un appétit que rien ne semblait pouvoir contrarier.

— Je me croyais perdu, disait Marciac. Mais je me jette sur le côté, elle brandit son pistolet à deux mains et — pan ! — fait feu. Et mouche !... Et le spadassin qui allait m'embrocher par-derrière s'écroule, une balle en plein front.

— Un sacré coup de chance, commenta Ballardieu avant de faire passer une bouchée de pâté en croûte avec une lampée de vin.

— Le destin, mon ami ! Le destin ! « Audaces fortuna juvat ! »

Les lèvres grasses et les joues rondes, l'autre le regarda avec des yeux ronds.

— La formule est plus ou moins empruntée à Virgile, expliqua Marciac. Cela signifie qu'il faut vivre dangereusement.

Ballardieu songea à demander qui était Virgile mais il renonça tandis que le Gascon, remarquant Agnès, s'inquiétait :

— Comment va-t-elle ?

— Bien. Elle dort.

— Bonne nouvelle.

— Et toi ? Ton épaule ?

Outre une jeune fille encore toute tremblante, Marciac était revenu de sa nuit mouvementée avec quelques contusions, du plâtre plein les cheveux, un moral de conquérant et — accessoirement — une épaule blessée par balle.

— Oh, juste une éraflure, dit-il en ayant un geste vague pour le pansement que cachait la manche d'une chemise propre et sans accroc. Cela saignait d'ailleurs à peine.

— Tu as eu de la chance, lâcha Leprat depuis son fauteuil avec un rien d'amertume.

— Personne ne réussit sans en avoir un peu, dit Agnès en s'asseyant à la grande table.

Elle prit une assiette et, piochant dans les plats, la chargea de charcuterie, viandes froides et fromages tandis que, aussitôt remercié d'un regard, Ballardieu lui servait un verre de vin. Arriva La Fargue qui s'installa à califourchon sur une chaise retournée dossier devant, et lâcha sans préambule :

— Toi d'abord, Marciac. Dis-nous ce que tu sais de cette fille.

— Elle se prénomme Cécile.
— Mais encore ?
— C'est tout. J'ai suivi Castilla qu'Agnès et moi avions retrouvé dans la maison de jeu de Mme de Sovange. Castilla m'a conduit jusque chez Cécile, rue de la Fontaine. Il n'est pas resté longtemps et s'en est reparti à cheval. Le hasard a voulu que je surprenne des hommes qui, à les entendre, préparaient le rapt de Cécile — même si à ce moment-là, j'ignorais encore son prénom. Quoi qu'il en soit, je me suis dit que je ne pouvais pas les laisser faire. Et voilà.
— Qui étaient ces hommes ?
— Des spadassins d'entre les spadassins. Mais ils prenaient leurs ordres d'un Espagnol, un borgne tout vêtu de cuir noir, qui était si sûr de leur succès qu'il n'est pas resté.
— Le reconnaîtrais-tu ? demanda Leprat.
— Sans doute.
— Mais tu ne l'avais jamais croisé.
— Non.
La Fargue prit le temps d'intégrer ces informations, puis passa à Agnès.
— À toi.
La baronne vida son verre avant de se lancer.
— Elle dit s'appeler Cécile Grimaux. L'an dernier, elle vivait encore avec son père et sa mère à Lyon. Les deux sont aujourd'hui morts, le père de maladie et la mère de tristesse, peu après lui. Sans ressources, Cécile est allée rejoindre sa sœur aînée, Chantal, qui vivait modestement à Paris de petits travaux de couture mais l'accueillit volontiers…
— « Vivait » ? souligna Leprat.
— J'y viens… C'est par l'intermédiaire d'un gantier pour qui elle travaillait à l'occasion que Chantal fit la connaissance de deux aventuriers espagnols, le

chevalier d'Irebàn et son ami Castilla. Elle tomba amoureuse du premier et devint sa maîtresse. Ils se retrouvaient en secret dans une petite maison du faubourg Saint-Martin, pour y vivre loin des regards le parfait amour. Cela dura quelques semaines puis ils disparurent soudainement. Depuis, Castilla cherche et Cécile attend. Il semble que cette épreuve les ait rapprochés.

— Rapprochés à quel point ? s'enquit Marciac dont tous comprirent le souci, Cécile étant une fort jolie jeune fille.

— Je crois qu'il y a un galant sur ta route, indiqua Agnès avec un demi-sourire. Mais nul doute que tes exploits chevaleresques de cette nuit plaident en ta faveur…

— Ce n'est pas du tout ce à quoi je songeais !

— Ben voyons.

— Ça suffit ! ordonna La Fargue avec un mouvement d'humeur rare chez lui.

Mais il recouvra vite son calme, en faisant mine de ne pas remarquer les mimiques circonspectes que les autres échangeaient.

— N'empêche, dit Ballardieu, drôle d'histoire.

— Elle correspond cependant assez bien à ce que Rochefort nous en a dit, nota Leprat comme à regret.

Reprenant les rênes de la conversation, le capitaine des Lames demanda à Agnès :

— Qu'est-ce que Cécile sait d'Irebàn ?

— Presque rien. À l'en croire, sa sœur était avare de confidences sur ce sujet.

— Et de Castilla ?

— Nous n'avons guère parlé de lui. Je sais seulement qu'il a élu domicile dans le nid d'amour du faubourg Saint-Martin, au cas où le chevalier ou Chantal s'y montreraient.

— En connais-tu le chemin ?

— Oui.

— Indique-le à Almadès : il m'accompagnera là-bas dans l'espoir d'y trouver Castilla, qui connaît peut-être le fin mot de cette histoire. Toi, tu restes ici dans l'attente de tirer tout ce que tu peux de Cécile dès son réveil. Quant à toi, Marciac, tu as bien mérité de te reposer un peu.

Or comme il allait de soi que Ballardieu serait où serait Agnès, il ne manquait plus qu'à affecter Leprat. Un bref instant, par égard, La Fargue chercha quoi lui confier. Mais l'ancien mousquetaire prit les devants :

— Ne vous mettez pas en peine, capitaine. Je sais que je serai inutile tant que cette maudite jambe ne sera pas guérie. Considérons que je tiendrai la place en votre absence.

Tous acquiescèrent, plus ou moins gênés, avant de vaquer à leurs occupations.

*

Durant les préparatifs, La Fargue gagna sa chambre et y écrivit une courte lettre qu'il cacheta soigneusement. Agnès l'aperçut peu après qui grattait à la porte de Cécile, échangeait quelques mots à voix basse dans l'embrasure avec Naïs et lui confiait la missive.

La baronne se retira sans être remarquée et alla trouver Ballardieu.

— Prépare-toi, lui dit-elle loin des oreilles indiscrètes.

— À quoi ?

— Naïs va sortir, sans doute après le départ du capitaine et des autres. Je veux que tu la suives.

— Naïs ? Mais pourquoi ?

— Tu verras bien.
— Ah bon.

3

Arrivé par la rue Beauregard, le marquis de Gagnière mit pied à terre devant l'église Notre-Dame-de-Bonne-Nouvelle et accrocha son cheval à un anneau. L'heure était encore très matinale et l'on ne voyait pas grand monde à la ronde. Mais l'élégant gentilhomme trouva plus prudent de confier la surveillance de sa monture luxueusement harnachée à l'un de ces marchands d'eau-de-vie qui, dès potron-minet, allaient dans Paris et — au cri de « Vi ! Vi ! À boire, à boire ! » — vendaient de petites tasses d'alcool que les gens du peuple s'offraient volontiers, bues sur le pouce, avant une dure journée de travail.

L'église était silencieuse, sombre, humide et vide. Comme toutes les autres à l'époque, elle n'avait pas de bancs mais des chaises étaient rangées dans un coin, chaises que l'on pouvait louer lors des offices au portier chargé d'assurer la tranquillité des lieux et de chasser avec un zèle égal mendiants et chiens errants. Gagnière avança entre les colonnes et se plaça, en vis-à-vis du maître-autel, près d'un jeune homme mince, aux joues glabres et au teint pâle, aux yeux d'un bleu cristallin. Celui-ci ne réagit pas alors qu'ils se trouvaient presque épaule contre épaule. Botté, l'épée au côté, il portait un pourpoint ocre et des chausses assorties. S'il ne priait pas, il était du moins recueilli, paupières closes et chapeau à la main.

— Je suis assez surpris de vous voir ce matin, dit le marquis après un moment.

— Ai-je déjà manqué l'un de nos rendez-vous ? rétorqua Arnaud de Laincourt en ouvrant les yeux.

— Certes non. Mais jusqu'alors, vous n'aviez jamais été arrêté.

Quelques secondes durant, l'ancien enseigne aux gardes de Son Éminence resta sans réaction.

— Donc vous savez, fit-il enfin.

— À l'évidence. Vous figuriez-vous que semblable nouvelle pouvait nous échapper ?

— Non, il est vrai. Mais si vite…

— Nous sommes partout, Laincourt. Même au Palais-Cardinal. Vous, mieux qu'un autre, devriez le savoir.

— Et au Châtelet, marquis ? Y êtes-vous ?

Gagnière esquissa une moue.

— Les murs y sont, disons… plus épais.

Ils restèrent un moment silencieux dans le refuge sinistre de cette église dépeuplée qui, toujours à l'aube, accueillait chacun de leurs rendez-vous secrets.

Notre-Dame-de-Bonne-Nouvelle avait d'abord été une chapelle détruite par les troupes de la Ligue lorsque le roi de Navarre, le futur Henri IV, avait assiégé Paris en 1591. L'église actuelle, dont la reine Anne d'Autriche posa la première pierre, fut bâtie à sa place. La capitale rongeant ses faubourgs, elle était désormais située à l'extrême limite du quartier Saint-Denis, tout près de l'enceinte voulue par Louis XIII. Seule la maigre largeur d'une rue naissante jalonnée de chantiers la séparait du bastion édifié entre les portes Poissonnière et Saint-Denis. C'étaient ici les confins de la capitale.

— Je suis toujours un fidèle serviteur de la Griffe noire, annonça Laincourt d'une voix calme. Ma loyauté reste inchangée.

— Permettez-moi d'en douter. Votre libération ne

plaide guère en votre faveur. Vous devriez, à cette heure, être au secret à Vincennes, dans l'attente de subir la question. Or vous voilà, alors que vous avez été convaincu de trahison, parfaitement libre d'aller et venir. Avouez que l'extraordinaire mansuétude dont le Cardinal fit preuve à votre égard a de quoi nourrir le soupçon…

D'un haussement d'épaules conciliant, Laincourt indiqua qu'il comprenait. Il expliqua :

— Je possède un document qui me protège et dont le Cardinal craint la divulgation.

Perplexe, Gagnière fronça les sourcils. Puis, presque amusé, il lâcha :

— Un document que vous vous êtes donc bien gardé de nous transmettre. La belle loyauté !

— Je suis loyal mais prudent, répondit l'autre sans s'émouvoir. Je savais qu'un jour comme celui-ci viendrait.

Ce fut au tour du marquis d'admettre l'argument : force était de reconnaître qu'un « jour comme celui-ci » était venu.

— Soit. Quel est ce document ?

— Il s'agit d'une liste où les correspondants secrets de la France à la cour d'Espagne sont nommés. Elle est en des mains de confiance et serait révélée si je tardais trop à donner signe de vie. Le Cardinal n'avait pas le choix. Lui et moi avons convenu que je resterais libre et vivant tant que cette liste resterait secrète.

— Vous êtes bien naïf si vous imaginez Richelieu se satisfaire longtemps de cet accord. Il se jouera de vous à la première occasion. Il s'y emploie peut-être même déjà en cette heure. Il finira par trouver votre liste et vous fera assassiner.

— Voila pourquoi je me tourne vers vous au lieu de galoper vers la plus proche frontière.

— Où est la liste ?

— En des mains de confiance, je vous l'ai dit. Et qui resteront anonymes.

Le ton de Gagnière se fit menaçant.

— C'est un secret que nous pourrions vous arracher.

— Pas avant que la liste soit portée à la connaissance de tous.

— Et alors ? Nous ne partageons pas les craintes du Cardinal. Bien au rebours, nous serions enchantés de voir les relations entre la France et l'Espagne se détériorer plus encore.

— Certes, admit Laincourt. Cependant, d'autres renseignements concernant directement la Griffe noire seraient dévoilés par la même occasion. Et croyez-m'en, ces renseignements sont de ceux qui pourraient beaucoup nuire.

Gagnière accueillit la nouvelle avec calme, prit la mesure de ce que Laincourt savait de la Griffe noire et du danger qu'il représentait.

— Encore une liste ? fit-il.

— Encore une liste.

— Vous jouez un jeu très dangereux, monsieur de Laincourt…

— Il y a longtemps que je fais le métier d'espion, Gagnière. Assez longtemps pour savoir que les serviteurs de mon genre sont aussi volontiers sacrifiés que la piétaille sur le champ de bataille.

Agacé sans doute de ne pas avoir le dessus, le marquis soupira.

— Abrégeons. Vous ne seriez pas ici si vous n'aviez rien à me proposer. Parlez.

— Je vous offre de vous remettre les deux listes en gage de loyauté. Vous détruirez l'une et ferez ce que bon vous semble de l'autre.

— Ces papiers vous protègent et vous vous en sépareriez ? Ne serait-ce pas aller contre vos intérêts ?

— Je m'en séparerai, quitte à encourir les foudres du Cardinal. Mais je veux, en retour, être assuré de la protection de la Griffe noire.

Gagnière commençait à comprendre mais demanda néanmoins :

— Comment ?

— Je veux rejoindre le cercle des initiés dont vous êtes. Je crois, d'ailleurs, l'avoir mérité.

— Il ne vous appartient pas d'en juger.

— Je sais. Portez donc la nouvelle à qui de droit.

4

À peine distrait par la foule bruyante et colorée qui grouillait sur le Pont-Neuf, Ballardieu suivait discrètement Naïs. Il était d'assez mauvaise humeur et, l'œil sombre, se parlait à lui-même.

— Ballardieu, tu n'es pas un homme compliqué, grommelait-il dans la cohue. Tu n'es pas un homme compliqué pour la raison que tu n'as pas beaucoup d'esprit et que tu le sais. Tu as de la loyauté et du courage, mais guère d'esprit, c'est ainsi. Aussi, tu fais ce que l'on te dit de faire et le plus souvent sans rechigner. Ou sans rechigner trop fort, ce qui est pareil. Tu es un soldat et même un bon soldat. Tu obéis. Mais je sais que tu apprécierais grandement que l'on te fasse l'honneur de t'expliquer, parfois, de loin en loin, pour le seul plaisir de rompre avec les habitudes, les ordres que l'on te donne…

À ce moment de son monologue, guettant le bonnet blanc de Naïs, Ballardieu répéta les mots d'Agnès et les siens, échangés entre deux portes à l'hôtel de l'Épervier.

— « Je veux que tu la suives. — Naïs ? Mais pourquoi ? — Tu verras bien. » La belle explication ! Et à cela, que répliques-tu ? « Ah bon. » Rien d'autre… Ballardieu, tu pourrais bien avoir encore moins d'esprit que tu ne te le figures. Car à la parfin, rien ne t'interdisait de réclamer des explications, que je sache ? Bon, certes, la gamine avait ce regard que tu connais bien et elle ne t'aurait sans doute rien expliqué du tout. Mais au moins aurais-tu essayé au lieu d'obéir docilement…

Allant désormais au pas de charge, Ballardieu secoua la tête.

— Bon soldat ! Bon chien fidèle, oui !… Et pour qui seront les premiers coups de bâton ? Pour le cabot plutôt que la maîtresse, pardi !… Car n'en doute pas, Ballardieu, cette affaire tournera mal et pour ton plus grand désavantage. Personne n'agit impunément dans le dos du capitaine et, tôt ou tard, tu…

Tout à ses pensées, il percuta alors un libelliste qui tomba à la renverse dans une explosion de papiers imprimés.

— Quoi ? s'emporta Ballardieu avec une parfaite mauvaise foi. On ne regarde pas où l'on va ? Est-ce la nouvelle mode à Paris ?

L'autre, sur les fesses au sens propre comme au sens figuré, tardait à se remettre. Il se demandait encore ce qui lui était arrivé, et considéra d'un air ahuri mêlé d'effroi le taureau fait homme qui, surgi de nulle part, l'avait heurté de plein fouet alors qu'il haranguait la foule en brandissant ses feuillets — lesquels, faute de pouvoir blâmer directement le roi, accusaient Richelieu d'écraser le peuple d'impôts. L'individu qui avait si brusquement fait son entrée dans la vie du libelliste n'était pas de ceux avec qui l'on veut avoir un différend. Sans être particulièrement grand, il était large, lourd, massif, de surcroît rubicond et fulminant. Et armé d'une rapière de belle taille.

Mais Ballardieu, au grand désappointement de sa victime innocente, passa presque aussitôt de la colère à la compassion et au regret.

— Non, l'ami. Pardonne-moi. C'est ma faute... Tiens, prends ma main.

Le libelliste se retrouva catapulté debout plutôt que relevé.

— Je te présente mes excuses. Tu les acceptes, n'est-ce pas ? Oui ? À la bonne heure ! Rien de cassé, j'espère... Bon, je t'aiderais volontiers à brosser tes habits mais le temps me manque et je te promets de te payer un verre pour prix de tes peines à notre prochaine rencontre. Est-ce entendu ? Parfait ! Au plaisir, l'ami !

Ballardieu s'en fut sur ces mots tandis que l'autre, encore chancelant et l'œil vague, un sourire idiot aux lèvres, lui faisait au revoir d'une main hésitante.

Loin devant, Naïs n'avait heureusement rien remarqué et il dut presser l'allure pour ne pas la perdre. Après le Pont-Neuf, elle prit la rue de la Monnaie jusqu'à la rue de Bétisy, déboucha dans celle de l'Arbre-Sec, remonta la rue Saint-Honoré que Ballardieu n'avait jamais connue si longue. Ils passèrent devant la grande façade couverte d'échafaudages du Palais-Cardinal et poussèrent jusqu'à la rue Gaillon, que Naïs emprunta. Récemment absorbé par la capitale depuis la construction de l'enceinte des Fossés-Jaunes, cet ancien faubourg devenu nouveau quartier était une terre étrangère pour Ballardieu. Il en découvrait le dessin, les bâtisses et les chantiers.

Face au débouché de la rue des Moineaux, Naïs franchit un grand porche ouvert sur une cour pleine de monde et d'animation, dominée par une tour étrange qui se dressait au fond, tel un pigeonnier surdimensionné. Un panneau dominait l'entrée et il y était écrit : « Messageries Gaget ».

— « Messageries Gaget » ? grommela Ballardieu en fronçant les sourcils. Qu'est-ce que c'est que cela, les « Messageries Gaget » ?

Avisant un passant, il lui demanda :

— Pardon, monsieur, quel est ce commerce ?

— Ça ? Mais ce sont les Messageries Gaget !

Et l'homme, pressé comme tous les Parisiens et hautains comme la plupart, poursuivit son chemin.

Sentant la moutarde lui monter au nez, Ballardieu creusa les joues, prit une inspiration dans le vain espoir de combattre les envies de meurtre qui lui venaient, rattrapa le passant en quelques enjambées, lui agrippa l'épaule et le fit se retourner d'un bloc.

— Je sais lire, monsieur. Mais encore ?

Il soufflait fort par les narines, avait le teint rouge et ses yeux brillaient. L'autre comprit son erreur. Pâlissant un peu, il expliqua que les messageries Gaget offraient aux particuliers un service postal assuré par des dragonnets, que ce service était fiable et rapide bien que quelque peu onéreux, et...

— C'est bon, c'est bon..., lâcha Ballardieu avant de rendre sa liberté au Parisien.

Il hésita un instant à entrer puis, prenant discrètement ses distances, se résolut à attendre et à observer — après tout, Naïs irait peut-être ailleurs ensuite. Ce ne fut pas long avant que quelqu'un de la connaissance du vieux soldat ne sorte des messageries Gaget.

Mais ce n'était pas Naïs.

C'était Saint-Lucq.

5

À la périphérie déjà campagnarde du faubourg Saint-Denis, La Fargue et Almadès trouvèrent sans mal la maison que Cécile avait indiquée. Elle était entourée d'un verger ceint d'un haut mur, dans un paysage de cultures, pâturages, fermes, petites habitations et grands potagers. L'endroit était charmant, paisible et bucolique, à pourtant moins d'un quart de lieue de Paris. Des paysans travaillaient aux champs. Des troupeaux — vaches et moutons — paissaient. On pouvait voir, vers l'est, au-delà de frondaisons verdoyantes, les toits de l'hôpital Saint-Louis.

Chemin faisant, ils avaient croisé une troupe de cavaliers qui, lancée au galop, les avait obligés à s'écarter vers les fossés. Sans doute ne l'auraient-ils pas remarquée en temps normal. Mais elle était conduite par un borgne vêtu de cuir noir qui ressemblait fort à celui que Marciac avait surpris, la nuit même, préparant l'enlèvement de la jeune Cécile Grimaux.

— Je ne crois pas aux coïncidences de cette nature, avait lâché La Fargue en regardant les cavaliers s'éloigner vers Paris.

Et comme Almadès lui avait répondu par un regard éloquent, ils avaient aussitôt piqué des talons pour arriver au plus vite.

Ils ne ralentirent l'allure qu'à l'approche de la grille. Elle était grande ouverte sur le chemin droit qui coupait le verger.

— Tes pistolets sont-ils chargés ? demanda le vieux capitaine.

— Oui.

Botte à botte, tous les sens aux aguets, ils avancèrent sur le chemin, entre les arbres en fleur. L'air était doux, chargé de parfums délicats et fruitiers. Un soleil matinal et radieux dispensait une lumière fêtée par des chants d'oiseaux. Les feuillages autour d'eux bruissaient sous un vent léger.

Il y avait deux hommes devant la petite maison. En apercevant les cavaliers qui approchaient au pas, ils avancèrent un peu, curieux, tendant le cou pour mieux voir. Ils étaient armés de rapières, en pourpoint, chausses et bottes de monte. L'un d'eux avait un pistolet à la ceinture en travers du ventre.

— Qui va là ? lança-t-il d'une voix forte.

Il fit encore quelques pas, tandis que l'autre restait en retrait et s'écartait dos au soleil. Dans le même temps, un troisième sortit de la maison sans aller beaucoup plus loin que le seuil. La Fargue et Almadès apprécièrent en connaisseurs : c'était exactement la chose à faire en prévision d'un combat.

— Je m'appelle La Fargue. Je viens rendre visite à un mien ami.

— Quel ami ?

— Le chevalier de Castilla.

— Il n'y a personne de ce nom céans.

— C'est pourtant bien ici son logis, non ?

— Sans doute. Mais il vient de partir.

L'homme au pistolet s'efforçait de paraître détendu. Mais quelque chose l'angoissait, comme l'attente d'un événement prochain et inéluctable, à croire que le temps travaillait contre lui. Ses compagnons partageaient son anxiété : ils avaient hâte d'en finir, hâte de voir les importuns s'en retourner.

— À l'instant ? demanda La Fargue.

— À l'instant.

— Je vais l'attendre.
— Revenez plutôt.
— Quand ?
— Mais quand il vous plaira, monsieur.

Tel un cavalier fourbu, Almadès s'était penché en avant, poignets croisés sur le pommeau de sa selle, mains pendantes à quelques centimètres des pistolets logés dans ses fontes. Le regard rasant par-dessous le rebord de son chapeau, il guettait ses adversaires potentiels et savait lesquels — considérant, entre autres facteurs, la disposition des lieux — lui étaient réservés si les choses tournaient mal. De l'index, de l'annulaire et du majeur, il battait distraitement une chamade à trois temps.

— Je vous serais reconnaissant, dit La Fargue, d'informer le chevalier de ma visite.
— Considérez la chose faite.
— Vous souviendrez-vous de mon nom ?
— La Fargue, n'est-ce pas ?
— C'est cela.

Le spadassin sur le seuil était le plus nerveux des trois. Il lançait de fréquents coups d'œil par-dessus son épaule, semblait surveiller quelque chose qui se déroulait à l'intérieur de la maison et risquait bientôt d'apparaître. Il se racla la gorge, sans doute afin de faire savoir à ses complices que le temps pressait.

L'homme au pistolet comprit.

— Eh bien, messieurs, fit-il. Au revoir, donc.

La Fargue acquiesça en souriant et pinça le bord de son feutre pour saluer.

Mais Almadès renifla : une odeur suspecte, inquiétante, lui chatouillait les narines.

— Le feu, glissa-t-il du coin de la bouche à son capitaine.

Ce dernier leva les yeux vers la cheminée, ne vit

aucun panache s'en élever. En revanche, il remarqua avec l'Espagnol les premières volutes de fumée qui obscurcissaient de l'intérieur les fenêtres du rez-de-chaussée.

La maison brûlait.

Les spadassins comprirent que leur secret était découvert et réagirent aussitôt. Mais Almadès les prit de vitesse, saisit ses pistolets, écarta largement les bras et fit feu simultanément à droite et à gauche, abattant d'une balle en pleine tête l'homme sur le seuil et celui posté en retrait. Les détonations surprirent son cheval qui hennit et se cabra, obligea celui de La Fargue à faire un écart. L'homme au pistolet dégaina dans le même temps et visa le capitaine. Son tir manqua La Fargue qui, peinant à maîtriser sa monture, dut se contorsionner sur sa selle pour riposter. Il fit mouche cependant, logea une balle dans la gorge de son adversaire qui s'écroula.

Le silence revint aussi soudainement que la violence s'était déchaînée. La Fargue agrippant un second pistolet dans ses fontes, lui et Almadès mirent pied à terre, restèrent un instant à couvert de leurs chevaux, observèrent les alentours et la maison dans la crainte que d'autres ennemis ne surgissent.

— Vois-tu quelqu'un ?

— Non, répondit le maître d'armes espagnol. Je crois qu'ils n'étaient que trois.

— Sans doute sont-ils restés en arrière afin de s'assurer que le feu prenait bien.

— C'est donc qu'il y a quelque chose à l'intérieur qui doit disparaître.

Rapière au poing, ils se précipitèrent dans la maison.

Plusieurs foyers avaient été allumés, une fumée noire piquait les yeux et la gorge, mais le danger n'était pas encore grand même s'il était déjà trop tard pour espérer éteindre l'incendie. Tandis qu'Almadès prenait l'escalier vers le premier, La Fargue se chargea d'inspecter le rez-de-chaussée. Il alla de pièce en pièce, ne trouva rien ni personne, avisa enfin une petite porte basse alors que l'Espagnol redescendait.

— Il y a là-haut une chambre avec un coffre plein de vêtements de femme et d'homme. Et aussi du maquillage de théâtre.

— Voyons la cave, décréta le capitaine.

Ils poussèrent la petite porte, empruntèrent des marches de pierre et dans la pénombre, découvrirent Castilla à demi nu et sanglant, toujours suspendu par les poignets, condamné à périr dans le brasier qui commençait de ravager la maison. À ses pieds gisait la lourde chaîne qui avait servi à le supplicier.

La Fargue le soutint tandis qu'Almadès le détachait. Puis ils le portèrent, traversèrent à la hâte le rez-de-chaussée en proie aux flammes léchant les murs et attaquant les plafonds, couchèrent le malheureux sur l'herbe à l'écart de la maison.

Malgré sa faiblesse, Castilla était agité, gémissait, marmonnait. Une urgence lui faisait dépenser vainement ses dernières forces. La Fargue se pencha sur lui et approcha son oreille de ses lèvres boursouflées.

— Que dit-il ? s'enquit Almadès.

— Je l'ignore au juste, répondit le capitaine en se redressant à genoux. Quelque chose comme… « garanégra » ?

— *Garra negra*, murmura l'Espagnol en reconnaissant sa langue natale.

La Fargue lui adressa un regard intrigué.

— La Griffe noire, traduisit Almadès.

6

Saint-Lucq ne tarda pas à repérer Ballardieu.

Son instinct, d'abord, lui fit soupçonner qu'il était surveillé dès la rue des Moineaux, au sortir des Messageries Gaget. Pour s'en assurer, le sang-mêlé entra bientôt dans une boulangerie. Quand il reparut dans la rue, il grignotait innocemment une tartelette mais profita de l'occasion pour observer les environs derrière les verres rouges de ses bésicles. C'est ainsi que sans y paraître, il remarqua le visage rond et buriné de Ballardieu parmi les passants ordinaires.

La présence du vieux soldat l'étonna, mais ne l'inquiéta pas. À l'évidence, Ballardieu avait retrouvé sa trace en suivant Naïs, la servante de l'hôtel de l'Épervier. Ce ne pouvait être qu'à la demande d'Agnès. Restait à comprendre pourquoi.

La veille, de retour d'une délicate mission, Saint-Lucq avait appris tout à la fois que les Lames reprenaient du service et qu'il les réintégrait sous le commandement direct de La Fargue. Ce dernier, cependant, avait souhaité conserver le sang-mêlé en réserve et il avait été convenu que Saint-Lucq attendrait ses ordres aux Messageries Gaget. Cette idée ne lui avait pas déplu. Elle indiquait que le capitaine désirait conserver un atout dans sa manche et qu'il était cet atout. Mais un atout contre qui, et dans quelle partie ? La Fargue se méfiait-il de quelqu'un au Palais-Cardinal, voire au sein des Lames ? Saint-Lucq n'avait pas jugé nécessaire de poser la question. N'empêche, il y avait anguille sous roche et Agnès de Vaudreuil, à l'évidence, n'avait pas tardé à la débusquer. De là l'apparition de Ballardieu sur les talons du sang-mêlé.

Avec en poche la lettre que La Fargue lui avait fait

parvenir grâce à Naïs, Saint-Lucq alla d'un pas égal et tranquille jusqu'aux quais de Seine qu'il remonta. Puis, par le Pont-Neuf et l'élégante place Dauphine, il gagna le Palais. Il avait conclu qu'il devait fausser compagnie à Ballardieu mais sans en avoir l'air — ceci afin de ne pas éveiller ses soupçons ni, surtout, ceux d'Agnès qui semblait danser un étrange pas de deux avec La Fargue. La loyauté du sang-mêlé allait d'abord à son capitaine et le palais de la Cité se prêtait idéalement à une partie de cache-cache impromptue. Jadis siège du pouvoir royal, il était désormais celui de quatorze des vingt-neuf juridictions existant à Paris. S'y trouvait donc — mais pas seulement — la plus importante cour judiciaire du royaume dans un ensemble de bâtiments enchevêtrés dont la plupart dataient du Moyen Âge.

Saint-Lucq entra par la rue de la Barillerie et une porte flanquée de deux tourelles. À l'intérieur étaient deux cours, de part et d'autre de la Sainte-Chapelle. La cour à gauche était celle de la chambre des Comptes : encombrée de chevaux et de voitures, de boutiques débordant dans les rues avoisinantes, elle avait sur ses murs des écriteaux où s'étalaient les noms et portraits de criminels en fuite. La cour de Mai était à droite, donnait accès à un escalier et à une galerie menant à la salle des Pas Perdus. Celle-ci, haute, immense, poussiéreuse et bruyante, avait été rebâtie tout en pierre après l'incendie de 1618. Elle grouillait de monde — avocats, procureurs et clients qui discutaient, se disputaient, criaient souvent, en venaient parfois aux mains dans une atmosphère échauffée par la chicane. Mais les plaideurs et les hommes de loi en robe longue et noire n'étaient pas les seuls à fréquenter le lieu. Il était en outre envahi par une multitude de curieux et chalands attirés par les quelque deux cent vingt-quatre boutiques qui envahissaient les galeries et passages du Palais. Il se vendait toutes sortes de « galanteries » dans ces petites boutiques dont les marchands hélaient le client : soies, velours, dentelles, bibelots, bijoux, éventails, pierres précieuses, chapeaux, gants, rabats, livres, tableaux. On s'y donnait volontiers rendez-vous. Des élégantes s'y promenaient. De beaux messieurs distribuaient d'audacieuses œillades à l'envi.

Saint-Lucq n'eut aucun mal à perdre Ballardieu dans ce dédale populeux. Après quelques tours et détours qui pouvaient passer pour innocents, il se cacha promptement, regarda de loin le vieux soldat qui continuait tout droit en pressant le pas, et se hâta de quitter le Palais, assez satisfait de lui.

Il put, dès lors, en revenir à la mission que lui avait confiée La Fargue. Il emprunta le Petit-Pont pour franchir la Seine et se rendit rue de la Fontaine, dans le faubourg Saint-Victor. S'y trouvait une maison qu'il était censé fouiller d'abord et surveiller ensuite. Elle était le domicile d'une jeune femme — une certaine Cécile Grimaux — que les Lames protégeaient et que des spadassins avaient tenté d'enlever la nuit dernière. Marciac les avait mis en échec, preuve que les années ne l'avaient pas changé et qu'il avait toujours l'art de jouer les preux chevaliers au secours de demoiselles en détresse. Quoi qu'on en pense, les occasions de ce genre ne se présentaient pas souvent et quand elles se présentaient, elles semblaient avoir une nette préférence pour le Gascon.

La maison était petite, modeste, discrète et, côté rue, seuls les volets à ses fenêtres la distinguaient de ses voisines en cette matinée de semaine. Après un rapide et discret repérage, Saint-Lucq fit le tour, passa par le jardin, trouva la porte de derrière fracturée et entrouverte. Il entra prudemment, soumit le rez-de-chaussée à un examen rigoureux, découvrit dans l'escalier les indices d'un combat ou — au moins — d'une violente bousculade, grimpa au premier étage, y constata un certain désordre et remarqua une fenêtre béante par laquelle Marciac et sa protégée avaient sans doute rejoint les toits en catastrophe.

Rien n'indiquait que les appartements de Cécile avaient été fouillés. Saint-Lucq s'y employa donc avec un bon espoir de réussite, commença par les cachettes évidentes avant d'affiner ses recherches. La chance lui sourit. Dans une boîte à bijoux, parmi divers bagues, colliers et boucles d'oreilles sans grande valeur, il trouva un clou recourbé qui le fit sourire. Il ne s'agissait plus, dès lors, que de deviner ce que ce clou délogeait aisément… en l'occurrence un petit carreau de grès dans un angle de la chambre, sous un guéridon qui — trop souvent déplacé — avait laissé d'infimes marques sur le sol.

Saint-Lucq poussa un soupir en révélant la cache, pour moitié satisfait d'en exhumer des documents manuscrits, mais aussi déçu par la simplicité triviale de cette piètre chasse au trésor.

Il valait mieux que ça.

7

À l'hôtel de l'Épervier, Marciac n'avait pas dormi deux heures lorsqu'il rejoignit Leprat dans la salle principale. Le mousquetaire occupait toujours le même fauteuil près de la cheminée désormais éteinte, sa jambe blessée tendue devant lui, pied posé sur un tabouret. Rongé par l'inaction, il continuait de se morfondre mais au moins avait-il cessé de boire. Il était cependant un peu ivre, au bord de la somnolence.

Marciac, lui, paraissait plein d'énergie. Il souriait, avait l'œil brillant, manifestait une santé et une joie de vivre qui eurent tôt fait d'exaspérer Leprat. Sans parler du négligé — savamment entretenu — de sa vêture. Il était, dans l'absolu, habillé en gentilhomme : pourpoint à basques courtes, chemise blanche, épée au baudrier et bottes d'excellent cuir. Mais il portait tout cela avec une désinvolture qui trahissait la confiance aveugle que le Gascon vouait à son charme et à sa bonne étoile. Le pourpoint était déboutonné de haut en bas, le col de la chemise béait largement, l'épée semblait ne rien peser et les bottes désespérer de recevoir un bon coup de brosse.

— Allons, dit Marciac avec entrain tout en approchant une chaise. Je dois regarder ta blessure et peut-être en changer le pansement.

— Maintenant ?

— Mais oui. Serais-tu attendu quelque part ?

— C'est très drôle, ça…

— Râle tant que tu veux, triste sire. J'ai prêté un serment qui m'oblige à te soigner.

— Toi ? Un serment ?… De toute manière, ma jambe va fort bien.

— Vrai ?

— Je veux dire qu'elle va mieux.

— Tu n'écluses donc pas bouteille sur bouteille pour calmer la douleur…

— N'as-tu pas mieux à faire que compter les bouteilles ?

— Si. Soigner ta jambe.

Leprat rendit les armes avec un soupir et laissa faire de mauvaise grâce. En silence, Marciac défit le bandage, inspecta les bords de la plaie, s'assura qu'elle n'était pas infectée. Ses gestes étaient doux et précis.

Enfin, sans lever les yeux vers son patient, il demanda :

— Depuis quand sais-tu ?

Leprat se raidit, d'abord surpris puis inquiété par la question.

— Depuis quand sais-tu quoi ? fit-il sur la défensive.

Cette fois, Marciac trouva son regard. Il affichait une mine grave et entendue qui le dispensait de se répéter. Les deux hommes, un moment, se dévisagèrent. Puis l'ancien mousquetaire s'enquit :

— Et toi ? Depuis quand sais-tu ?

— Depuis hier, expliqua le Gascon. Depuis la première fois que j'ai soigné ta blessure… J'ai remarqué de l'obâtre mêlé à ton sang. Or il y en avait trop pour que tu puisses ignorer que la ranse t'avait gagné.

Selon Galien, le médecin grec de l'Antiquité dont les théories fondaient encore toute la médecine occidentale, la physiologie humaine provenait de l'équilibre de quatre fluides — les « humeurs » — imprégnant les organes : le sang, la bile, le phlegme et l'atrabile. La prédominance de chacune de ces humeurs déterminait le caractère d'un individu, et de là les tempéraments sanguins, bileux, flegmatiques ou atrabilaires. Tout va pour le mieux tant que les humeurs sont en proportion et quantité convenables dans l'organisme. Mais l'on tombe malade dès lors que l'une vient en excès ou se trouve viciée. Il importe alors d'évacuer l'humeur maligne à grand renfort de saignées, clystères et autres purgations.

Avant-gardistes, les médecins de la faculté de Montpellier — où Marciac avait étudié — considéraient que le mal que transmettaient les dragons provenait de l'imprégnation par une cinquième humeur propre à leur race : l'obâtre. « Celle-ci, prétendaient-ils, perturbe l'équilibre des humeurs humaines, les corrompt une à une et enfin réduit le malade à l'état que l'on sait. » Leurs collègues et traditionnels adversaires de la faculté de Paris ne voulaient pas entendre parler de l'obâtre, au prétexte qu'elle n'était mentionnée nulle part chez Galien et que celui-ci ne pouvait être pris en défaut. Et les querelles de chapelle, stériles, s'éternisaient.

— Je suis malade depuis deux années, dit Leprat.

— La grande ranse s'est-elle déclarée ?

— Non. Crois-tu que je vous laisserais seulement m'approcher si je me savais contagieux ?

Marciac éluda la question.

— La grande ranse ne se déclarera peut-être jamais, lâcha-t-il. Certains vivent avec la petite jusqu'à leur mort.

— Ou alors elle se déclarera et fera de moi un monstre pitoyable…

Le Gascon acquiesça sombrement.

— Où est la tache ? demanda-t-il.

— Partout sur mon dos. Elle gagne à présent les épaules.

— Fais-moi voir.

— Non. Inutile. Personne n'y peut rien.

De fait, que les médecins de Montpellier aient tort ou raison, que l'obâtre existe ou pas, la ranse était incurable en ce XVIIe siècle.

— Souffres-tu ?

— De fatigue uniquement. Mais je sais que les douleurs viendront.

Marciac ne trouva rien à ajouter et refit le pansement sur la cuisse du mousquetaire.

— Je te serai reconnaissant de…, commença Leprat. Cependant, il n'acheva pas.

Le Gascon, en se redressant, le gratifia d'un sourire rassurant.

— Ne t'inquiète pas, fit-il. Je n'ai jamais prêté le serment d'Hippocrate puisque je n'ai jamais été fait médecin, mais ton secret ne risque rien avec moi.

— Merci.

Alors, bien campé sur ses jambes et souriant de nouveau, Marciac déclara :

— Bon ! Je vais à présent m'assurer que notre protégée n'a besoin de rien. Mais comme Naïs est sortie, je peux faire un détour par les cuisines et te ramener tout ce que tu voudras…

— Non, cela ira. Je crois que je vais dormir un peu.

*

À la réflexion, Marciac se dit qu'il avait une petite faim et se rendit à la cuisine. Il la trouva déserte, dégotta une terrine de pâté, une moitié de pain dans la huche, et s'improvisa un casse-croûte sur un coin de table. La maladie potentiellement fatale de Leprat lui faisait souci mais, conscient qu'il n'y pouvait rien, il s'efforçait de ne pas y penser. Tout juste pouvait-il souhaiter soulager quelque peu Leprat en partageant son secret. Si le mousquetaire désirait parler de son mal, il savait désormais vers qui se tourner.

Le Gascon buvait au goulot quand Cécile entra et le salua.

— Bonjour, monsieur.

Il manqua s'étrangler, réussit à afficher un charmant sourire.

— Bonjour, madame. Comment vous portez-vous, ce matin ? Puis-je quelque chose pour vous ?

Elle était pâle, avait les traits tirés, restait néanmoins très jolie. Et peut-être même son état de faiblesse et ses grands yeux attristés ajoutaient-ils à sa beauté fragile.

— En fait, monsieur, je vous cherchais.

Marciac s'empressa de tirer une chaise à l'intention de la jeune femme et, attentif, s'assit en face d'elle.

— Je vous écoute, madame.

— Je vous en prie, appelez-moi Cécile, fit-elle assez timidement.

— Soit… Cécile.

— Je voulais d'abord vous remercier. Sans vous, cette nuit…

— Oubliez cela, Cécile. Vous êtes désormais en sécurité en ces murs.

— Certes, mais j'ignore tout de vous et de vos amis. Et je n'ai de cesse de faire des questions auxquelles on ne répond pas.

Elle se composa un air désolé propre à fendre le cœur.

Le Gascon lui prit la main. Elle ne la retira pas. L'avait-elle légèrement avancée dans cette intention ? Marciac présuma que oui et s'amusa de ce petit jeu.

— Par des chemins que je ne peux vous expliquer sans trahir des secrets qui ne m'appartiennent pas, expliqua-t-il, mes amis et moi-même avons été amenés à vous rencontrer. Sachez cependant que nous sommes vos alliés et que vos ennemis sont les nôtres. De fait, tout ce que vous pourrez nous dire servira votre cause, quelle qu'elle soit. Fiez-vous à nous. Et si cela vous est trop difficile, fiez-vous à moi…

— Mais j'ai déjà tout dit à Mme de Vaudreuil ! rétorqua une Cécile boudeuse.

— En ce cas, vous ne devez plus vous soucier de rien car nous nous chargeons du reste. Je vous fais le serment que si la chose est humainement possible, nous retrouverons votre sœur Chantal.

— Grand merci, monsieur.

— Je suis tout à votre service.

— Vraiment, monsieur ?

Il la regarda dans les yeux, lui prit cette fois les deux mains, délicatement, par le bout des doigts.

— Je vous l'assure, dit-il.

— Alors peut-être que…

Laissant sa phrase en suspens, elle se détourna, comme si elle regrettait déjà d'avoir trop parlé. Le Gascon fit mine de tomber dans le piège :

— Je vous en prie, Cécile. Parlez. Demandez.

Elle lui adressa alors, par en dessous, un regard timide dont elle avait sans doute déjà éprouvé l'efficacité.

— J'aimerais, monsieur, que vous m'accompagniez chez moi.

— Maintenant ?

— Oui. J'y ai laissé quelques effets qui me manquent et que j'aimerais retrouver.

— Ce serait de la dernière imprudence, Cécile…

— S'il vous plaît, monsieur.

— En revanche, dites-moi ce qui vous manque et j'irai vous le chercher.

— C'est qu'il s'agit d'effets dont une femme ne peut longtemps se passer… Ni parler à un homme…

— Ah… Alors voyez avec la baronne. Ou avec Naïs… Quoi qu'il en soit, il n'est pas question que vous retourniez chez vous. Le danger est encore trop grand.

La jeune femme comprit qu'elle n'obtiendrait pas gain de cause. Vaincue, elle acquiesça tristement et lâcha :

— Oui. Vous avez sans doute raison.

— Et vous m'en voyez sincèrement désolé, Cécile.

Elle se leva, remercia une dernière fois, indiqua qu'elle retournait dans sa chambre et quitta la pièce.

Marciac resta un instant immobile et songeur.

Puis il demanda :

— À ton avis ?

Agnès avança du renfoncement de porte où elle se tenait depuis un moment. Elle avait assisté à la conversation sans se faire voir ni entendre de Cécile. Mais le Gascon, lui, l'avait remarquée, ce qu'elle n'ignorait pas.

— Elle aura tout essayé, fit-elle. J'ai même cru un moment que tu allais tomber dans ses rets.

— Tu me peines.

— N'empêche, la demoiselle promet.

— Que crois-tu qu'elle veut reprendre chez elle ?

— Je l'ignore et je vais aller y voir.

— Seule ?

— Il faut bien que quelqu'un reste, et ce n'est pas Leprat ni le père Guibot qui empêcheront Cécile de nous fausser compagnie.

— Emmène au moins Ballardieu.

— Pas là.

— Attends-le.

— Pas le temps.

8

Vêtue d'une robe de soie et satin bleue, une licorne de nacre grise piquée au décolleté, la vicomtesse de Malicorne s'amusait à nourrir son dragonnet. Elle prenait, dans une assiette de vermeil et d'argent, des lambeaux de viande sanguinolente qu'elle lançait un à un et que le petit reptile happait depuis son perchoir. C'était un animal superbe, aux écailles noires et luisantes, qu'un lien intime unissait à sa maîtresse. On avait parfois surpris la vicomtesse à lui parler comme à un complice, un confident, un ami peut-être. Mais le plus étrange était que le dragonnet comprenait, une lueur d'intelligence traversant ses yeux d'or avant que d'un battement d'ailes, le plus souvent à la nuit, il ne s'envole vers sa mission.

Lorsque le marquis de Gagnière entra dans le salon, la jeune et jolie vicomtesse reposa l'assiette de viande et lécha — délicatement mais avec gourmandise — le bout de ses doigts graciles. Elle n'accorda cependant pas une grande attention à son visiteur, fit mine de ne s'intéresser qu'à son dragonnet repu.

— Savelda s'en revient tout juste de la petite maison du verger, annonça Gagnière.

— Le refuge du prétendu chevalier d'Irebàn ?

— Oui. Castilla a parlé.

— Et ?

— Nos frères d'Espagne ont fait fausse route.

Le regard de la jeune femme quitta le dragonnet et s'arrêta sur l'élégant marquis. La nouvelle qu'il venait d'énoncer, à l'évidence, le ravissait : un sourire satisfait plissait ses lèvres minces.

Parmi tous les individus plus ou moins bien intentionnés qui servaient la Griffe noire, rares étaient ceux qui agissaient en connaissance de cause. Ceux qui savaient étaient des « affiliés ». Ignorant généralement les tenants et aboutissants exacts de leurs missions, ils prenaient leurs ordres des « initiés », qui occupaient le rang le plus élevé auquel pouvait aspirer quiconque n'avait pas du sang de dragon dans les veines. Aristocrate aventureux sans terre ni fortune, Castilla était de ces affiliés dont la loyauté n'était pas encore fermement établie. Aussi lui avait-on jusqu'alors confié des missions que l'on préférait ne pas voir échouer mais dont il n'était pas nécessaire qu'il connaisse le détail. Intelligent, compétent, capable d'initiative, il n'avait jamais déçu.

Du moins jusqu'à sa disparition soudaine.

— « Fausse route », marquis ? Qu'entendez-vous par là ?

— J'entends par là que Castilla ne fuyait pas la Griffe noire.

La disparition de Castilla avait inquiété. Avait-il trahi et, si oui, emportait-il avec lui assez de secrets pour nuire à la Griffe noire ? Il fallait le retrouver afin de tirer cette affaire au clair et, au besoin, de le faire disparaître. Les espions découvrirent que Castilla avait quitté l'Espagne par bateau et qu'il avait débarqué à Bordeaux en compagnie d'un certain chevalier d'Irebàn — du moins avait-il signé le registre de bord de ce nom. S'étaient-ils rencontrés durant la traversée ou avaient-ils fui ensemble ? Peu importait dans l'immédiat, car la Griffe noire perdit alors leur trace. Depuis Bordeaux, ils pouvaient tout aussi bien avoir pris la mer vers un autre continent que la route vers un autre pays. On les signala cependant bientôt à Paris. Sans attendre, la Griffe noire d'Espagne exigea de Mme de Malicorne qu'elle mette tout en œuvre pour les retrouver. Dans une capitale de cinq cent mille âmes, ce fut d'autant moins simple que la vicomtesse avait d'autres chats à fouetter. Pourtant, elle n'était pas en position de refuser et, contre toute attente, elle réussit là où certains espéraient peut-être qu'elle échouerait, ses premiers succès en France faisant des jaloux à Madrid.

Castilla fréquentant trop assidûment une certaine maison de jeu parisienne, il fut le premier localisé. Puis ce fut le tour d'une jeune femme qu'il rencontrait souvent et dont il s'avéra qu'elle n'était autre que le fringant chevalier d'Irebàn. Par souci de discrétion sans doute, elle s'habillait encore en cavalier parfois. Mais pour les moments où elle portait la robe, elle s'était inventé l'identité d'une modeste orpheline lyonnaise. Dès que la chose fut possible, Gagnière — qui avait lui aussi fort à faire ailleurs — organisa la capture du couple avec l'appui de Savelda, homme de main récemment arrivé d'Espagne. Miraculeusement secourue, la jeune femme s'échappa cependant que Castilla était pris et torturé.

— Allez au fait, marquis. Et dites-moi les secrets que Savelda a arrachés cette nuit à Castilla.

— Comme nous le soupçonnions, Castilla et la belle étaient amants. Or ce n'est pas à la Griffe noire qu'ils voulaient échapper en fuyant l'Espagne, mais au père de la demoiselle.

— Dois-je comprendre que nous avons dépensé tant de temps et d'efforts à retrouver deux amoureux en fugue ?

— Oui.

— Et que jamais Castilla n'a songé à nous nuire ?

— Jamais. Ni même peut-être à trahir.

La vicomtesse retint un rire.

— En d'autres circonstances, dit-elle, je serais furieuse. Mais nous avons là le moyen de rabattre le caquet de nos frères d'Espagne et, si nécessaire, de leur donner une leçon d'humilité à l'occasion. En outre, ils ne pourront pas nier puisque c'est leur envoyé, Savelda en personne, qui a découvert le fin mot de cette histoire.

— Je doute que les plus jaloux de nos adversaires goûtent l'ironie quand la nouvelle parviendra à Madrid, s'amusa Gagnière.

— Désormais, ils goûteront ce que nous leur servirons.

Ravie et souriante, la jeune vicomtesse de Malicorne se laissa tomber dans un fauteuil.

— Mais qui est donc ce père que Castilla voulut

fuir au risque de s'attirer les foudres de la Griffe noire ?

— C'est là le meilleur de l'histoire, madame. Le père n'est autre que le comte de Pontevedra.

Les yeux de la jeune femme étincelèrent d'intérêt.

Pontevedra était un aristocrate étranger au passé trouble qui, devenu en moins de deux ans l'ami du comte d'Olivares et le protégé du roi Philippe IV, avait gagné la fortune et la gloire en Espagne. L'homme était influent, puissant et craint. Et il se trouvait actuellement à Paris, où une mission d'ambassade extraordinaire l'avait amené : cela faisait une semaine qu'il négociait secrètement au Louvre, sans doute dans le dessein de favoriser un rapprochement entre la France et l'Espagne.

Un rapprochement que la Griffe noire ne voulait à aucun prix.

— Tout s'explique, lâcha la vicomtesse. Jusqu'à l'entrée en scène des Lames du Cardinal...

Gagnière s'efforça de contenir ses doutes.

L'obstination que son interlocutrice mettait à voir les agents de Richelieu partout en devenait inquiétante. La magie, certes, pouvait lui en apprendre beaucoup plus qu'elle ne disait. Mais c'était à croire qu'il existait entre elle et les Lames un vieux contentieux qui l'obsédait et l'aveuglait.

— Madame, commença-t-il sur un ton raisonnable. Rien n'indique que...

— Et qui donc, selon vous, secourut la fille de Pontevedra cette nuit ? l'interrompit-elle. Son sauveur n'est pas tombé de la lune, que je sache ? Et il était assez capable pour l'emporter contre plusieurs spadassins !... Courage, audace, vaillance : c'est là la marque des Lames... Quoi ? Vous en doutez encore ?...

Elle s'était inutilement emportée, ce que le prudent silence du gentilhomme lui fit comprendre. Pour se calmer, se rassurer peut-être, elle ouvrit un précieux coffret posé sur un guéridon près d'elle. Il contenait la Sphère d'Âme, qu'elle caressa du bout des doigts, paupières mi-closes.

Elle prit une inspiration et expliqua :

— Faites-moi seulement la grâce d'y songer. Vous êtes le comte de Pontevedra et vous savez que votre fille enfuie — et peut-être menacée par la Griffe noire — est à Paris. Or il n'y a rien que la France ne puisse vous refuser, considérant l'importance des négociations que vous menez. N'iriez-vous pas demander le secours du Cardinal ? Et n'exigeriez-vous pas que les meilleurs de ses hommes soient mobilisés ?

— Si, reconnut Gagnière comme à regret.

— Les meilleurs, ce sont les Lames.

— Je vous crois.

— À la bonne heure… Mais quel dommage que la fille de Pontevedra nous ait échappé ! Quel levier nous aurions contre lui !

— Tout n'est sans doute pas perdu de ce côté-là. J'ai envoyé Savelda chez la fille, rue de la Fontaine. Il y trouvera peut-être quelque chose et, au pire, cela l'occupera.

— Excellente initiative. Nous aurons ainsi les mains libres pour préparer la cérémonie de ce soir. Tout est-il prêt au château ?

— On s'y emploie.

— Rien ne doit perturber nos premières initiations, marquis. La Grande Loge ne nous pardonnera pas la moindre fausse note.

— Je le sais. Cependant…

Gagnière, hésitant, laissa sa phrase en suspens.

Mais comme la vicomtesse le dévisageait en fronçant les sourcils, il se lança :

— Il nous faut à présent discuter d'un cas délicat, madame.

— Lequel ?

— Laincourt.

9

Agnès de Vaudreuil pesta entre ses dents en découvrant la cache vide dans le plancher de la chambre. Soupçonnant Cécile de vouloir récupérer quelque chose chez elle, elle s'était rapidement et discrètement rendue sur place afin de fouiller la petite maison de fond en comble. Pour ce faire, elle avait hélé une chaise qui passait à vide rue des Saints-Pères et demandé aux porteurs de l'emmener dans le faubourg Saint-Victor, rue d'Orléans, en empruntant celle de la Fontaine. Elle avait payé d'avance, était entrée par la portière ouvrant entre les brancards à l'avant de l'habitacle et, sitôt les rideaux tirés, s'était sentie soulevée avant de se laisser bercer par les balancements d'une marche régulière. En passant rue de la Fontaine, elle avait légèrement écarté l'un des rideaux de manière à reconnaître la maison décrite par Marciac et à inspecter les alentours sans risquer d'être vue. Elle n'avait rien aperçu d'inquiétant. Ni personne. Descendue rue d'Orléans, elle avait alors fait un grand tour pour entrer par-derrière, c'est-à-dire par le jardin, toujours à l'abri des regards indiscrets.

Et voilà comment Agnès devait à présent se rendre à une double évidence. D'abord, elle avait bien deviné les intentions de Cécile : celle-ci cachait quelque chose dans sa chambre, quelque chose d'assez précieux pour qu'elle veuille y retourner malgré le danger, quitte à user de ses charmes pour convaincre Marciac de l'accompagner. Ensuite, quelqu'un l'avait, elle, Agnès, prise de vitesse.

Mais qui ?

Ceux qui avaient tenté d'enlever Cécile, sans doute…

Sommaire, la cache dans le plancher n'était pas grande et ne permettait pas de deviner ce qu'elle avait contenu. Le mieux était donc de se renseigner auprès de la principale intéressée. Agnès estimait d'ailleurs que les Lames — à la demande de La Fargue — n'avaient que trop ménagé Cécile. Certes, la jeune femme avait subi une tentative de rapt éprouvante et elle ne semblait pas préparée à ce genre d'aventures. Mais la reconnaissance qu'elle manifestait à ses nouveaux protecteurs n'allait pas jusqu'à jouer franc jeu avec eux. Désormais convaincue de la duplicité de Cécile, Agnès ne pouvait en tolérer plus.

Par acquit de conscience, elle fit le tour de la maison. En vain. Et c'est en poussant la petite porte donnant sur le jardin qu'elle tomba nez à nez avec un homme en noir, armé, borgne et ransé qui — d'abord aussi surpris qu'elle — afficha bientôt un sourire inquiétant.

— Tiens, tiens, fit-il avec un fort accent espagnol. Ainsi, l'oisillon est revenu au nid…

Agnès comprit.

Elle portait une robe unie, un léger manteau brun et une capeline assortie couvrant les épaules, avec capuchon. La modestie de sa mise était calculée : ignorant qu'elle aurait le loisir d'emprunter une chaise à porteurs, la jeune baronne pensait en quittant l'hôtel de l'Épervier qu'elle devrait marcher jusqu'à destination, puis rôder autour de la maison un moment afin de repérer les lieux. Elle voulait donc passer inaperçue et, pour ce faire, le mieux est de ne sembler ni riche ni pauvre. Mais Cécile aurait également pu se vêtir de la sorte. Or elle et Agnès avaient en commun la jeunesse à quelques années près, la beauté et de longs cheveux noirs. Si le borgne ne les avait jamais rencontrées, s'il n'avait de Cécile qu'une description sommaire, il était parfaitement susceptible de les confondre.

Agnès adopta aussitôt une attitude craintive, comme il se devait d'une jeune femme sans défense tombée aux mains d'un ennemi menaçant. Le borgne, d'ailleurs, n'était pas seul. Des spadassins à la mauvaise mine l'accompagnaient.

— Le ciel m'est témoin, dit l'Espagnol dont la ranse avait détruit un œil et ravageait la joue, que je n'en espérais pas tant en venant ici… Je m'appelle Savelda, Cécile.

— Que voulez-vous de moi ?

— Je n'en sais encore rien et il ne m'appartient pas d'en juger. Je puis seulement vous promettre qu'il ne vous sera fait aucun mal si vous nous suivez sans heurt ni bruit. Alors, Cécile ? Serez-vous raisonnable ?

— Oui.

*

Quelques minutes plus tard, Agnès s'engagea dans la rue de la Fontaine, encadrée de près par les spadassins, Savelda ouvrant la marche. C'est là qu'elle vit et reconnut Saint-Lucq : vêtu de sombre et l'épée au côté, discrètement posté à l'entrée d'une ruelle, il observait la scène derrière ses éternelles bésicles rouges.

L'étonnement d'Agnès fut tel qu'elle faillit trahir son émotion. Il ne manquait plus que le sang-mêlé pour que les Lames du Cardinal soient au complet et La Fargue n'avait annoncé son recrutement à personne. Mais sa présence ici ne pouvait être un hasard. Sans doute surveillait-il la maison. Peut-être même était-il celui qui avait fouillé et vidé la cache à l'intérieur. L'ironie était que lui et Agnès s'étaient manqués par sa faute à elle : il ne pouvait deviner qu'elle était dans la chaise à porteurs passant dans la rue, et elle avait ensuite fait le tour pour entrer par-derrière tandis qu'il épiait la façade principale.

Voyant qu'Agnès était enlevée, Saint-Lucq faisait déjà un pas vers elle et portait la main à l'épée — s'il n'avait pas changé, l'affaire serait rapidement expédiée et seul Savelda poserait peut-être problème. Mais la fausse captive l'arrêta d'un regard en espérant qu'il comprendrait.

Parfois, se jeter dans la gueule du loup est le meilleur moyen de trouver son antre.

10

En sueur, salis de suie et de sang, La Fargue et Almadès furent de retour aux alentours de midi, les sabots de leurs chevaux remplissant soudain la cour pavée et encaissée d'un martèlement sonore qui tira l'hôtel de l'Épervier de sa triste torpeur. Ils abandonnèrent leurs montures au père Guibot accouru aussi vite qu'il pouvait sur sa jambe de bois, et franchirent d'un bond les quelques marches du perron.

— Conseil de guerre ! lança le capitaine d'une voix forte en faisant irruption dans la grande salle du corps de logis principal.

Leprat, cloué à son fauteuil par sa cuisse blessée, s'y trouvait déjà. Marciac les rejoignit vite et, durant quelques secondes, chacun resta dans l'expectative. Il y avait à l'évidence une urgence dont Leprat et le Gascon attendaient d'apprendre la nature, cependant que La Fargue allait et venait, s'impatientait, lâchait enfin :

— Les autres ?

— Agnès est sortie, dit Marciac.

— Ballardieu ?

— Me voici, annonça le vieux soldat en entrant.

Il arrivait tout juste, avait même vu La Fargue et Almadès le dépasser au grand trot dans la rue alors qu'il s'en revenait du palais de la Cité où Saint-Lucq l'avait semé.

— « Sortie » ? fit le capitaine en repensant à Agnès. Sortie pour aller où ?

Interrogé du regard en même temps que Marciac, Leprat haussa les épaules : il n'en savait rien.

— Fouiller la maison de Cécile, expliqua le Gascon.

— Seule ? s'inquiéta Ballardieu.

— Oui.

— J'y vais.

— Non, ordonna un La Fargue visiblement contrarié. Tu restes.

— Mais, capitaine…

— Tu restes !

Ballardieu allait protester encore mais Almadès lui posa une main rassurante sur l'épaule.

— Agnès sait ce qu'elle fait.

À regret, le vieux soldat se soumit.

— Marciac, fit La Fargue. Les portes.

Acquiesçant, le Gascon ferma toutes les issues de la salle et alors qu'il finissait, le capitaine annonça :

— Nous avons retrouvé Castilla. Torturé et laissé pour mort.

— L'est-il ? s'enquit Leprat.

— Non. Mais il n'est guère mieux. Ses bourreaux ne l'ont pas épargné et Almadès et moi l'avons sauvé à la dernière minute de l'incendie où il était condamné à disparaître. Nous l'avons aussitôt porté à l'hôpital Saint-Louis heureusement tout proche.

— A-t-il parlé ?

— Deux mots, intervint Almadès. *Garra negra.* La Griffe noire.

Tous se turent : ils savaient ce que cela signifiait.

La Griffe noire était une société secrète particulièrement puissante en Espagne et dans ses territoires. Elle n'était pas secrète au sens où l'on ignorait son existence, mais au sens où ses membres ne se faisaient pas connaître. Et pour cause. Dirigée par des dragons avides de pouvoir, elle ne reculait devant rien pour parvenir à ses fins. On avait cru un temps qu'elle servait l'Espagne. Cependant, si sa loge la plus influente et la plus active se trouvait bien à Madrid, ses ambitions ne correspondaient pas toujours avec celles de la couronne espagnole. Elles s'y opposaient même parfois. Les maîtres de la Griffe noire, en fait, voulaient plonger l'Europe dans un chaos propice à l'instauration d'un règne draconique absolu. Un chaos qui, à terme, n'épargnerait sans doute pas la Cour des Dragons.

Tentaculaire, la Griffe noire n'était donc nulle part aussi puissante qu'en Espagne. Néanmoins, elle œuvrait également dans les Pays-Bas, en Italie et en Allemagne, où elle avait établi des loges soumises à l'autorité de la première d'entre elles, la plus ancienne et la plus redoutée, celle de Madrid. La France, elle, échappait jusqu'alors à son emprise. Bien que la Griffe noire y intriguât parfois, elle n'avait jamais réussi à y fonder une loge.

Mais pour combien de temps encore ?

— Si la Griffe noire est de la partie, dit Leprat, on

comprend pourquoi le Cardinal a soudain fait appel à nous. Cela suppose également que le danger est grand. Et imminent.

— Toute cette histoire ne serait donc qu'un prétexte à nous lancer aux trousses de la Griffe noire ? hasarda Marciac.

— J'en doute, fit La Fargue. Mais le Cardinal en savait peut-être plus long qu'il n'en a dit.

— Alors que devons-nous croire ? Et qui ?

— Nous. Rien que nous.

— C'est un air que j'ai déjà entendu chanter…

— Je sais.

— Reprenons, proposa Leprat alors que tout le monde replongeait dans de mauvais souvenirs. Si la Griffe noire est, comme nous, à la recherche du chevalier d'Irebàn, c'est sans doute parce qu'il est plus que le fils débauché d'un Grand d'Espagne.

— De cela, nous nous doutions, glissa Marciac.

— Alors qui est-il ?

— Castilla et lui appartenaient peut-être à la Griffe noire. S'ils ont trahi, ils avaient toutes les raisons de fuir l'Espagne et de se réfugier en France, où la Griffe noire n'a encore que peu d'influence.

— Si la Griffe noire était après moi, nota Almadès d'un air sinistre, je ne cesserais de fuir qu'après avoir gagné les Indes occidentales. Et là, je me méfierais encore.

— Castilla et Irebàn pourraient avoir moins de tête que toi, Anibal…

— Certes.

— Reste à savoir, dit Leprat, ce que la Griffe noire voulait arracher à Castilla et si elle y est parvenue.

— Nous n'aurions trouvé qu'un cadavre s'il n'avait pas parlé, fit La Fargue. À en juger par son triste état, il a résisté tant qu'il a pu. Il gardait donc des secrets d'importance.

— Il voulait peut-être protéger Irebàn.

— Ou Cécile, supposa Ballardieu qui, jusque-là, s'était tu.

Sa remarque fit naître un silence car tous, à des degrés divers, avaient remarqué l'embarras que La Fargue semblait manifester à l'égard de la jeune femme. En de semblables circonstances, une autre qu'elle aurait déjà été étroitement interrogée par les Lames. Mais c'était comme si le capitaine souhaitait l'épargner pour d'obscures raisons.

La Fargue comprit le reproche muet de ses hommes.

— C'est bon, lâcha-t-il en prenant sur lui. Où est-elle ?

— Aux dernières nouvelles, dit Marciac, dans sa chambre.

— Va la chercher.

Le Gascon sortait par une porte quand Guibot frappa à une autre. Almadès lui ouvrit.

— M. de Saint-Lucq attend dans la cour, dit le vieil homme.

11

Sur le départ, le carrosse attendait dans la cour de l'hôtel de Malicorne lorsque Gagnière arriva au galop.

— Madame ! appela-t-il alors que la vicomtesse, vêtue d'un manteau de voyage à capeline, s'apprêtait à embarquer par la portière qu'un laquais lui tenait ouverte. Madame !

Étonnée, la jeune femme s'arrêta. Elle avait, sous

le bras, le coffret contenant la Sphère d'Âme. Elle le tendit à l'intérieur et, à un homme dont le marquis n'aperçut que les mains gantées, intima :

— Ne l'ouvrez pas.

Puis, se tournant vers Gagnière :

— Voilà des manières bien cavalières, marquis…

Le gentilhomme mit pied à terre et, s'inquiétant de qui était dans le carrosse, dit sur le ton de la confidence :

— Veuillez me pardonner, madame. Mais les circonstances exigent que l'on fasse fi des usages.

— Je vous écoute, monsieur.

— Nous avons la fille de Pontevedra.

Le regard de Gagnière brillait d'excitation. La vicomtesse, en revanche, ne manifesta rien d'autre que de la circonspection.

— Vraiment ?

— Elle s'est tout bonnement jetée dans nos bras en retournant chez elle au moment où Savelda s'y trouvait aussi. Les âmes des Dragons Ancestraux veillent sur nous, madame !

— Sans doute, oui… Où est-elle, à présent ?

— Avec Savelda.

La vicomtesse tiqua.

Le comte de Pontevedra était l'ambassadeur extraordinaire du roi d'Espagne. Considérant qu'il négociait avec la France un rapprochement dont la Griffe noire ne voulait pas, sa fille constituait une proie de choix. Une proie que l'on se devait de préserver.

— Quand la Grande Loge d'Espagne apprendra que la fille de Pontevedra est entre nos mains, dit la jeune femme, elle la réclamera. Nous devons donc la mettre en sécurité, hors de Paris, là où personne ne pourra l'atteindre sans passer par nous.

Elle réfléchit un instant et décréta :

— Que Savelda la conduise sans attendre au château de Torain.

— Ce jourd'hui ? s'inquiéta Gagnière. Mais madame…

— Faites.

L'homme dans le carrosse, alors, parla sans se montrer :

— C'est à la demande de Pontevedra que le Cardinal a fait appel à ses Lames…

La vicomtesse sourit.

Elle songeait qu'elle pourrait sans doute, à terme, faire échouer la mission de Pontevedra en menaçant la vie de sa fille. Mais le même moyen pouvait être employé à un tout autre but, immédiat celui-là. Ce serait en outre l'occasion de mesurer la profondeur des sentiments paternels de l'ambassadeur.

— Faisons savoir à Pontevedra que nous détenons sa fille et que s'il souhaite la revoir vivante, il devra nous donner quelques gages de bonne volonté. Le premier sera d'obtenir de Richelieu qu'il rappelle ses Lames dès aujourd'hui. Cela nous tirera une épine du pied.

— Qui se chargera de porter la nouvelle à Pontevedra ? s'enquit Gagnière.

La vicomtesse réfléchit, et lui vint une idée.

— M. de Laincourt souhaite être initié ce soir, non ? Qu'il nous montre de quoi il est capable. Il obtiendra satisfaction s'il s'acquitte de cette mission.

*

Après le départ de Gagnière, la vicomtesse monta dans le carrosse qui s'ébranla aussitôt. Elle s'assit en face de celui que le marquis n'avait pu voir et à qui elle avait confié le précieux reliquaire.

— C'est la Sphère d'Âme, n'est-ce pas ? demanda l'homme en se dépossédant du coffret.

— Oui. Sans elle, rien de ce qui adviendra ce soir ne serait possible.

— J'ai hâte.

— Je le crois volontiers. Mais l'expérience est douloureuse. Et parfois, mortelle.

— Qu'importe !

Confiante, la jeune femme sourit à M. Jean de Lonlay, sieur de Saint-Georges et capitaine des gardes du Cardinal.

Il ferait, à n'en pas douter, s'il survivait, un initié de premier ordre pour la loge française de la Griffe noire.

12

La Fargue n'ayant encore dit à personne qu'il avait recruté Saint-Lucq, l'entrée en scène du sang-mêlé prit au dépourvu mais n'étonna pas vraiment. D'abord parce que les Lames ne pouvaient prétendre être au complet sans lui. Ensuite parce qu'il avait toujours été un franc-tireur et n'était jamais aussi efficace que lorsqu'il agissait dans l'ombre et seul. La nouvelle qu'il apportait, en outre, eut tôt fait d'occuper tous les esprits. Il l'annonça sans préambule dans la cour de l'hôtel de l'Épervier.

— Agnès a été enlevée.

— « Enlevée » ? s'exclama Ballardieu.

Emporté par la colère, il fit un pas menaçant vers Saint-Lucq, qui n'esquissa pas un geste. Ni pour se défendre, ni pour reculer. Il en fallait plus pour l'impressionner.

La Fargue, en revanche, s'interposa.

— Laisse-le raconter, Ballardieu.

Impassible, le sang-mêlé s'expliqua.

— Je surveillais cette maison selon vos ordres…

— Celle de Cécile, précisa le capitaine à l'intention des autres.

— Je devine qu'Agnès est entrée par-derrière car je ne l'ai pas même aperçue. Pareil pour les hommes qui sont ensuite sortis avec elle et qui l'ont emmenée.

— Mais quels hommes, bon Dieu ! s'exclama Ballardieu.

— Des spadassins, répondit Saint-Lucq avec calme.

— Et tu n'as rien fait !

— Non. Agnès ne le voulait pas. Elle voulait que ces hommes l'emmènent.

— Qu'en sais-tu ?

— Agnès m'a vu dans la rue. Elle m'a lancé un regard et j'ai compris.

— Tu es bien malin !…

— Plus que toi.

— QUOI ?

Ballardieu, rubicond, parut gagner en volume. Saint-Lucq le toisa sans trembler. Et dit :

— Tu m'as entendu.

— Il suffit ! intervint La Fargue d'une voix forte.

Leprat, qui avait suivi dans la cour malgré sa cuisse blessée, obligea Ballardieu à reculer en le prenant par le bras. Ne manquait à l'appel que Marciac, parti chercher Cécile dans sa chambre au moment où le sang-mêlé était annoncé.

— Continue, Saint-Lucq. Ensuite ?

— Ensuite ? Rien… Je les ai suivis tant que j'ai pu mais ils n'ont pas tardé à prendre des chevaux. Moi, j'étais à pied.

— Que se passe-t-il ? demanda Marciac en sortant par l'écurie et en dépassant Leprat qui s'efforçait d'apaiser Ballardieu. Tiens ! Salut, Saint-Lucq.

— Agnès a été enlevée, expliqua La Fargue.

— Oh ? Par qui ?

— Des spadassins menés par un borgne ransé, fit le sang-mêlé.

— Mon borgne ransé ? s'enquit le Gascon. Celui de cette nuit ?

— Et le même que ce matin, nota Almadès. Les cavaliers que nous avons croisés sur la route, ils étaient conduits par un borgne ransé, eux aussi.

— Cela signifie qu'Agnès est aux mains de la Griffe noire, conclut La Fargue. Elle s'est laissé prendre pour démasquer nos adversaires mais elle ne pouvait deviner que…

— J'ai peur d'avoir également une mauvaise nouvelle à annoncer, lâcha Marciac. Cécile a disparu. Elle s'est enfuie.

— Merde !

Le juron du capitaine claqua tel un coup de mousquet dans la cour.

*

Les Lames fouillèrent l'hôtel de l'Épervier puis, quand la disparition de Cécile ne fit plus aucun doute, ils se retrouvèrent dans la grande salle. La jeune femme avait sans doute fui par le jardin, dont on avait découvert la grille entrouverte — de là, elle avait pu sans mal se perdre dans un dédale de ruelles et passages. De plus amples recherches s'avéraient donc inutiles.

— M'est avis qu'elle a espionné notre réunion, dit Marciac. Et c'est sans doute pour ne pas avoir à répondre aux questions que nous comptions lui poser qu'elle a préféré s'esquiver. Nous ne nous sommes pas assez méfiés d'elle. Elle n'est pas la pauvre orpheline que nous croyions, mêlée malgré elle à une sombre intrigue. Je parie même que sa sœur, qui aurait disparu en même temps que le chevalier d'Irebàn, n'a jamais existé.

— Irebàn et elle ne font qu'un, annonça Saint-Lucq en jetant une petite liasse de documents sur la table. J'ai trouvé cela chez elle. On y lit que Cécile est la fille d'un grand seigneur d'Espagne, que Castilla et elle sont amants, et qu'ils ont fui ensemble, Cécile se déguisant en homme pour tromper les espions. On y lit également que Cécile et Castilla ne craignaient pas seulement la colère du père, mais aussi celle d'un mystérieux ennemi.

— La Griffe noire, devina Leprat.

— Dois-je vous rappeler qu'Agnès est aux mains de la Griffe noire ? lâcha Ballardieu d'une voix blanche de colère contenue. N'est-ce pas là le plus important ?

— Si, dit La Fargue. Cependant, c'est peut-être en comprenant le fin mot de cette histoire que nous trouverons le moyen de secourir Agnès…

— Et moi je dis qu'il faut tout mettre en œuvre pour y parvenir ! Et dès maintenant !

— Agnès s'est volontairement jetée dans la gueule du loup, intervint Leprat, mais elle ignorait sans doute de quel loup il s'agissait.

— Elle est passée tout près de moi, indiqua Saint-Lucq. J'ai entendu le borgne qui lui parlait en l'emmenant et, à l'évidence, il la prenait pour Cécile. Cela ne durera pas. Ballardieu a raison : le temps presse.

— Qui peut nous aider ? s'enquit le vieux soldat. Le Cardinal ? Castilla ?

— Je doute que Castilla soit en état de parler, dit Almadès. Quant au Cardinal…

Un silence s'installa, lourd d'une inquiétude augmentée par l'impuissance.

— Malencontre, lâcha Leprat après un long moment.

Les autres le dévisagèrent et, en aparté, Almadès expliqua sommairement à Saint-Lucq qui était ce Malencontre. Ce faisant, Leprat poursuivit :

— Malencontre appartient à la Griffe noire, sinon nous ne l'aurions pas surpris sous les fenêtres de Castilla. Et il doit en savoir long, sinon le Cardinal ne nous l'aurait pas pris.

— Mais si je comprends bien la chronologie des événements, dit Saint-Lucq, cet homme ne peut savoir où Agnès est retenue aujourd'hui puisqu'il a été arrêté hier…

— Il en sait certainement assez long pour nous mettre sur la bonne piste !

— Oui ! s'exclama Ballardieu. Oui ! L'idée est excellente !

Il se tourna vers La Fargue et sollicita son avis du regard.

— L'idée est bonne, oui… Cependant…

— Cependant nous ignorons où il se trouve, acheva Marciac. De plus, nous ne l'atteindrons pas sans en passer par le Cardinal. Enfin, il ne parlera pas si nous ne lui offrons rien.

— La liberté, dit Almadès. Malencontre se sait perdu. Il ne parlera pour rien d'autre que sa liberté.

— Obtenons de Richelieu qu'il offre sa liberté à Malencontre ! fit Ballardieu. S'il sait que la tête d'Agnès est dans la balance…

Il voulait y croire, mais les autres étaient moins confiants. Quel prix le Cardinal accorderait-il désormais à la vie de l'une de ses Lames ? Il n'avait pas hésité, naguère, à les sacrifier toutes sur l'autel de la nécessité politique.

— Je peux hâter une entrevue avec Son Éminence, proposa Saint-Lucq.

— Alors essayons, conclut La Fargue.

Tous se levèrent et Marciac prit le capitaine à part.

— Avec votre permission, je vais me mettre en quête de Cécile.

— Sais-tu où elle est allée ?

Le Gascon sourit.

— Si Agnès était ici, elle vous dirait que vous connaissez bien mal les femmes, capitaine.

— Soit, suis ton idée. Mais nous aurons bientôt besoin de toi.

— Je ne tarderai pas.

13

En 1607, Concino Concini, un aventurier italien qui exerçait avec sa femme une telle influence sur la reine Marie de Médicis qu'elle le fit marquis d'Ancre et maréchal de France, construisit un vaste hôtel rue de Tournon. Avide et incapable, il était détesté par la population qui pilla son hôtel une première fois en 1616, puis une seconde en 1617, après sa mort. Louis XIII y résida de temps à autre, y logea saint François de Sales un moment, puis l'offrit à l'un de ses favoris et le lui racheta plus tard. Dès lors, et jusqu'en 1748, le bel hôtel de la rue de Tournon fut affecté comme résidence aux ambassadeurs extraordinaires.

À l'époque, en effet, l'usage des ambassadeurs permanents ne s'était pas encore répandu. Sauf rares exceptions, on ne comptait en Europe que des ambassadeurs extraordinaires qui menaient des négociations ponctuelles ou représentaient leurs monarques lors de grandes occasions — baptêmes princiers, fiançailles, mariages, etc. Ces envoyés — toujours de grands seigneurs tenus de briller à leurs frais — retournaient ensuite au pays. La diplomatie n'était pas encore une carrière.

À Paris, les ambassadeurs et leurs suites étaient donc les hôtes du roi dans l'ancien hôtel du maréchal d'Ancre. Mandaté par le roi Philippe IV d'Espagne, le comte de Pontevedra y logeait ainsi depuis plusieurs jours et il y resterait sans doute le temps nécessaire au bon déroulement d'une mission entourée du plus grand secret. Que se disaient le comte et Richelieu au cours de leurs longues réunions quotidiennes, réunions auxquelles le roi en personne se montrait ? La Cour bruissait de rumeurs sur ce sujet et chacun prétendait savoir ou deviner. La vérité, cependant, était au-delà de toute expectative. Il ne s'agissait de rien de moins que de préparer, sinon une alliance, du moins un rapprochement entre la France et l'Espagne. La chose était-elle seulement possible ? Si oui, elle bouleverserait durablement la politique européenne et pèserait sur la destinée de millions d'âmes.

Ce jour-là, le comte de Pontevedra revint assez tôt du Louvre. Il allait dans un luxueux carrosse, entouré d'une vingtaine de gentilshommes en armes dont le rôle était autant de le protéger que d'assurer son prestige par leur nombre et leur élégance. À l'hôtel de la rue de Tournon, il gagna seul ses appartements d'un pas pressé, renvoya ses domestiques, refusa même l'aide de son valet de chambre pour ôter son pourpoint de brocart et son baudrier rehaussé d'or. Il se versa un verre de vin et se laissa tomber dans un fauteuil. Il était soucieux, rongé par une inquiétude. Mais ce n'était pas la difficulté des négociations diplomatiques qu'il menait qui gâchait ses jours et hantait ses nuits.

Une porte grinça.

L'ambassadeur se leva, furieux, déjà prêt à chasser vertement l'importun, et se figea. Il eut un regard pour son épée qu'il avait malheureusement abandonnée loin de lui.

— Ce serait un suicide, monsieur, dit Laincourt en sortant d'une antichambre.

Il braquait un pistolet sur le comte.

— Si j'appelle, dix hommes en armes seront ici dans l'instant.

— Un autre suicide. Vous ne me connaissez pas, mais faites-moi la grâce de croire que je ne manquerai pas de vous loger une balle en plein front à cette distance.

— C'est juste, je ne vous connais pas. Qui êtes-vous ?

— Je ne suis pas un assassin. Je suis un messager.

— Qui vous envoie ?

— La Griffe noire.

Grand, digne, les tempes grises, une fine cicatrice ornant sa pommette, l'ambassadeur portait encore beau à la cinquantaine. Il ne tremblait pas, mais pâlit.

— Je vois, ajouta Laincourt, que vous devinez le motif de ma visite…

— Parlez, monsieur.

— Nous avons votre fille.

Pontevedra resta impassible.

— Vous ne me croyez pas, avança Laincourt après un moment.

— Au nom de quoi devrais-je le faire ? J'attends vos preuves. Auriez-vous un bijou n'appartenant qu'à elle à me montrer ? Ou peut-être une mèche de cheveux ?

— Ni bijou, ni cheveux. Mais je puis revenir avec un œil…

Il y eut un autre silence, durant lequel les deux hommes se dévisagèrent, chacun sondant l'autre.

L'ambassadeur céda le premier.

— Comment va-t-elle ?

— Elle se porte à merveille, malgré l'inconfort de sa situation. À l'instant où nous parlons, elle est conduite sous bonne garde en un lieu sûr.

— Qu'exigez-vous ? De l'argent ?

Laincourt esquissa un aimable sourire.

— Asseyez-vous donc, monsieur. Sur ce fauteuil. Cela vous éloignera de cette table dont vous vous approchez insensiblement, et du stylet à décacheter qui s'y trouve posé.

Pontevedra obtempéra.

L'envoyé de la Griffe noire, à son tour, prit un siège. À bonne distance de l'ambassadeur, cependant. Et sans cesser de le menacer de son pistolet.

— Il était une fois, dit Laincourt, un gentilhomme français et aventureux devenu grand seigneur en Espagne. Ce gentilhomme avait une fille qui, un jour, voulut s'éloigner de lui. Le gentilhomme, lui, ne le voulut pas. Aussi sa fille s'enfuit-elle, passa la frontière déguisée en cavalier et trouva refuge à Paris. De cela, le gentilhomme eut vent. De même qu'il apprit bientôt, par ses espions, que certains de ses plus puissants ennemis menaçaient, ou du moins poursuivaient, eux également, sa fille. Le gentilhomme, comme de juste, s'en inquiéta… Que pensez-vous de mon conte, monsieur ? Est-il assez exact pour mériter d'être poursuivi ?

Pontevedra acquiesça.

— En ce cas, je reprends… Dans le même temps, une mission d'ambassade se préparait à Madrid. Notre gentilhomme intrigua-t-il pour qu'elle lui soit confiée ou fut-il heureusement servi par le destin ?

Peu importe. Seul compte qu'il fut nommé ambassadeur extraordinaire et vint à Paris pour y négocier avec le roi de France et son plus éminent ministre. Sa mission politique était d'importance, mais lui ne voyait en elle que le moyen de sauver sa fille. Profitant de toute l'influence qu'il pouvait exercer, il obtint de la France, en la personne de M. le cardinal de Richelieu, qu'elle s'emploie à rechercher sa fille. Ou plutôt à rechercher le chevalier d'Irebàn, puisque c'est sous ce nom et ce déguisement qu'elle avait secrètement gagné Paris. Notre gentilhomme inventa au chevalier des origines prestigieuses, de sorte que le Cardinal puisse croire qu'il rendait service à la couronne d'Espagne plutôt qu'à son ambassadeur… Mon conte a-t-il toujours les accents de la vérité ?

— Oui.

— Bien… Le gentilhomme, en fait, fit plus que demander à la France de rechercher sa fille. Il voulut que la France charge ses meilleurs hommes de cette délicate mission. Il voulut les Lames du Cardinal… À Richelieu qui lui demandait pourquoi, il répondit que l'Espagne désirait s'assurer que la France mettrait tout en œuvre pour réussir : elle ferait donc montre de la meilleure bonne volonté possible en recourant aux Lames. Soucieux de ne pas froisser l'Espagne à la veille de négociations capitales, le Cardinal céda sans doute d'assez bonne grâce. Après tout, il ne s'agissait pour lui que de recruter à nouveau des hommes qui avaient déjà fait leurs preuves et qui pourraient bientôt s'avérer très utiles. Ainsi fut fait, donc… Mais je devine à regret que mon conte a commencé de vous ennuyer…

— C'est un conte dont je connais la matière.

— J'en arrive précisément à des développements que vous ignorez peut-être.

— Soit. Poursuivez.

— J'ai dit tout à l'heure que notre gentilhomme s'inquiétait de ce que certains de ses ennemis poursuivaient sa fille. Il s'en inquiétait en effet, mais ne s'en étonnait pas. Il faut dire que sa fille s'était prise d'affection pour un bel aventurier à la solde des ennemis en question, c'est-à-dire de la Griffe noire. La fille l'ignorait. Le gentilhomme, lui, le savait. Et c'est sans doute en voulant la séparer de son dangereux galant qu'il provoqua et sa colère, et sa fuite. Car la fille se trouvait être à un âge où l'on sacrifie volontiers tout à l'amour…

— Vous m'aviez promis des développements inconnus de moi.

— Les voici. L'amant de votre fille est mort et c'est par lui que nous avons appris qui elle est, ce que nous ignorions jusqu'alors. Reconnaissez qu'elle constitue pour nous une prise de choix… Reste que vos manœuvres ont lancé les Lames à nos trousses. Cela doit cesser. Ce jourd'hui.

— Quelles garanties m'offrez-vous ?

— Aucune. Vous avez obtenu que Richelieu emploie ses Lames contre nous. Faites qu'il les emploie désormais à autre chose et votre fille vivra.

— Richelieu refusera s'il se doute de quelque chose.

— Richelieu se doute déjà de quelque chose. Ses soupçons ont commencé à l'instant où vous avez exigé que les Lames soient de la partie. N'oubliez pas qu'il sait qui vous êtes réellement. Mais votre fille, elle, le sait-elle ? Et sinon, désirez-vous qu'elle continue de l'ignorer ?

14

Escorté de cavaliers, le carrosse allait bon train, tous rideaux baissés, sur une route poussiéreuse et défoncée qui soumettait ses essieux grinçants à la torture. À l'intérieur, agitée par les soubresauts de la cabine, Agnès ne pipait mot. Elle était assise en face du borgne ransé qui l'avait enlevée. Savelda faisait mine de ne pas lui prêter attention, mais il l'avait discrètement à l'œil, guettait le moindre de ses mouvements.

Après l'avoir surprise chez Cécile, Savelda et ses hommes de main avaient emmené Agnès dans la cour d'une proche auberge où leurs chevaux les attendaient. On la fit monter en croupe et, toujours conduits par l'Espagnol, les cavaliers quittèrent le faubourg Saint-Victor au trot en ôtant toute chance à Saint-Lucq de les suivre. Leur destination était une maison isolée où Agnès avait été gardée un moment, le temps sans doute que la nouvelle de sa capture soit transmise et que des ordres viennent. On avait fini par la faire embarquer dans un carrosse, qui roulait depuis. Mais pour où ?

Personne ne l'avait encore interrogée. De son côté, elle ne parlait pas, se montrait docile, s'efforçait de paraître inquiète et dépassée par les événements. Elle souhaitait endormir la méfiance de ses gardiens pour le moment où elle choisirait d'agir et, d'ici là, ne voulait rien dire ni faire qui risque de compromettre le malentendu qui lui valait d'être enlevée. Ces hommes — Savelda en tête — la prenaient pour Cécile. Il fallait que cela dure assez longtemps pour qu'Agnès comprenne à qui elle avait affaire et ce qui les motivait. Comme ils semblaient accorder une grande valeur à leur otage, Agnès ne se sentait pas menacée. Mais le problème était qu'elle ignorait, elle, qui au juste était Cécile. Elle jouait donc un jeu dangereux à tenter d'incarner quelqu'un dont elle ne savait presque rien. Le mieux était de faire profil bas afin d'éviter les impairs. Elle ne donnait pas cher de sa peau si sa supercherie venait à être découverte.

À l'en croire, Cécile était une jeune femme innocente à la recherche de sa sœur aînée disparue en même temps que son amant, le chevalier d'Irebàn. Agnès était persuadée qu'elle avait menti aux Lames, au moins partiellement. Ainsi, sans doute Cécile en savait-elle plus qu'elle n'avait voulu en dire au sujet des spadassins dont Marciac l'avait sauvée la nuit dernière : elle devait savoir ce qu'ils lui voulaient et pourquoi. S'il ne s'était agi pour eux que d'éliminer une sœur trop curieuse, ils auraient tenté de l'assassiner et non de l'enlever. Plutôt qu'un témoin gênant, elle était à leurs yeux une monnaie d'échange, peut-être un moyen de pression.

Mais pour la jeune baronne de Vaudreuil, le véritable motif d'inquiétude était ailleurs. Elle soupçonnait en effet La Fargue de connaître certains des secrets de Cécile. Des secrets qu'il n'avait partagés avec personne.

C'était anormal et dérangeant. Cela ne ressemblait pas au capitaine qui, par sa franchise et sa loyauté absolue, s'était toujours montré digne de la confiance aveugle de ses Lames. D'où lui venait cette méfiance ? Les années l'avaient-elles changé à ce point ? Non, le temps ne fait pas plier les âmes bien trempées. Mais la trahison d'un ami ? Peut-être…

Depuis que Saint-Lucq était de la partie, on pouvait considérer que les Lames du Cardinal étaient au complet. Au complet moins deux, cependant. Ces deux-là ne reviendraient jamais. L'un, Bretteville, était mort.

L'autre, Louveciennes, avait trahi. Il était le compagnon d'armes de La Fargue, son plus vieil et son meilleur ami, celui avec qui il avait fondé les Lames et recruté tous les autres. Brutale, inattendue, sa trahison avait d'abord entraîné la mort de Bretteville lors du siège de La Rochelle, puis la fin infamante des Lames. La Fargue avait alors vu s'effondrer l'œuvre de sa vie par la faute d'un homme qu'il considérait comme son frère et qui, riche de la fortune que lui rapporta son forfait, avait trouvé refuge — disait-on — en Espagne.

La blessure avait été profonde. Elle n'avait probablement pas guéri et expliquait sans doute pourquoi La Fargue se défiait désormais de tout le monde, même de ses hommes. Agnès le comprenait dans une certaine mesure mais son ressentiment était sincère et profond. Les Lames étaient une citadelle dont La Fargue était le donjon. Sans la certitude de pouvoir y trouver refuge au besoin, Agnès n'imaginait pas combattre longtemps sur les remparts.

*

Arrivé presque au terme de son périple, le carrosse ralentit pour grimper un sentier tortueux et caillouteux.

Puis il s'arrêta.

Savelda descendit le premier et, tenant la portière ouverte, fit signe à Agnès de le suivre. Sous un soleil qui, après l'obscurité de la cabine, l'éblouit d'abord, elle se découvrit entourée des ruines et des remparts partiellement éboulés d'un château fort dont l'imposant donjon dominait la cour envahie d'herbes folles et d'arbrisseaux. Isolé sur une hauteur rocheuse et boisée de la vallée de Chevreuse, l'endroit était en proie à une activité qui s'accordait mal avec ses vieilles pierres. Des hommes et des dracs s'affairaient, plantaient des flambeaux, dressaient des bûchers, montaient trois degrés de gradins de part et d'autre d'un plancher en plein air. Des chariots chargés de matériaux entraient. Des cavaliers allaient et venaient. Des responsables donnaient des ordres et répartissaient les tâches, pressés par une urgence. Une vyverne montée tournoyait dans le ciel. Une seconde, sellée, attendait à l'abri d'un enclos couvert.

Savelda prit Agnès par le coude pour l'entraîner dans un petit bâtiment empli de broussailles et dont ne restaient que les murs extérieurs. Il lui fit descendre un escalier taillé dans le roc, en bas duquel un spadassin était déjà posté. Celui-ci ouvrit une porte en les voyant et Agnès entra à l'intérieur d'un sous-sol encombré d'éboulis poussiéreux. Il y avait un vieux four à pain dans un coin. Le jour entrait par un étroit soupirail en demi-lune qui donnait sur la cour.

Une grosse femme se leva de sa chaise en abandonnant son tricot.

— Surveille-la, lui ordonna Savelda.

Puis, se tournant vers la prisonnière :

— Ne tentez rien. Si vous obéissez, il ne vous sera fait aucun mal.

Agnès acquiesça et le borgne partit en refermant derrière lui, la laissant seule avec sa gardienne. Après un moment, comme la grosse femme ne faisait pas mine de s'inquiéter d'elle, elle alla vers le soupirail dont elle agrippa les barreaux pour se hisser sur la pointe des pieds et, tout en vérifiant la solidité du fer, regarder dehors.

Quelque chose d'important se préparait ici et, malgré les risques encourus, Agnès sut qu'elle avait eu raison de s'y laisser conduire.

15

Parce qu'il était destiné à accueillir des pestiférés, l'hôpital Saint-Louis avait non seulement été bâti hors de Paris, mais ressemblait à une forteresse. Sa première pierre avait été posée en 1607, après les graves épidémies auxquelles l'Hôtel-Dieu, le seul grand hôpital que la capitale comptait alors, n'avait pu faire face. Formés d'un étage sur rez-de-chaussée voûté, augmentés au centre et aux extrémités d'avant-corps plus élevés, ses quatre principaux bâtiments entouraient une cour carrée. Deux enceintes l'isolaient du reste du monde. Entre elles, symétriquement répartis, étaient les logements des employés, des infirmiers, des religieuses. Les offices, cuisines, réserves et boulangeries jouxtaient le premier mur à l'extérieur. Alentour étaient des jardins, champs et pâtures bordant le faubourg Saint-Denis.

Ayant plusieurs fois montré patte blanche, Marciac se fit indiquer l'immense salle où, sur l'un des lits alignés, parmi les gémissements et les murmures des malades, Castilla était couché. Cécile était assise près de lui. Pâle, les yeux rougis, elle lui caressait le front d'une main légère. Le blessé était propre et pansé, le visage tuméfié, horriblement déformé. Il respirait mais ne réagissait pas.

— Laissez-moi, dit la jeune femme en voyant Marciac. Laissez-nous.

— Cécile…

— Ce n'est pas mon nom.

— Cela importe peu.

— Oh que si !... Si je n'étais pas celle que je suis, si celui qui se prétend mon père n'était pas qui il est, rien de tout cela ne serait arrivé. Et lui, il vivrait.

— Il n'est pas mort.

— Les sœurs disent qu'il ne passera sans doute pas la nuit.

— Elles n'en savent rien. J'ai vu bien des hommes survivre à des blessures que l'on croyait fatales.

La jeune femme ne répondit pas, parut oublier le Gascon, continua de caresser, penchée sur lui, le front de Castilla.

— Comment dois-je vous appeler ? demanda Marciac après un moment.

— Ana-Lucia... Je crois.

— Vous voulez que cet homme vive, n'est-ce pas, Ana-Lucia ?

Elle le foudroya d'un regard humide, comme si cette question était la pire des insultes.

— Alors vous devez vous en aller, poursuivit Marciac d'une voix douce. Les hommes qui ont tenté de vous enlever sont sans doute encore après vous. Or s'ils vous trouvent ici, ils le trouveront, lui aussi...

Elle le dévisagea et une inquiétude nouvelle défit ses traits éprouvés.

— Vous... Vous croyez ?

— Je le sais, Ana-Lucia. Allons, venez. Il vous faut être courageuse. Je vous promets que nous reviendrons ensemble demain.

*

Une heure plus tard, à Paris, la belle Gabrielle, tenancière d'une maison close sise rue de la Grenouillère, entendit frapper à la porte. Comme personne ne répondait dans la maison et que l'on frappait encore, elle se demanda à quoi elle payait son portier et, plus résignée que fâchée, alla se pencher à sa fenêtre.

Dehors, Marciac leva un visage grave vers elle, ce qui l'inquiéta car le Gascon était plutôt homme à sourire dans le malheur.

— J'ai besoin de toi, Gabrielle, dit-il.

Il tenait la main à une jeune femme éplorée.

16

Le carrosse prit Rochefort place de la Croix-du-Trahoir et, le temps d'une rapide conversation avec le comte de Pontevedra, le laissa bientôt devant les échafaudages couvrant la façade du Palais-Cardinal. L'ambassadeur extraordinaire d'Espagne avait exigé ce discret rendez-vous en urgence. Il avait promis des révélations d'importance et n'avait pas menti.

*

Dans une antichambre du Palais-Cardinal, La Fargue et Saint-Lucq attendaient. Ils étaient silencieux et soucieux, conscients de l'enjeu de l'entrevue que Son Éminence allait leur accorder. Sans garantie de succès, leur seule chance de secourir Agnès passait par Malencontre, que Richelieu gardait au secret et dont, sans doute, il ne se déferait pas facilement.

Après avoir longtemps hésité, Saint-Lucq se leva d'une banquette et alla rejoindre La Fargue qui, debout, regardait par une fenêtre.

— J'ai trouvé cela chez Cécile, dit-il sur le ton de la confidence.

Il tendait une lettre décachetée au papier jauni.

Le vieux gentilhomme baissa les yeux sur la missive, hésita, la prit.

— Qu'est-ce ?

— Lisez, capitaine.

Il lut, raide et sévère, hanté par des tourments qu'il ne laissa pas paraître. Puis il replia la lettre, la glissa dans sa manche et dit :

— Tu l'as lue.

— Elle était ouverte et je ne pouvais deviner.

— C'est juste.

— Je n'ai rien dit aux autres.

— Merci.

La Fargue observa de nouveau les jardins du Cardinal, dont des ouvriers achevaient de creuser les bassins. Des arbres enracinés dans des grands sacs de terre arrivaient en charrette.

— Saviez-vous que vous aviez une fille, capitaine ?

— Je le savais.

— Pourquoi l'avoir cachée ?

— Pour la protéger et sauvegarder l'honneur de sa mère.

— Oriane ?

Oriane de Louveciennes, l'épouse de celui qui — jusqu'à sa trahison au siège de La Rochelle — avait été le meilleur ami de La Fargue.

— Oui. Louveciennes et moi l'avons aimée d'un même amour, mais c'est lui qu'elle a choisi. Et puis il y eut cette nuit où…

La Fargue prit une inspiration, n'acheva pas sa phrase, ajouta :

— Anne est ainsi née.

Saint-Lucq acquiesça, impassible derrière les verres rouges de ses bésicles rondes.

— Selon vous, pourquoi Oriane a-t-elle écrit cette lettre jadis ?

— Sans doute voulait-elle qu'Anne puisse savoir, un jour, qui est son père.

— Peut-être votre fille est-elle venue à Paris dans l'espoir de vous retrouver...

— Oui. Peut-être.

Une porte grinça et Rochefort traversa l'antichambre d'un pas vif sans leur accorder d'attention. Il n'avait pas, lui, à attendre avant d'être reçu par le Cardinal.

— Je n'aime pas ça, lâcha le sang-mêlé.

*

Dans son grand et luxueux cabinet, Richelieu discutait avec le Père Joseph quand Rochefort entra et les interrompit. Ils parlaient de Laincourt, dont ils étaient sans nouvelles.

— Veuillez pardonner mon irruption, monseigneur. Mais j'ai des nouvelles d'importance.

— Nous vous écoutons.

— Le comte de Pontevedra vient de m'informer que le chevalier d'Irebàn est à Madrid. On le croyait disparu alors qu'il avait décidé de rentrer en Espagne par ses propres moyens et sans s'en ouvrir à personne.

Le Cardinal et le Père Joseph échangèrent un long regard : ils ne croyaient pas un mot de ce qu'ils venaient d'entendre. Puis Richelieu se renfonça dans son fauteuil en soupirant.

— Que cela soit vrai ou non, dit le capucin, la mission de vos Lames n'a plus lieu d'être, monseigneur...

Richelieu acquiesça d'un air songeur.

Il prit cependant le temps de la réflexion avant d'annoncer :

— Vous avez raison, mon père. Que l'on fasse entrer le capitaine La Fargue.

17

À l'hôtel de l'Épervier où Marciac ne les avait précédés que d'un quart d'heure, La Fargue et Saint-Lucq retrouvèrent les Lames réunies dans la grande salle.

— Richelieu a refusé, annonça le capitaine dès son entrée.

Consternés, tous se turent tandis que La Fargue se servait un verre de vin et le vidait d'un trait.

— Sait-il…, commença Ballardieu d'une voix vibrante de colère. Sait-il qu'Agnès est en danger ? Sait-il qu'elle est prisonnière de la Griffe noire ? Sait-il que…

— Il le sait ! fit sèchement La Fargue.

Puis il ajouta d'un ton moins vif :

— Il sait tout cela parce que je le lui ai dit.

— Et malgré tout, il refuse de nous rendre Malencontre.

— Oui.

— Cette fois, Son Éminence n'aura pas été longue à nous abandonner, lâcha Leprat dont le regard noir se perdait dans des limbes où se dressait la silhouette de La Rochelle.

— Mais il y a plus que cela, n'est-ce pas ? supposa Almadès depuis l'angle de murs où il était appuyé les bras croisés. Richelieu ne s'est pas contenté de refuser que vous parliez à Malencontre…

— Non, reconnut le capitaine des Lames.

Il attendit un peu et déclara :

— Notre mission est annulée. Le chevalier d'Irebàn

a prétendument reparu dernièrement à Madrid. Il n'y a donc plus lieu de poursuivre les recherches, ici, à Paris.

— Mais Irebàn n'existe pas ! s'exclama Marciac. Lui et Cécile n'ont toujours fait qu'un ! Comment pourrait-il être en Espagne en ce moment ?

— C'est ainsi. Du moins à en croire l'ambassadeur extraordinaire d'Espagne.

— Absurde ! lâcha Leprat. Le Cardinal ne peut être la dupe de ce mensonge…

— C'est à la demande de l'Espagne que Richelieu nous a confié cette mission et c'est encore à sa demande qu'il nous la retire. L'enjeu des négociations qui se mènent en ce moment au Louvre nous dépasse. Il s'agissait de plaire à l'Espagne. Il s'agit à présent de ne pas lui déplaire…

— Et l'on nous prie tout soudain d'oublier jusqu'à l'existence d'Irebàn, fit Marciac. Et de Malencontre. Et de la Griffe noire qui intrigue au cœur du royaume !

— On nous l'ordonne, insista La Fargue.

— Oublierons-nous aussi Agnès ? demanda Ballardieu.

— De cela, il n'est pas question.

Leprat se leva et, malgré sa jambe blessée, ne put s'empêcher de faire les cent pas.

— Malencontre reste encore notre meilleure chance de retrouver Agnès dans les plus brefs délais, dit-il en songeant tout haut.

— Le Cardinal a seulement daigné dire que Malencontre était détenu au Châtelet dans l'attente d'être enfermé dans la prison du château de Vincennes, indiqua Saint-Lucq.

Leprat arrêta ses allés et venues.

— Je vais parler à Malencontre, affirma-t-il.

— Mais il est au secret ! précisa le sang-mêlé. Personne ne peut l'atteindre sans un ordre signé.

— Je ne suis qu'en congé des mousquetaires. Je puis encore porter la casaque et M. de Tréville ne refusera pas de m'aider.

Tous firent silence le temps de prendre la mesure de cette idée.

— Soit, dit La Fargue. Admettons que tu parviennes jusqu'à Malencontre. Mais ensuite ? Tu n'as rien à lui proposer en échange de ses renseignements.

— Laissez-moi seulement lui dire deux mots, proposa Ballardieu en serrant les poings.

— Non, répondit Leprat. Malencontre et moi sommes presque de vieilles connaissances. Faisons plutôt à mon idée...

*

Plus tard, tandis que les Lames se préparaient, La Fargue retint Marciac par le coude.

— As-tu retrouvé Cécile ?

— Oui. À l'hôpital Saint-Louis, auprès de l'homme qu'elle aime, comme je l'avais deviné. Elle écoutait à la porte quand vous nous avez annoncé que Castilla agonisait là-bas. C'est pour le rejoindre qu'elle a fui l'hôtel.

— Est-elle en sûreté, à présent ?

— Elle est rue de la Grenouillère. Personne n'ira la chercher dans un bordel et Gabrielle et les filles sauront prendre soin d'elle.

— Je croyais que Gabrielle et toi étiez...

— Fâchés ? fit le Gascon avec un grand sourire. Oui, un peu... Disons qu'elle n'a pas particulièrement apprécié que je reprenne du service sous vos ordres.

Elle ne se souvient que trop bien de la manière dont cela s'est achevé la dernière fois.

Il se tut, réfléchit et, dans un haussement d'épaules, conclut :

— Bah ! Il ne tient qu'à elle d'épouser un mercier, après tout.

Et il s'en retournait d'assez bonne humeur quand son capitaine le rappela :

— Marciac !

— Oui ?

— Merci.

Intrigué, le Gascon fronça le sourcil mais ne répondit rien.

18

Au Châtelet, la garde et le personnel étaient relevés à cinq heures du soir. Vêtu de sa casaque bleue à croix d'argent fleurdelisée, Leprat se présenta vingt minutes plus tôt aux guichets, montra l'autorisation signée de la main de M. de Tréville, capitaine des mousquetaires de Sa Majesté, et se fit conduire jusqu'à la cellule de Malencontre. L'homme était détenu dans le Puits, l'un des cachots individuels des bas-fonds. Il régnait ici une humidité ténébreuse et putride qui avait tôt fait d'entamer la santé et le courage des plus solides.

Le geôlier laissa sa lanterne à Leprat, dit qu'il resterait à portée de voix à l'autre bout du couloir et referma la porte. La lumière était faible. Elle éclairait à peine le misérable réduit mais suffit à éblouir le prisonnier. Crasseux et fatigué, puant l'urine et l'ordure, il était assis sur un tapis de paille rance, dos au mur auquel il était enchaîné par les poignets. Sa position l'obligeait à garder les bras levés, ses longs cheveux blonds et pâles lui pendant devant le visage.

— Leprat ? fit-il en plissant les paupières. Est-ce toi, chevalier ?

— C'est moi.

— Tu es bien aimable de me venir visiter. Veux-tu un peu d'eau croupie ? Je crois qu'il me reste aussi un vieux croûton que les rats n'ont pas emporté…

— Je suis venu te parler.

Le mousquetaire ramena sa rapière d'ivoire en arrière, s'accroupit devant Malencontre et posa la lanterne entre eux.

— Sais-tu ce qui t'attend ? demanda-t-il.

— Je gage que l'on va bientôt me poser beaucoup de questions.

— Y répondras-tu ?

— Si cela peut me sauver la vie.

— Alors parle-moi. Si tu me parles, je t'aiderai.

Malencontre étouffa un petit rire, grimaça un sourire qui souligna la cicatrice à la commissure de ses lèvres fines.

— Je doute que tu aies quelque chose à m'offrir, chevalier.

— Tu te trompes. Ceux qui viendront après te poseront les mêmes questions que moi, mais d'une autre manière. Le Châtelet ne manque pas de bourreaux…

— Le Cardinal ne m'enverra pas le bourrel tout de suite. Il voudra d'abord savoir si je suis disposé à dire ce que je sais. Je répondrai que oui et l'on me traitera bien. Je ne suis pas un héros, Leprat. Je suis tout disposé à collaborer et ne demande qu'un peu d'égards.

La position accroupie lui étant trop inconfortable à cause de sa cuisse blessée, Leprat se leva, avisa un tabouret dans un angle, s'y assit en laissant la lanterne où elle était.

— Tu travailles pour la Griffe noire, dit-il.

— Pas vraiment, non. Je travaille pour un gentilhomme qui, lui, peut-être… Tu sers un maître, j'en sers un autre.

— À ceci près que je suis, moi, libre d'aller et venir…

— Vrai.

— Quel gentilhomme ?

— Très bonne question.

— Les agents du Cardinal ne feront pas la différence. Pour eux, tu appartiens à la Griffe noire.

— Ce qui n'accorde que plus de prix à ma modeste personne, n'est-ce pas ?

— Tu ne reverras jamais le jour.

— Cela reste à voir…

Le mousquetaire soupira, chercha comment prendre l'ascendant sur un homme qui avait déjà tout perdu et à qui il n'avait rien à offrir. S'il échouait à faire parler Malencontre de bon gré, la seule solution qui lui restait le révoltait.

Mais la vie d'Agnès était en jeu.

— Le Cardinal ne sait rien de ta démarche, pas vrai ? lâcha le prisonnier. Alors dis-moi, qu'est-ce qui t'amène ?

— Je vais te proposer un marché que tu ne peux refuser.

*

Dehors, devant le Châtelet, La Fargue et Almadès attendaient. Ils étaient à pied, les autres Lames gardant les chevaux un peu plus loin, au débouché de la rue Saint-Denis.

— Croyez-vous que Leprat parviendra à ses fins ?

— C'est à souhaiter.

Ce furent les seuls mots qu'ils échangèrent, anxieux, tout le temps qu'ils patientèrent en guettant l'heure et en observant qui sortait de l'énorme et sinistre bâtisse.

Enfin, alors que la demie sonnait, ils virent paraître le large feutre et la casaque d'un mousquetaire boiteux.

— Il penche sur la mauvaise jambe, nota Almadès.

— Qu'importe ?

Ils se hâtèrent d'encadrer Malencontre d'aussi près qu'il était possible sans attirer l'attention.

— Tu ne seras libre que lorsque tu nous auras dit tout ce que nous voulons apprendre, lui glissa La Fargue d'une voix ferme.

— Et qui me dit que vous ne me ferez pas un mauvais sort ensuite ?

— Moi. Mais si tu tentes quoi que ce soit…

— J'ai compris.

Ils allaient d'un pas vif vers les Lames et leurs chevaux, redoutant d'entendre quelqu'un les interpeller depuis les portes du Châtelet.

— Qui êtes-vous ? demanda Malencontre. Et comment avez-vous réussi ça ?

— Nous avons profité de la relève de la garde, expliqua La Fargue en jetant de discrets regards alentour. Ceux qui ont vu Leprat entrer ne sont pas ceux qui t'ont laissé sortir. Le chapeau, la casaque de mousquetaire, le sauf-conduit de Tréville et la rapière blanche ont fait le reste. Tu vas d'ailleurs bientôt me la rendre.

— Et Leprat ? Vous ne vous en inquiétez pas ?

— Si.

— Comment sera-t-il libéré ?

— Il ne le sera peut-être jamais.

19

Il devait être environ huit heures du soir et la nuit tombait. Toujours prisonnière, Agnès en avait vu assez pour comprendre ce qui allait se passer dans le grand château fort. Les préparatifs étaient achevés. De part et d'autre du plancher en plein air, trois degrés de gradins étaient élevés et tendus de drap noir. Sur ce plancher, un autel était posé devant un épais coussin de velours. On avait dressé de hautes bannières qui flottaient dans le vent, frappées d'une unique rune draconique dorée. Des torches éclairaient déjà la scène et des brasiers attendaient d'être enflammés. Les hommes et les dracs qui avaient tout installé n'étaient pas des ouvriers, mais des spadassins commandés par Savelda sous la direction d'un très jeune et très élégant cavalier blond qu'Agnès ne connaissait pas et à qui on donnait du « marquis » : Gagnière. Leur tâche achevée, les spadassins qui ne montaient pas la garde étaient désormais réunis autour de feux de camp, à l'écart du décor qu'ils avaient dressé, près de l'écurie de fortune ou de l'enclos des vyvernes, au pied des remparts partiellement éboulés.

Les bancs des gradins, depuis une heure, se remplissaient d'hommes et de quelques femmes luxueusement vêtus pour la plupart, dont les montures et les carrosses avaient été laissés à la porte principale du château. Ils étaient masqués de loups noirs agrémentés d'un voile de dentelle rouge couvrant la bouche et le menton. Visiblement anxieux, ils patientaient, parlaient peu.

Agnès savait pourquoi.

Elle n'avait jamais assisté à la cérémonie à venir mais elle en connaissait la nature grâce à ses années de noviciat chez les Dames blanches, cet ordre religieux dédié à préserver le royaume de la contagion draconique. La Griffe noire — dont le sinistre emblème ornait les bannières et même, gravé dans le bois, l'autel — n'était pas une simple société secrète. Dirigée par des dragons sorciers, elle fondait son pouvoir sur des rituels anciens qui assuraient l'indéfectible loyauté de ses Initiés en les unissant spirituellement à une conscience supérieure, celle d'un Dragon Ancestral qui imprégnait leur être. De fait, une loge de la Griffe noire était bien plus qu'une réunion de comploteurs avides de puissance et de richesses. Elle était le produit d'un rite qui permettait à une assemblée fanatique de se désigner comme l'instrument et le réceptacle de l'âme d'un Dragon Ancestral — celui-ci, dès lors, revivait au travers de ceux qui lui sacrifiaient une partie d'eux-mêmes et exerçait de nouveau son pouvoir sur une terre dont il avait été chassé jadis. Cette cérémonie ne pouvait être conduite que par un dragon grand connaisseur des hauts arcanes de la magie draconique. Elle exigeait en outre une relique rarissime, une Sphère d'Âme, d'où l'âme d'un Dragon Ancestral serait libérée à l'instant propice.

Un peu plus tôt, Agnès avait vu un carrosse noir arriver. Une femme élégante, voilée, en robe rouge et grise, en était descendue en compagnie d'un gentilhomme. Celui-ci tarda un peu à ajuster son masque et Agnès, incrédule, eut le temps d'apercevoir son visage : c'était Saint-Georges, le capitaine des gardes du Cardinal. Lui et la femme constatèrent l'achèvement des préparatifs avant d'être rejoints par Gagnière et Savelda, avec qui ils échangèrent quelques mots en se tournant vers la ruine sous laquelle Agnès était détenue, dans la cave d'un ancien four à pain. La prisonnière s'écarta vivement du soupirail depuis lequel elle les espionnait, crut un instant qu'ils viendraient la voir, mais le carrosse repartit en les emportant tous sauf Savelda, pour rouler vers le donjon dont il franchit sur un pont-levis le fossé plein de broussailles.

Comme elle savait que la cérémonie n'aurait pas lieu avant la nuit, Agnès avait résolu d'attendre le crépuscule pour agir, ceci afin de profiter des ombres du soir.

Le moment était venu.

Dans la cave désormais obscure, elle se tourna vers la femme obèse et sale qui la surveillait mais, en fait, ne levait pour ainsi dire jamais le nez de son tricot. La Grosse était le premier obstacle qu'Agnès avait à franchir. Le suivant était la porte close et la sentinelle que Savelda avait prudemment laissée derrière celle-ci.

— J'ai soif, dit-elle pour avoir remarqué le nez couperosé de sa gardienne.

La Grosse haussa les épaules.

— N'a-t-on pas même droit à un pichet de vin ? insista Agnès d'une voix innocente.

L'autre réfléchit, hésita, songea au pichet et passa un bout de langue sur ses lèvres, les yeux emplis d'envie.

— Je donnerais cher pour un verre de vin frais. Tenez, c'est pour vous si vous le voulez…

Agnès ôta une de ses bagues et la lui tendit. Dans le regard de la Grosse, la cupidité s'ajouta à l'envie. Mais elle hésitait toujours.

— Nous avons bien mérité un peu de vin, non ? Après tout, cela fait des heures que nous sommes enfermées ici toutes les deux.

Plissant les paupières, la Grosse lécha encore ses

lèvres, bouche sèche. Puis elle posa son tricot, murmura quelque chose qui ressemblait à un assentiment, se leva et alla frapper à la porte.

— Quoi ? fit la sentinelle de l'autre côté.

— On a soif, grogna la femme.

— La belle affaire !

— Va nous chercher une bouteille.

— Pas question.

— Alors laisse-moi y aller.

— Non.

Bien que furieuse, la Grosse allait renoncer mais Agnès s'était approchée et lui remontrait la bague.

— La fille peut payer.

— Avec quoi ?

— Une bague. En or.

Après un court instant, Agnès entendit que l'on ôtait la barre bloquant la porte.

Et sourit en coin.

— Fais voir, dit l'homme en ouvrant.

Quelques minutes plus tard, Agnès sortit sous un ciel d'encre et de feu, vêtu des habits de la sentinelle et équipée de ses armes. Leur propriétaire gisait dans la cave, une aiguille à tricoter plantée dans l'œil jusqu'au cerveau. La Grosse était étendue non loin, la seconde aiguille fichée dans la nuque.

Agnès observa prudemment les environs, renfonça le chapeau sur son crâne et, tête légèrement baissée, s'éloigna en priant pour que personne ne l'interpelle. Elle vit alors venir un cavalier masqué qui discuta avec Savelda sans descendre de sa monture, puis piqua des talons vers le donjon.

Elle prit bientôt la même direction.

20

Arrivé avec la nuit, Laincourt découvrit le grand château fort à la lueur des flambeaux et des lanternes. Il observa en passant le lieu de la cérémonie d'initiation première, eut un regard pour les futurs initiés — masqués comme lui — qui attendaient, avisa Savelda et dirigea son cheval vers lui.

— Vous êtes en retard, dit l'Espagnol en le reconnaissant.

— On doit m'attendre.

— Oui, je sais. Là-bas.

Savelda lui désigna l'imposant donjon et Laincourt remercia d'un signe de tête avant de continuer son chemin, sans remarquer qu'il était suivi.

S'il était en retard, c'était parce qu'il avait, après avoir imposé à l'ambassadeur d'Espagne les conditions de la Griffe noire, attendu vainement son contact. Le Vielleux ne s'était pas montré dans la misérable taverne du très vieux Paris où ils se rencontraient d'ordinaire et, pris par le temps, Laincourt avait dû partir. Par conséquent, personne au Palais-Cardinal ne savait où il se trouvait actuellement.

Le donjon consistait en fait en trois tours massives, unies par des remparts aussi hauts qu'elles et qui fermaient une cour triangulaire profondément encaissée. Un château dans le château, auquel on accédait par un pont-levis et où le sentiment d'oppression était immédiat.

Laissant son cheval dans la cour près d'un carrosse noir attelé, Laincourt entra dans la seule tour dont les meurtrières et les ouvertures étaient illuminées. Le marquis de Gagnière l'y attendait.

— C'est le grand soir, dit-il. Quelqu'un souhaite vous rencontrer.

Laincourt ignorait encore si on comptait l'initier, conformément à ses exigences.

Il acquiesça avant de suivre Gagnière dans un escalier en colimaçon qui s'élevait, ses murs nus léchés par les flammes de rares torches. Ils montèrent trois étages d'ombres mouvantes et de silence, gagnèrent une petite pièce aveugle que deux grands chandeliers sur pied éclairaient. Le marquis frappa à une porte, l'ouvrit aussitôt, passa devant Laincourt.

Située au plus haut de la tour, la salle avait deux autres portes et trois fenêtres en ogive ouvertes sur le vide de la cour intérieure. Un rideau fermait une alcôve. Sur une chaise, devant de grands candélabres, était assise une jeune femme blonde et masquée, en robe gris et rouge. Elle avait un superbe dragonnet noir aux yeux d'or posé sur le dossier de son siège. Richement vêtu, le capitaine Saint-Georges se tenait à sa droite et Gagnière alla se placer à sa gauche tandis que Laincourt, d'instinct, restait près de la porte refermée dans son dos, entre deux spadassins en sentinelle.

Il retira son masque dans l'espoir que la femme l'imiterait, mais elle n'en fit rien.

— Nous nous rencontrons pour la première fois, monsieur de Laincourt, annonça la vicomtesse de Malicorne.

— Sans doute, madame, répondit-il. Je puis seulement dire que le son de votre voix ne m'est pas familier.

— C'est assez injuste, poursuivit-elle sans écouter, car je sais tout le bien qu'il me faut penser de vous. Du moins à en croire M. de Saint-Georges… Et même M. de Gagnière, d'ordinaire si circonspect, me dit que vous êtes un homme… disons… rare.

Au compliment, Laincourt porta la main gauche à

sa poitrine et s'inclina légèrement. Mais ce préambule ne lui disait rien de bon. Il devinait une menace pesant sur lui.

— Cependant, fit la vicomtesse, vos ambitions pourraient paraître démesurées. Car vous n'exigez rien d'autre qu'être initié, n'est-ce pas ?

— Ma situation est extrêmement délicate, madame. Je crois avoir toujours fait montre d'une parfaite loyauté et il me faut désormais pouvoir compter sur le secours de la Griffe noire contre le Cardinal.

Laincourt savait qu'il jouait son va-tout à cet instant précis.

— En quelque sorte, monsieur, vous désirez être payé de retour…

— Oui.

— Soit.

La vicomtesse fit un geste de la main et Saint-Georges alla ouvrir en grand le rideau qui fermait l'alcôve, révélant le Vielleux à demi nu et sanglant, mort peut-être. Enchaîné au mur, la tête molle, le vieillard en guenilles, accroupi, pendait par les bras.

Cette vision saisit Laincourt. Il comprit en une fraction de seconde qu'il était démasqué, que le Vielleux avait parlé sous la torture et que la Griffe noire ne pouvait plus croire à la manipulation montée contre elle par Richelieu.

Une manipulation dont Laincourt était l'instrument, et menaçait de devenir la victime.

Il broya la glotte de l'un des spadassins d'un coup de coude violent et soudain, pivota pour lancer son genou dans l'entrejambe de l'autre, lui saisir la tête à deux mains et lui briser la nuque d'une brusque torsion. Saint-Georges l'attaquait en dégainant. Laincourt évita sa rapière, se baissa pour passer sous son bras, se redressa en lui ramenant haut le poignet dans le dos, acheva de l'immobiliser en lui collant un poignard contre la gorge.

La vicomtesse s'était levée par réflexe et Gagnière faisait rempart de son corps devant elle, un pistolet brandi à bout de bras. Énervé, le dragonnet cracha et battit des ailes, toujours agrippé au dossier de la chaise.

— Je l'égorge au moindre de vos gestes, menaça Laincourt.

La jeune femme le dévisagea…

… puis invita Gagnière à reculer un peu. Celui-ci, pour autant, ne cessa pas de tenir Laincourt et son bouclier humain en joue.

Saint-Georges transpirait, tremblait, hésitait à déglutir. Au sol, le spadassin à la glotte écrasée achevait de s'étouffer en poussant des râles horribles. D'un commun accord, chacun attendit qu'il meure et que le silence se fasse.

Cela parut durer une éternité.

*

Tout avait commencé à Madrid où, déjà au service du Cardinal, Arnaud de Laincourt avait été placé comme secrétaire particulier et homme de confiance d'un aristocrate expatrié, par qui la France communiquait officieusement avec la couronne espagnole. Un agent de la Griffe noire l'avait approché durant cette mission de deux ans et, devinant à qui il avait affaire, Laincourt en avait aussitôt informé Richelieu par courrier secret. Celui-ci lui avait ordonné de laisser faire les choses mais sans trop se compromettre : il fallait que l'adversaire garde la main et pousse ses pions en toute tranquillité. Laincourt donna donc quelques gages de bonne volonté à la Griffe noire qui, de son côté, par crainte sans doute de rebuter une possible et très prometteuse recrue, ne lui en demanda pas trop. Les choses n'allèrent guère plus loin jusqu'à son retour à Paris.

Reçu aux gardes de Son Éminence, Laincourt fut très tôt élevé au grade d'enseigne. Il ne sut jamais au juste si cette soudaine promotion récompensait sa loyauté ou si elle était destinée à exciter la convoitise de la Griffe noire. Quoi qu'il en soit, après un long silence, cette dernière reprit contact avec lui par l'intermédiaire du marquis de Gagnière. Le gentilhomme lui annonça comme une révélation à qui étaient destinés les menus renseignements qu'il avait transmis en Espagne. Il lui fit comprendre qu'il en avait déjà trop fait et ne pouvait plus reculer. Il devait continuer de servir la Griffe noire, en toute connaissance de cause désormais. Il ne le regretterait pas, n'avait qu'un mot à dire.

Avec l'accord de Richelieu, Laincourt fit mine d'accepter et, des mois durant, transmit à ses prétendus maîtres des renseignements soigneusement choisis, tout en gagnant leur confiance et en s'élevant dans leur hiérarchie de l'ombre. Son objectif était de découvrir celui ou celle qui dirigeait ce dangereux embryon de loge de la Griffe noire en France. Il devait également l'empêcher de réussir et démasquer un autre espion que l'on devinait à l'œuvre au plus haut niveau du Palais-Cardinal. Par précaution, Laincourt ne communiquait pas avec Richelieu par les canaux clandestins habituels — même Rochefort n'était pas de la partie. Son unique contact était un vieux joueur de vielle qu'il retrouvait dans une taverne misérable et dont il ne savait presque rien, sinon que le Cardinal se fiait entièrement à lui.

Mais cette comédie ne pouvait durer. À force de lui

transmettre des informations toujours moins pertinentes qu'elles ne le semblaient, ou qui desservaient toujours moins la France que ses ennemis, la Griffe noire finirait par deviner à quel jeu il jouait. Il fallait presser le mouvement, et d'autant plus rapidement qu'une loge draconique française était sur le point de naître…

En petit comité, le Père Joseph sachant seul de quoi il retournait, Richelieu et Laincourt établirent un plan audacieux. Ils firent en sorte que l'enseigne soit surpris en flagrant délit et, dès lors, respectèrent un scénario patiemment agencé. Convaincu de trahison, Laincourt fut capturé, enfermé, puis libéré au motif qu'il menaçait de révéler des documents explosifs. Ces documents n'existaient pas. Mais ils semblaient avoir assez de valeur pour achever de convaincre la Griffe noire d'accorder à Laincourt ce qu'il exigeait : devenir un Initié, pour prix de ses mérites.

Le plan, cependant, ne prévoyait pas qu'il aille jusque-là. L'important était qu'il identifie le maître de la Griffe noire en France et apprenne la date et le lieu de la grande cérémonie d'initiation. Par l'intermédiaire du Vielleux, il en informerait le Cardinal dès que possible, de manière à permettre l'organisation d'un vaste coup de filet.

Mais le Vielleux n'était pas venu au dernier rendez-vous.

Et pour cause…

*

La vicomtesse leva un regard indifférent du cadavre du spadassin et sourit à Laincourt.

— Et maintenant ?

Toujours sous la menace du pistolet de Gagnière,

l'espion du Cardinal hésita, raffermit sa prise sur Saint-Georges, puis désigna le Vielleux du menton.

— Est-il mort ?

— Peut-être.

— Qui l'a trahi ?

Cette question hantait Laincourt. Lui excepté, seuls Richelieu et le Père Joseph étaient censés connaître le rôle joué par le Vielleux dans cette affaire. Même le traître Saint-Georges avait été tenu à l'écart.

— Mais personne, répondit la jeune femme.

— Alors comment…

— C'est que je ne suis pas aussi naïve que vous semblez le croire, monsieur. Je vous ai tout simplement fait suivre.

Laincourt fronça les sourcils.

— Par qui ?

— Lui. (Elle pointa le doigt sur son dragonnet.) Par ses yeux, j'ai surpris votre dernière rencontre avec ce vieillard. Vous devinez la suite… Au fait, je dois vous remercier d'avoir obtenu du comte de Pontevedra qu'il éloigne les Lames du Cardinal de nous. Mais j'ai bien peur que cela soit le dernier service que vous nous rendiez jamais…

Comprenant qu'il ne pouvait rien faire d'autre qu'essayer de sauver sa vie, Laincourt crocheta du talon les chevilles de son otage et le poussa brusquement. Saint-Georges trébucha en avant pour s'effondrer dans les bras de Gagnière. Mais celui-ci fit feu en même temps et toucha l'espion du Cardinal à l'épaule, alors qu'il se ruait hors de la pièce et refermait derrière lui.

Gagnière tarda à se dépêtrer de son fardeau et la porte lui résista quand il voulut s'élancer à la poursuite du fuyard. Il se retourna pour adresser un regard impuissant à la vicomtesse.

Très calme, elle décréta :

— Laissons à Savelda le soin de chercher M. de Laincourt. Nous avons, tous trois, bien mieux à faire. La cérémonie ne peut être retardée davantage.

21

Une lanterne dans une main et son épée dans l'autre, Savelda ouvrit d'un coup de pied la porte d'une pièce vide et poussiéreuse, faiblement éclairée par la lueur nocturne qui filtrait par son unique meurtrière. Il scruta les lieux depuis le seuil, tandis que des spadassins allaient et venaient derrière lui dans l'escalier.

— Personne ici ! lança-t-il. Continuez les recherches. Fouillez le donjon de fond en comble. Laincourt ne doit pas être loin.

Puis il referma la porte.

Le silence revint et un moment s'écoula avant qu'Agnès ne se laisse souplement tomber des poutres du plafond auxquelles elle s'était agrippée. À pas de loup, elle alla coller l'oreille à la porte et, rassurée, retourna se poster à la meurtrière. Elle ignorait qui était ce Laincourt et l'idée que Savelda recherchait quelqu'un d'autre qu'elle s'avérait d'un maigre réconfort. Certes, à l'évidence, son évasion n'avait pas encore été découverte. Mais les reîtres qui passaient le donjon au peigne fin la menaçaient tout autant.

*

Dehors, dans la partie inférieure des ruines du château fort, à une cinquantaine de mètres de distance du donjon en contrebas, le rituel se poursuivait.

Il avait débuté dès le lever de la lune, conduit par Gagnière qui officiait tête nue, revêtu d'une robe cérémonielle. Il psalmodiait en draconique ancien, une langue que son auditoire ne comprenait pas mais dont la puissance, au-delà du sens, résonnait au tréfonds de l'être. L'âme ébranlée, les candidats à l'initiation écoutaient, saisis d'une ferveur sacrée.

Puis la vicomtesse, toujours masquée, entra solennellement dans la lumière chaude des flambeaux et des brasiers, et prit place derrière l'autel sculpté. Il y eut un lourd silence, le temps que Gagnière recule à côté d'elle et, tête baissée, mains croisées sur le ventre, affecte une pose recueillie. Elle entama alors, en draconique, la longue litanie des Dragons Ancestraux dont elle invoquait les noms véritables et demandait la protection. Cela fut long, un Dragon Ancestral devant être désigné selon son titre et ses liens familiaux étroits. Et les noms qu'elle prononçait avant chaque panégyrique étaient en outre répétés par Gagnière en sa qualité de Premier Initié, puis repris en chœur par l'assistance.

Enfin, la vicomtesse ouvrit un coffret posé sur l'autel et en sortit la Sphère d'Âme qu'elle brandit à bout de bras. Toujours en draconique, elle appela Sassh'Krecht, le Dragon Ancestral dont l'essence primordiale hantait le globe de noirs tourments. De lui, elle cita tous les parents et descendants, toutes les dignités, tous les faits de gloire légendaires, et à mesure qu'elle déclamait, l'atmosphère s'emplit d'une présence aussi exaltante qu'effrayante, venue du fond des âges et bientôt ressuscitée au mépris des lois de la nature.

Alors, Gagnière le premier, Saint-Georges venant ensuite, les fidèles défilèrent en bon ordre devant l'autel, s'agenouillèrent aux pieds de la vicomtesse, posèrent les lèvres sur la Sphère d'Âme qu'elle avait baissée à leur hauteur et s'alignèrent debout. Ils avaient signifié leur volonté par ce baiser. Prêts à sacrifier une partie d'eux-mêmes, ils attendaient que Sassh'Krecht se manifeste et imprègne leur âme.

En transe, la vicomtesse de Malicorne dirigea le globe vers la lune. Elle hurla un commandement. Des tourbillons de vent se levèrent autour d'elle. Au-dessus du château fort, le ciel se vida de ses nuages qui se dispersèrent, comme éloignés par une force centrifuge. De la Sphère d'Âme pâlissante, des volutes grises et noires s'échappèrent. Elles montèrent en longs rubans alors qu'une rumeur sourde envahissait la nuit, et dessinèrent peu à peu la forme d'un grand dragon spectral qui se dressa, déploya ses ailes, prit une envergure immense. Des siècles durant, Sassh'Krecht avait survécu à la mort, prisonnier de la Sphère d'Âme où toute sa puissance était concentrée. Il triompha dans sa liberté presque recouvrée, sa queue encore rattachée à la relique que la vicomtesse agrippait, le corps parcouru de frissons extatiques. Il ne lui manquait plus, désormais, que de prendre possession des âmes que ses disciples lui offraient.

Personne n'entendit le coup de feu mais tous virent la Sphère d'Âme, à présent d'un blanc laiteux, voler en éclats.

La vicomtesse hurla et s'effondra. L'assistance subit un choc qui la désorienta et Sassh'Krecht poussa un hurlement caverneux qui acheva de l'ébranler. Délivré de la relique avant d'avoir pu s'incarner tout à fait, il se contorsionnait, semblait être un animal pris au piège d'un brasier le dévorant.

Gagnière fut le premier à reprendre ses esprits.

Il se précipita sur la vicomtesse inconsciente, s'accroupit, la souleva légèrement, s'aperçut qu'elle respirait et, désemparé, regarda alentour en espérant comprendre.

Le rituel avait-il échoué ?

Les cieux s'obscurcissaient. Toujours hurlant, le dragon spectral se tordait de douleur tandis que des lambeaux s'arrachaient à sa silhouette fantomatique telles des langues de brume. Des grondements orageux retentissaient. Des éclairs pourpres et or déchiraient l'obscurité. Sassh'Krecht libérait une puissance qui devait trouver un exutoire.

Gagnière vit le dragonnet de la vicomtesse qui voletait autour d'eux. L'animal émit un feulement furieux à son attention, puis fila vers le donjon. Il le suivit du regard, aperçut le mince panache de fumée qui filtrait d'une meurtrière.

*

Un pistolet encore fumant à la main, Agnès dévalait l'escalier de la tour depuis laquelle, cachée et ne manquant rien de la cérémonie, elle avait fait feu. Consciente des enjeux et doutant de voir le jour se lever, elle avait résolu, perdue pour perdue, de causer le plus de dommages possible et avait attendu l'apogée du rituel pour intervenir.

Maintenant, il fallait survivre et, peut-être, s'échapper.

Elle descendit un étage, deux, arriva au premier et entendit des pas précipités qui montaient à sa rencontre. Elle pesta, arracha une vieille draperie d'un mur, la jeta comme un filet de pêche sur les premiers spadassins qui se présentèrent, porta un coup de pied qui brisa une mâchoire. Sa victime bascula en renversant ses camarades, empêtrés avec lui dans le tissu poussiéreux qu'ils déchiraient sans parvenir à s'en libérer.

Ceux qui se bousculaient derrière eux durent reculer dans l'escalier et la voix colérique de Savelda s'éleva.

Agnès rebroussa aussitôt chemin et grimpa les marches quatre à quatre. Son seul espoir était d'accéder au sommet de la tour et au chemin de ronde du donjon. Un reître esseulé lui fit soudain face. Elle tira l'épée pour dévier sa lame, lui remonta violemment la crosse de son pistolet dans l'entrejambe, envoya son adversaire se rompre le cou dans l'escalier.

Les hommes de Savelda sur les talons, elle arrivait au dernier étage de la tour lorsqu'une main l'attira par l'épaule derrière une tenture et la petite porte que celle-ci dissimulait. Agnès se retrouva dans la pénombre d'un passage étroit, collée à quelqu'un qui lui murmura :

— Silence.

Elle se tut, ne bougea pas tandis que, de l'autre côté de la porte, les spadassins se précipitaient vers le chemin de ronde sans s'arrêter.

— Je m'appelle Laincourt. N'ayez pas peur.

— Et de quoi aurais-je peur ?

De fait, Laincourt sentit la lame d'une dague remontée haut entre ses cuisses.

— Je suis au service du Cardinal, chuchota-t-il.

— On vous recherche, monsieur.

— Ce qui nous rassemble. Votre nom ?

— Agnès. J'ai cru entendre un coup de feu peu avant la cérémonie. C'était vous ?

— En quelque sorte. Venez, ils ne vont pas tarder à comprendre.

Ils avancèrent sans bruit dans le couloir obscur, passèrent devant une fenêtre en ogive.

— Vous êtes blessé, nota Agnès en remarquant l'épaule ensanglantée de Laincourt.

— Je ne suis pas celui qui a tiré le coup de feu.

— Pouvez-vous bouger l'épaule ?

— Oui. Elle n'est pas rompue et la balle n'a fait que traverser. Rien de grave.

Ils poussèrent une petite porte et s'engagèrent dans un corridor éclairé de loin par des ouvertures carrées donnant sur la cour. Le plafond était si bas qu'ils ne pouvaient progresser que cassés en deux.

— Ce passage court sous le chemin de ronde. Par lui, nous pourrons gagner la tour voisine. On ne nous y cherche sans doute pas encore.

— Vous semblez bien connaître les lieux…

— Ma science est neuve.

Au bout du corridor, une autre porte.

Ils écoutèrent, ouvrirent prudemment, arrivèrent dans le dos d'une sentinelle que Laincourt égorgea et retint tandis qu'elle s'affaissait. Ils entendaient un grand remue-ménage dans les étages inférieurs, ne trouvèrent que des portes closes, furent contraints de monter quelques marches très raides pour soulever une trappe qui les mena sur le toit.

Il était heureusement désert, même s'ils pouvaient voir des torches et des silhouettes bouger sur l'une des tours voisines, celle que Savelda et ses hommes achevaient de fouiller. Au-delà, dans le ciel tourmenté, le dragon spectral avait cédé la place à une furie d'énergie magique incontrôlée. Les éclairs rouges et or redoublaient. Scandé par des coups de tonnerre, un grondement grave résonnait jusque dans les entrailles et menaçait toujours plus de se déchaîner sur le château fort.

— Vite ! lâcha Laincourt.

Sous le couvert des créneaux, ils prirent par le chemin de ronde vers la troisième tour. Ils allèrent aussi vite qu'ils le pouvaient sans se redresser, et commençaient à croire qu'ils s'en tireraient à bon compte quand un cri strident retentit près d'eux : le dragonnet de la vicomtesse battait des ailes à leur niveau et indiquait leur position. Des regards se tournèrent vers eux. L'alerte fut donnée.

Laincourt brandit son pistolet et abattit le reptile d'une balle qui lui arracha la tête.

— Une balle perdue, commenta Agnès.

— Point tant, répondit l'espion du Cardinal en songeant au Vielleux dont le dragonnet avait provoqué la capture.

Ils étaient à mi-chemin entre la deuxième et la troisième tour, vers laquelle les spadassins de Savelda se précipitaient déjà. Ils coururent sous le feu de tirs sporadiques et mal ajustés, arrivèrent les premiers et voulurent soulever la trappe.

Fermée.

— Merde ! jura Laincourt.

Agnès prit la mesure de la situation. Savelda et ses reîtres arrivaient de la première tour par le chemin de ronde. D'autres sortaient déjà de la deuxième et leur ôtaient toute possibilité de retraite. Le sol était cinquante mètres plus bas. Le temps leur manquait pour forcer la trappe.

Ils étaient pris.

Agnès et Laincourt se mirent en garde dos à dos… et attendirent.

Prudents, les spadassins ralentirent l'allure et les entourèrent tandis que Savelda, calme et souriant, approchait en marchant.

Un cercle d'épées se resserra autour des fuyards résolus à mourir plutôt que de se laisser prendre.

— En général, murmura Agnès pour elle-même, c'est à ce moment-là qu'ils arrivent…

Laincourt l'entendit.

— Que dites-vous ? lui glissa-t-il par-dessus son épaule blessée.

— Rien. Ravie de vous avoir rencontré.

— De même.

Et le secours vint du ciel.

22

Hors du donjon, le château fort était plongé dans un chaos que dominait la grande tourmente des énergies déchaînées par la destruction de la Sphère d'Âme. Du ciel nocturne déchiré tombaient des éclairs de foudre crépitante qui incendiaient arbres et broussailles, soulevaient des gerbes de terre, pulvérisaient la pierre, abattaient des pans de mur. L'un d'eux fendit et embrasa l'autel duquel Gagnière, débarrassé de sa robe cérémonielle, s'éloignait en portant la vicomtesse inconsciente. On criait. Des chevaux paniqués hennissaient. Adeptes et spadassins couraient en tous sens, ne savaient où se réfugier ni contre qui, au juste, se défendre.

Car les Lames du Cardinal étaient passées à l'attaque.

*

Renseignés par Malencontre, La Fargue et ses hommes investissaient discrètement la place quand Agnès interrompit la cérémonie. Pour désespérée qu'elle soit, cette initiative les servit en détournant toutes les attentions vers le grand dragon spectral à la torture. La Fargue, longeant un chemin creux bordé par un muret, hâta le pas vers l'enclos où les deux vyverniers, inutiles depuis la fin du jour, gardaient leurs bêtes. Pipe au bec, une lourde besace en bandoulière, Ballardieu se hissa sur un rempart, brisa la nuque d'un guetteur, prit discrètement sa place au-dessus de la porte principale et de ses sentinelles. Plus loin, Saint-Lucq enjambait le cadavre d'une autre sentinelle et approchait d'un feu de camp autour duquel étaient réunis cinq spadassins subjugués par le spectacle ahurissant qui s'offrait à eux dans le ciel nocturne. Simultanément, Marciac se glissait dans l'écurie.

*

Dans le donjon, Agnès et Laincourt passaient d'une tour à l'autre afin de tromper les recherches de Savelda quand, dehors, le premier éclair frappa le lieu de la cérémonie. D'abord saisis de stupeur, les adeptes se dispersèrent en rentrant la tête dans les épaules tandis que d'autres éclairs s'abattaient et que les spadassins qui surveillaient le rituel s'alarmaient enfin.

Ballardieu jugea le moment propice pour agir. Piochant dans sa besace, il alluma la mèche d'une grenade à sa pipe de terre et lança l'objet en aveugle pardessus le parapet auquel il était adossé accroupi. Une deuxième et une troisième suivirent aussitôt, leurs explosions retentissant parmi les cris et les grondements de la tempête surnaturelle. Il jeta alors un œil en bas, vit avec satisfaction les cadavres des sentinelles, puis avisa une vyverne qui s'élevait de l'enclos. Debout, il entreprit d'arroser la cohue de grenades.

*

Les reîtres réunis autour d'un feu de camp virent les grenades exploser à distance, saisirent leurs armes et…

... se figèrent.

Un homme vêtu de noir, les yeux cachés par des verres rouges qui reflétaient les flammes, se tenait devant eux. Il attendait et pointait sur eux sa rapière à bout de bras. Il semblait à la fois détendu et résolu. Ils devinèrent qu'il était là depuis un petit moment. Ils comprirent qu'ils devraient en passer par lui. Et malgré leur expérience de la souffrance, des combats et des massacres, un sentiment de malaise les prit.

Les entrailles tordues par la peur, ils surent qu'ils allaient mourir.

*

Paniqués sous les éclairs assourdissants, des adeptes et des hommes en armes couraient vers l'écurie lorsque ses portes s'ouvrirent en grand sur l'incendie qui ravageait l'intérieur, poussées à la volée par les chevaux que Marciac avait libérés. Les montures effrayées renversèrent et piétinèrent les premiers arrivés, bousculèrent les autres en hennissant avant de se disperser.

La silhouette du Gascon se découpa alors sur fond de brasier tandis qu'il sortait à son tour, rapière au poing. Il eut rapidement raison des quelques reîtres désorientés qui restaient, ouvrit une gorge, transperça une poitrine, fendit un visage.

Profitant d'un moment de répit, il leva les yeux vers le ciel devenu fou, puis aperçut Saint-Lucq qui s'éloignait à petites foulées et ralentissait à peine pour éliminer les spadassins venant à sa rencontre, l'épée brandie. Au terme d'un assaut, le sang-mêlé se tourna vers Marciac et lui désigna la masse sombre du donjon, vers lequel il se dirigeait. Le Gascon comprit et acquiesça, songea à le suivre mais dut presque aussitôt se défendre contre deux adversaires.

*

Cernés sur la tour, Agnès et Laincourt se croyaient condamnés quand, lâchées des hauteurs, des grenades aux mèches incandescentes rebondirent parmi les spadassins stupéfaits, provoquèrent une bousculade paniquée et explosèrent l'une après l'autre dans des nuages de poudre incendiée, leurs éclats brûlants déchirant ceux qui n'avaient pas pu refluer assez vite vers le chemin de ronde.

Cabrée, battant des ailes pour ralentir son approche, une vyverne se posa sur la tour.

— Capitaine ! s'exclama Agnès en voyant qui montait le reptile.

— VITE ! lança La Fargue.

Il lui tendait une main gantée, cependant que la jeune femme désignait Laincourt.

— IL VIENT AUSSI.

— QUOI ? NON ! TROP LOURD !

— IL VIENT AUSSI !

Ce n'était ni le lieu ni le moment de débattre : autour d'eux, les spadassins se ressaisissaient.

Agnès et Laincourt montèrent en croupe de La Fargue, qui piqua aussitôt des talons pour lancer la vyverne. L'animal prit quelques lourds pas d'élan vers le parapet. Voyant ses proies lui échapper, Savelda courut vers elles, les mit en joue en hurlant à ses hommes de s'écarter et fit feu. La balle de son pistolet traversa le long cou de la vyverne à l'instant où elle se jetait dans le vide. Le reptile tressaillit. La surprise, la douleur et son trop lourd fardeau le firent chuter. Il déploya les ailes tandis que le sol se rapprochait et que La Fargue tirait de toutes ses forces sur les rênes. La vyverne redressa son vol à l'ultime seconde. Son ventre frôla le pavé. Ses serres le raclèrent avec des gerbes d'étincelles. Elle allait trop vite dans la petite cour pour avoir une chance de remonter. La Fargue réussit tout juste à la faire obliquer vers la porte du donjon. Le reptile s'engouffra à pleine vitesse sous la voûte. Mais son envergure était trop large. Le choc brisa ses ailes de cuir. La vyverne hurla. Lancée comme un rocher dévalant une pente, elle franchit le pont-levis baissé. Roula sur elle-même dans un tourbillon de sang et de poussière. Éjecta ses passagers. Percuta en fin de course l'un des grands brasiers allumés pour la cérémonie.

*

Ballardieu vit la vyverne jaillir du donjon et trois corps voler dans les airs.

— AGNÈS ! hurla-t-il tandis que le reptile aux ailes brisées se fracassait contre le bûcher et disparaissait sous lui.

Il enjamba le parapet, se reçut six mètres plus bas, courut sans ressentir la douleur de sa cheville foulée. Deux spadassins dracs l'attaquèrent. Il ne ralentit pas l'allure, ne tira pas l'épée. Il saisit par la bandoulière sa besace encore lourde de quelques grenades, la fit tournoyer, brisa une tempe et disloqua une mâchoire écailleuse. Toujours courant, bousculant tous ceux qu'il rencontrait dans la cohue terrifiée, il s'égosillait :

— AGNÈS !... AGNÈS !...

Il vit La Fargue qui se relevait et le rejoignit.

— AGNÈS ! OÙ EST AGNÈS ?

Le capitaine, encore sonné, chancelait. Il cligna des paupières et manqua trébucher. Ballardieu dut le retenir.

— CAPITAINE ! OÙ EST-ELLE ? OÙ EST AGNÈS ?

— Je… Je ne sais pas…

Marciac arriva.

— QUE SE PASSE-T-IL ? demanda-t-il en s'efforçant de couvrir les coups de tonnerre et le fracas des éclairs magiques.

— C'EST AGNÈS ! expliqua le vieux soldat avec des accents d'angoisse. ELLE EST LÀ ! QUELQUE PART ! AIDE-MOI !

*

Grimaçant, l'œil vague, Laincourt se redressa péniblement, d'abord sur les mains et les genoux. Il toussa, cracha de la terre et du sang.

Puis se mit debout.

Autour de lui, le chaos de la bataille finissante se mêlait à celui de l'orage inouï dont les gémissements venteux montaient dans les aigus. Les éclairs destructeurs gagnaient en puissance et les grondements furieux ébranlaient jusqu'aux tréfonds du château, dont les pierres se disloquaient. Plus personne ne songeait à se battre. Seulement à fuir. Parmi les adeptes et les spadassins de la Griffe noire, les rares survivants se pressaient vers la porte que Ballardieu ne défendait plus à la grenade.

Laincourt, lui aussi, aurait dû fuir sans attendre.

Mais il lui restait une dernière tâche à accomplir.

*

La vicomtesse toujours inanimée dans les bras, Gagnière arriva dans la cour du donjon en même temps que Savelda et ses hommes, venus des étages.

— Nous sommes attaqués ! dit un Gagnière en sueur.

— Oui, répliqua le borgne espagnol. Et nous avons déjà perdu… Donnez-la-moi.

D'autorité, il se chargea du fardeau de la vicomtesse.

Le marquis laissa faire, trop abasourdi pour protester.

— Nous devons fuir ! lâcha-t-il. Par le passage. Il est encore temps. Vite !

— Non.

— Pardon ?

— Pas vous. Vous, vous restez.

— Mais pourquoi ?

— Pour couvrir notre retraite… Contre lui.

Gagnière se retourna.

Saint-Lucq entrait par la voûte, armé d'une rapière et d'une dague de main gauche.

— Toi et toi, avec moi, ordonna Savelda. Les autres, avec le marquis.

Et suivi des deux hommes qu'il avait désignés, il disparut par une porte, laissant le gentilhomme et quatre spadassins dans la cour.

Gagnière voulut ouvrir la porte : elle lui résista. Il dévisagea alors le sang-mêlé qui lui rendit son regard et lui sourit par-delà la ligne des reîtres, comme si ces derniers n'étaient qu'un obstacle insignifiant les séparant. Cette idée s'insinua dans l'esprit du marquis et il prit peur.

Ramassant une épée sur un cadavre tombé du chemin de ronde, il cria :

— ATTAQUEZ !

Eux aussi troublés par le calme prédateur de Saint-Lucq, les spadassins tressaillirent et se ruèrent à l'assaut. Le sang-mêlé écarta deux lames avec sa rapière, planta et abandonna sa dague dans le ventre de son premier adversaire, tourna sur lui-même, égorgea le deuxième d'un revers. D'un même mouvement, il se baissa face à un drac qui armait un coup haut, se glissa sous son bras et se redressa en faisant basculer le reptilien par-dessus son épaule. Celui-ci chuta lourdement sur le dos et Saint-Lucq se fendit pour transpercer la poitrine du dernier spadassin, qu'il désarma. Puis, parachevant sa chorégraphie meurtrière, il ramena à la verticale la rapière qu'il avait subtilisée et, sans regarder, cloua le drac au sol.

Impassible, le sang-mêlé toisa Gagnière.

*

Dans l'enclos, il restait une vyverne qui se serait sans doute enfuie si elle n'avait été enchaînée. Saint-Georges peina à la seller et il avait déjà une botte à l'étrier quand, parmi le vacarme de la tempête, il entendit distinctement :

— Recule.

Meurtri, blessé, sanglant, Laincourt se tenait quelques mètres derrière lui et le visait avec un pistolet. Il faisait peine à voir mais dans ses yeux brillait une lueur presque fanatique.

— Obéis, ajouta-t-il. Je n'attends qu'une occasion de te brûler la cervelle.

Sans gestes brusques, Saint-Georges reposa le pied, écarta les bras. Il ne se retourna pas, cependant. Pas plus qu'il ne s'éloigna de la vyverne et des pistolets rangés dans les fontes de selle. Des pistolets que Laincourt, dans son dos, ne pouvait apercevoir.

— Nous pouvons encore nous entendre, Laincourt.

— J'en doute.

— Je suis riche. Très riche…

— Ton or est le prix de tes trahisons. Combien d'hommes fidèles sont morts par ta faute ? Les dernières de tes victimes furent sans doute les courriers de Bruxelles, dont tu indiquais les itinéraires à la Griffe noire. Mais avant eux ?

— L'or est l'or. Il brille partout du même éclat.

— Le tien te sera inutile là où tu vas.

Saint-Georges fit soudain volte-face en brandissant un pistolet.

Un coup de feu claqua.

Et Laincourt regarda le traître s'effondrer, l'œil crevé et l'arrière du crâne emporté par une balle.

Puis il considéra la vyverne sellée.

*

L'orage était désormais à son comble. Des tourbillons d'énergie s'étaient levés au ras du sol et les éclairs tombaient à chaque seconde en creusant des cratères. Le château semblait essuyer le feu d'une canonnade acharnée à le détruire.

— ICI ! hurla soudain La Fargue.

Il était accroupi près d'Agnès qu'il venait de retrouver et dont il soulevait la tête. La jeune femme était inconsciente. Ses cheveux étaient empoissés de sang à la tempe. Mais elle respirait.

— EST-ELLE... ? s'alarma un Ballardieu aussitôt accouru.

— NON. ELLE VIT.

Un cavalier surgit alors par une brèche dans un rempart. C'était Almadès, qui tirait derrière lui les montures des Lames. De bons chevaux de guerre, heureusement, et qui ne paniquaient donc pas dans le fracas des batailles.

— AGNÈS N'EST PAS EN ÉTAT DE MONTER ! affirma La Fargue.

— JE LA PORTERAI ! répliqua Ballardieu.

Un éclair frappa près d'eux et les arrosa de terre fumante.

— REGARDEZ ! cria le Gascon.

Le carrosse noir de la vicomtesse arrivait du donjon, conduit par Saint-Lucq.

— Béni sois-tu, Saint-Lucq, murmura Ballardieu.

Le sang-mêlé arrêta le carrosse à leur hauteur. Il ne maîtrisait l'attelage qu'à grand-peine. Les chevaux hennissaient et se cabraient à chaque déflagration, faisant aller et venir la voiture sur place. Marciac saisit les bêtes au mors pour les contenir.

La Fargue réussit ainsi à ouvrir la portière, et vit la forme à l'intérieur.

— IL Y A QUELQU'UN LÀ-DEDANS !

Il s'agissait en l'occurrence de Gagnière. Évanoui, il avait reçu un coup d'épée à l'épaule droite.

— UN NOUVEL AMI ! ironisa Saint-Lucq. ALLEZ ! VITE !

Agnès dans les bras, Ballardieu embarqua. La Fargue referma la portière sur eux puis enfourcha le cheval dont le Gascon, déjà en selle, lui tendait les rênes.

— EN AVANT ! L'ENFER EST POUR BIENTÔT ICI !

Saint-Lucq fit claquer les longes sur la croupe des chevaux attelés. Les cavaliers piquèrent des talons et ouvrirent la voie au carrosse aussitôt lancé au grand galop. Miraculeusement épargnés par les explosions dont le souffle leur fouettait le visage de débris divers, ils franchirent la porte juste avant qu'un violent éclair ne la fasse s'effondrer. Ils dévalèrent en trombe la route qui serpentait, renversant sans pitié les fuyards qui pouvaient l'encombrer, laissant derrière eux des ruines en proie à la furie destructrice d'énergies ancestrales.

Puis il y eut une seconde d'immense silence, et du ciel déferla une force éblouissante. Elle balaya les derniers vestiges du château dans une clameur d'apocalypse et noya dans sa clarté la silhouette d'une vyverne montée qui s'éloignait à tire-d'aile.

*

Au même moment, à un quart de lieue de distance, une grille était poussée dans le taillis d'un sous-bois. Savelda la franchit le premier en luttant contre les ronces, bientôt suivi par les deux hommes qui portaient la vicomtesse. Elle avait recouvré son âge, était redevenue à jamais une vieille femme : son visage s'était creusé et ridé ; son teint avait perdu la fraîcheur et la beauté ; ses longs cheveux blonds s'étaient ternis de mèches grises ; et ses jolies lèvres avaient séché et maigri. Une bile noire coulant de sa bouche et de ses narines, elle respirait mal, gémissait, hoquetait.

Mais vivait.

IV

UN NOUVEAU JOUR

1

Deux jours s'écoulèrent puis, un matin, Rochefort vint chercher La Fargue qui, moins d'une heure plus tard, fut reçu seul par Richelieu. Assis à son bureau, les coudes posés sur les bras de son fauteuil et les doigts réunis en clocher contre ses lèvres, le Cardinal dévisagea longuement le vieux capitaine impassible.

Enfin, il dit :

— M. de Tréville s'est montré fort aimable de libérer M. Leprat du Châtelet, n'est-ce pas ? S'il n'avait tenu qu'à moi…

Raide, le regard fixé droit devant lui, La Fargue ne répondit pas.

— À en croire M. de Tréville, reprit Richelieu, le dénommé Malencontre se serait joué de votre homme, lui aurait subtilisé ses effets et aurait quitté sa prison ainsi déguisé en profitant du changement de garde. Ce qui pourrait se croire si M. Leprat n'était pas celui qu'il est…

— Nul n'est infaillible, monseigneur.

— Sans doute, oui… Naturellement, le plus regrettable, au-delà de la fierté froissée de M. Leprat, est la perte de Malencontre. Sauriez-vous où il se trouve ?

— Nullement. Mais il m'apparaît que la capture du marquis de Gagnière compense cette perte. Malencontre servait Gagnière. Or le maître en sait toujours plus que sa créature.

— Nous aurions donc gagné au change.

— Oui, monseigneur. Et de beaucoup.

— Nous verrons…

Le Cardinal tourna son regard vers la fenêtre.

— Comment se porte la baronne de Vaudreuil ?

— Elle se remet.

— Et les autres ?

— Tous sont au mieux. Ces derniers jours de repos leur ont été très profitables.

— Bien, bien… Reste que je vous avais ordonné de vous tenir à l'écart.

— Il est vrai.

— Le Père Joseph m'avait mis en garde sur le sujet de votre insubordination. Quelque chose à dire pour votre défense ?

— Oui. Je crois que Votre Éminence ne souhaitait pas que je lui obéisse.

— Vraiment ?

— Je crois que Votre Éminence savait que je n'abandonnerais pas l'une de mes… l'une de ses Lames. Je crois que Votre Éminence avait deviné que j'en viendrais à affronter la Griffe noire. Je crois, enfin, que Votre Éminence ne pouvait faire autrement que de me donner les ordres qu'elle m'a donnés, de peur de déplaire à l'Espagne. Mais malgré tout, Votre Éminence souhaitait que je poursuive.

— Et d'où vous vient ce sentiment, capitaine ?

— D'abord du souci que vous avez du bien de la France, monseigneur.

— Soit. Ensuite ?

— Rien ne vous obligeait à me dire où Malencontre était détenu. En me le disant, vous me donniez le moyen de prendre les devants, sans risquer de froisser l'ambassadeur extraordinaire d'Espagne. Les apparences, ainsi, étaient sauves.

Le Cardinal sourit. Ses paupières se plissèrent et ses yeux brillèrent d'une inavouable satisfaction.

— Vous comprendrez, capitaine, que je ne puis que m'inscrire en faux.

— Certes, monseigneur.

— Sachez donc que je condamne votre initiative…

La Fargue acquiesça.

— ... et que je vous en félicite.

Le vieux gentilhomme esquissa un sourire malin.

Il savait qu'il ne découvrirait sans doute jamais ce que Richelieu ignorait et ce qu'il n'ignorait pas depuis le début de cette affaire, ce qu'il avait choisi de dire et avait préféré taire, ce qu'il avait feint de croire et deviné secrètement. Les Lames étaient une arme dont le Cardinal usait à sa guise.

Richelieu se leva et, insigne honneur, raccompagna La Fargue à la porte.

— J'aimerais, capitaine, que vous réfléchissiez à la proposition que je m'en vais vous faire…

— Monseigneur ?

— Il s'agit d'un certain jeune homme d'une grande valeur et qui m'a fort bien servi. Malheureusement, les choses ont tourné d'une manière qui lui interdit de retrouver sa place parmi mes gardes. Néanmoins, je ne souhaite pas me priver de lui. Or si vous daigniez l'accepter parmi les Lames…

— Son nom ?

— Laincourt.

— Est-ce celui qui…

— Celui-là même, capitaine.

— Je vous promets d'y songer, monseigneur.

— Parfait. Songez-y. Et donnez-moi bientôt votre accord.

2

— C'est moi, annonça Leprat après avoir frappé à la porte de la chambre d'Agnès.

— Entre.

La jeune femme était encore alitée, plus par paresse que par nécessité cependant. Elle avait bonne mine et les égratignures sur son visage n'entameraient pas sa beauté. À côté d'elle était posé le plateau du repas que Ballardieu lui avait apporté dès la première heure. Leprat nota avec satisfaction qu'il était presque vide.

— Je venais voir comment tu te portais, annonça le mousquetaire.

Puis, désignant une chaise :

— Tu permets ?

— Bien sûr.

Agnès referma son livre, regarda Leprat qui s'asseyait en soulageant sa jambe blessée, attendit.

— Alors ? fit-il après un moment.

— Alors quoi ?

— Tu es bien allant ?

— Comme tu le vois… Je me repose.

— Tu l'as mérité.

— Je crois, oui.

Il y eut un silence durant lequel Agnès s'amusa de l'embarras de Leprat.

Elle finit néanmoins par avoir pitié et lâcha :

— Allez, vas-y. Dis-le.

— Tu as pris un risque inconsidéré en te laissant emmener par ces hommes.

— J'ignorais qui ils étaient au juste et c'était précisément ce que je comptais découvrir. En outre, ils étaient cinq ou six et je n'étais pas armée.

— N'empêche. Quand tu as vu Saint-Lucq dans la rue, tu aurais pu… À vous deux, avec la surprise…

— Je sais.

— Les choses auraient pu très mal tourner.

— Oui. La Griffe noire aurait pu fonder une loge, ici, en France.

— C'est une manière de voir les choses… Mais qu'allais-tu faire là-bas, pour commencer ?

— Chez Cécile ?

— Oui.

— Tu le sais bien. Trouver ce qu'elle y cachait. Et que Saint-Lucq avait trouvé avant moi, sur un ordre secret du capitaine. Si je l'avais su…

Leprat acquiesça, le regard vague.

Agnès plissa les paupières, avança les épaules pour le regarder en face.

— C'est de cela que tu es venu me parler, n'est-ce pas ?

— Il a changé. Il n'est plus le même qu'avant… Je… Je crois qu'il se méfie de nous.

Et Leprat ajouta avec un geste d'humeur, la voix vibrante de colère impuissante :

— De nous, bon sang ! De ses Lames !

La jeune femme, compatissante, posa la main sur son poignet.

— De cela, il faut blâmer Louveciennes. Quand il a trahi à La Rochelle, il aurait tout aussi bien pu poignarder La Fargue au cœur. Il était son meilleur ami. Le seul, peut-être… Et c'est sans compter la mort de Bretteville et la dissolution infamante des Lames. Ce souvenir doit être inscrit au fer rouge dans sa mémoire, et le brûler encore.

Leprat se leva, boita vers la fenêtre, laissa errer son regard sur les toits du faubourg Saint-Germain.

— Le pire, avoua-t-il bientôt… Le pire est que je crois qu'il a raison de se défier de nous.

— Hein ?

— De l'un d'entre nous, en tout cas.

— Mais de qui ?

— Je l'ignore.

Il se retourna vers Agnès et expliqua :

— Nous étions les seuls à savoir que nous détenions Malencontre. Or cela n'a pas empêché Rochefort de venir le chercher après quelques heures. Le Cardinal savait aussi, donc. Qui lui a dit ?

Sentant un sentiment qu'elle n'aimait pas l'étreindre, la jeune baronne se fit l'avocat du diable :

— Il y a Guibot. Et Naïs, que nous ne connaissons ni d'Ève ni d'Adam, après tout…

— Y crois-tu vraiment ?

— Tu me soupçonnes ?

— Non.

— Alors qui ?… Saint-Lucq ? Marciac ? Almadès ? Ballardieu ?… Et pourquoi pas toi, Leprat ?

Il la dévisagea sans colère, presque peiné :

— Va savoir…

3

Le comte de Rochefort attendait dans l'un des confessionnaux de l'église Saint-Eustache quand, à l'heure dite, quelqu'un s'assit de l'autre côté de l'ouverture occultée par des croisillons de bois.

— Son Éminence, dit-il, vous reproche de ne pas l'avoir avertie des projets de La Fargue.

— Quels projets ?

— Les projets visant à faire évader Malencontre du Châtelet.

— Je les ignorais.

— Vraiment ?

— Oui.

— On peine à le croire… Où se cache Malencontre ?

— La Fargue lui a rendu la liberté contre les renseignements qui nous ont permis de secourir Agnès. Et, accessoirement, de mettre à mal la Griffe noire. S'il a pour deux liards de cervelle, Malencontre a déjà quitté le royaume.

— C'est regrettable.

— Je me figurais plutôt qu'une défaite de la Griffe noire vous réjouirait…

— Ne jouez pas au plus malin avec moi. Ce n'est pas pour cela que l'on vous paie… Saviez-vous que la prétendue Cécile était en vérité la fille de La Fargue ?

Il y eut un silence éloquent.

— Non, lâcha finalement l'autre.

— C'est désormais chose faite. Son Éminence souhaite savoir où elle est.

— En sûreté.

— Ce n'est pas ce que je vous demande.

— Cécile, ou quel que soit son nom, n'est qu'une victime dans toute cette affaire. Elle a mérité qu'on la laisse en paix.

— Sans doute. Mais vous n'avez pas répondu à ma question.

— Je n'y répondrai pas.

Le ton de son interlocuteur fit comprendre à Rochefort qu'il serait vain d'insister.

— À votre guise, se résigna l'homme du Cardinal.

Mais je dois vous dire que vous méritez mal vos gages, Marciac.

4

Dans la cour du splendide hôtel de Tournon, une escorte de gentilshommes déjà en selle patientait près d'un luxueux carrosse. On n'attendait plus que le comte de Pontevedra, qui devait prendre la route de l'Espagne d'ici peu. Les négociations secrètes avec la France avaient dernièrement pris un tour inattendu et, trop tôt interrompues, n'avaient pas abouti. Il ne restait donc à l'ambassadeur qu'à retourner à Madrid afin d'en informer le roi et son ministre Olivares.

Pontevedra achevait de se préparer lorsqu'on lui annonça un dernier visiteur. Il marqua un certain étonnement en apprenant son nom, hésita, réfléchit, puis indiqua qu'il le recevrait seul dans un salon.

La Fargue, debout, s'y trouvait déjà quand il entra.

Les deux hommes se dévisagèrent longtemps. Ils avaient sensiblement le même âge, mais l'un était devenu un gentilhomme de cour et d'intrigue tandis que l'autre était resté un gentilhomme de guerre et d'honneur. Ce n'était cependant pas le comte de Pontevedra, ambassadeur extraordinaire d'Espagne et favori de Sa Majesté Philippe IV, que le vieux capitaine toisait impassible. C'était Louveciennes, son ancien frère d'armes et de sang, l'unique et véritable ami qu'il ait jamais eu, et qui l'avait trahi.

— Que veux-tu ?

— Je suis venu te dire qu'Anne, ma fille, est saine et sauve. Il me semblait que tu méritais de le savoir.

Pontevedra grimaça un sourire narquois.

— « Ta fille » ?

— Elle est ma fille et tu le sais. Tu l'as d'ailleurs toujours su. Comme moi. Comme Oriane. Et désormais, Anne le sait également. De même qu'elle sait ce que tu es.

Un masque haineux défigura l'ambassadeur.

— Que lui as-tu dit ? cracha-t-il.

— Rien. Je ne suis pas ce genre d'homme.

— Alors comment ?

— Une lettre de sa mère. Sa mère que tu n'as jamais aimée autant qu'elle le méritait…

— Un reproche que l'on ne peut te faire, rétorqua l'autre.

Il avait le fiel aux lèvres et le regard incendié.

— Je me suis longtemps reproché cette nuit, reconnut La Fargue.

— La belle excuse !

— Oriane aussi se l'est reprochée. Mais c'était avant La Rochelle, avant que tu ne révèles ta véritable nature, avant que tu ne trahisses.

— J'ai fait un choix. Le bon. Pour m'en convaincre, il me suffit de te regarder. Tu n'as rien. Tu n'es rien. Tandis que moi…

— Tu n'es que riche. Et Bretteville est mort par ta faute, Louveciennes.

— JE SUIS LE COMTE DE PONTEVEDRA ! hurla l'ancienne Lame.

— Nous savons tous les deux qui tu es, dit La Fargue d'un ton calme.

Se détournant, il avait déjà la main sur la poignée de la porte quand Pontevedra, empourpré, lança :

— Je trouverai Anne. Où que tu la caches, je la trouverai !

Le capitaine eut une pensée pour sa fille, qu'il ne connaissait pas et redoutait même de retrouver. Pour l'heure, elle était là où personne n'irait la chercher, rue de la Grenouillère, confiée grâce à Marciac aux bons soins de la belle Gabrielle et de ses accortes pensionnaires.

Cela, cependant, ne pouvait durer.

— Non, annonça La Fargue. Tu ne la trouveras pas. Tu vas l'oublier.

L'ambassadeur éclata d'un grand rire.

— Est-ce toi qui m'y obligeras ? Tu ne peux rien contre moi, La Fargue ! Rien !

— Mais si. Tu as profité de ta charge d'ambassadeur pour poursuivre une ambition personnelle. Tu as intrigué et tu as menti. Ce faisant, tu as gravement compromis ta mission et trompé la confiance de ton… roi. Tu as même, en réclamant que les Lames et moi recherchions le prétendu chevalier d'Irebàn, rassemblé des hommes dont l'Espagne aura bientôt, sans doute, à se plaindre. Tu nous voulais parce que nous sommes les meilleurs ? Eh bien voilà, nous sommes là. Crois-tu que Richelieu voudra se passer encore de nos services ? Non, Louveciennes. Les Lames du Cardinal sont de retour, ce que tes maîtres ne manqueront pas de regretter avant longtemps… Alors songes-y. Tiens-tu vraiment à ce que cela se sache ?

— Ne me menace pas.

— Je t'échange mon silence contre ma fille. Tu n'as pas le choix… Oh, et puis encore une dernière chose…

— Laquelle ?

— La prochaine fois que nous nous rencontrerons, je te tuerai. Bon retour en Espagne.

La Fargue sortit sans refermer la porte.

Épilogue

Il faisait nuit lorsque, ce soir-là, La Fargue revint à l'hôtel de l'Épervier. Il mena son cheval à l'écurie, le dessella et le bouchonna soigneusement, traversa ensuite la cour vers le corps de logis principal. Des bruits de rires, des bribes de chants et de conversations joyeuses lui parvinrent dès les marches du perron. Il sourit, entra et, depuis la pénombre du vestibule, observa le spectacle qui s'offrait à lui par une porte grande ouverte.

Les Lames étaient réunies autour d'un repas que le vin et le plaisir faisaient durer. Ils étaient tous là. Ballardieu et Marciac qui chantaient faux debout sur des chaises. Agnès, radieuse, qui s'esclaffait. Leprat qui frappait dans ses mains et entonnait en chœur. Et même l'austère Almadès, qui pouffait aux pitreries des deux premiers, le Gascon jouant l'ivresse en se forçant peu. La douce Naïs servait sans rien perdre de leur numéro. Aux anges, le vieux Guibot battait la mesure avec sa jambe de bois.

Ô charmante bouteille !
Pourquoi renfermes-tu
Dans un osier tordu
Ta liqueur sans pareille ?

Pourquoi nous caches-tu
Sous tes sombres habits
Ton ambre et tes rubis ?

Pour contenter la vue,
Ainsi que le gosier,
Dépouille ton osier,
Montre-toi toute nue.
Et ne nous cache plus
Sous tes sombres habits
Ton ambre et tes rubis.

Ils semblaient heureux et La Fargue envia leur bonheur, leur insouciance, leur jeunesse. Il aurait pu être le père de la plupart d'entre eux et, d'une certaine manière, il l'était.

Ou l'avait été.

Autrefois, il les aurait rejoints. Et il hésitait à le faire quand Naïs, pour pouvoir passer, ferma la porte et plongea le vieux capitaine fatigué dans le noir.

Il préféra gagner sa chambre sans être vu ni entendu.

Là, loin de la rumeur et de la chaleur de la fête, il s'allongea tout habillé sur son lit, croisa les doigts sous sa nuque et attendit, les yeux grands ouverts mais le regard vide.

Minuit, bientôt, sonna au clocher de l'abbaye de Saint-Germain.

Alors La Fargue se leva.

D'un petit coffre dont il ne quittait jamais la clef, il sortit un précieux miroir d'argent qu'il posa devant lui sur un guéridon.

À voix basse, recueilli, paupières baissées, il prononça une formule rituelle dans une langue ancienne, crainte et presque oubliée. Le miroir qui d'abord lui renvoyait son reflet répondit à l'appel. Sa surface se troubla et, lentement, comme émergeant d'une couche de mercure vivant, parut la tête légèrement translucide d'un dragon blanc aux yeux rouges.

— Bonsoir, maître, dit La Fargue.